Magyk

LIVRE UN

Angie Sage

Magyk

LIVRE UN

Traduit de l'anglais
par Nathalie Serval

Titre original : *SEPTIMUS HEAP BOOK ONE : MAGYK*
(Première publication : HarperCollins Children'sBooks,
New York, 2005)
© Angie Sage, 2005.
Illustrations © Mark Zug, 2005.

Pour la traduction française
© Éditions Albin Michel, 2005.

Pour Loïs,
avec toute mon affection.
Merci pour ton aide et tes encouragements.
Ce livre est pour toi.

A. S.

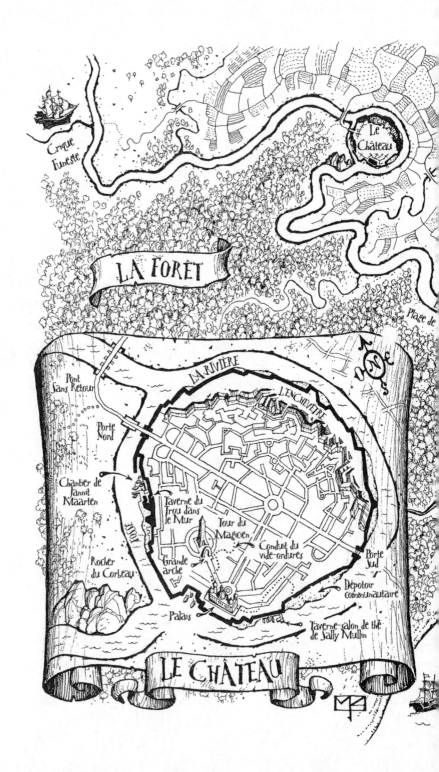

LA CAMPAGNE

Vers les Maleterres
et les montagnes
Frontalières

Passe de Deppen

MARAIS
DE MARRAM

Île de
Draggen

Masure
de Jack le toqué

LE PORT

LES DUNES

⊹⊱ I ⊰⊹
UN PAQUET DANS LA NEIGE

Silas Heap s'enveloppa dans sa cape pour se protéger de la neige. Sa longue marche à travers la Forêt l'avait glacé jusqu'aux os. Mais il rapportait dans ses poches des herbes données par Galen, la guérisseuse, pour son fils Septimus, né le matin même.

À l'approche du Château, Silas commença à distinguer, à travers les arbres, les flammes vacillantes des bougies derrière les fenêtres des maisons hautes et étroites groupées le long du mur d'enceinte. Cette nuit serait la plus longue de l'année et les bougies brûleraient jusqu'à l'aube pour éloigner l'obscurité. Silas ne craignait pas la Forêt durant le jour et il aimait suivre à pied le sentier qui se faufilait sur plusieurs lieues entre les arbres serrés. Il allait bientôt atteindre l'orée de la Forêt ; les grands arbres s'espaçaient de plus en plus. À un moment donné, le chemin s'inclina vers le fond de la vallée et Silas découvrit le Château dans toute son étendue. Ses vieilles murailles épousaient les méandres de la rivière et zigzaguaient autour des maisons qui avaient poussé de façon anarchique. Les façades étaient peintes de couleurs vives et les derniers feux de ce jour d'hiver incendiaient les carreaux de celles qui donnaient à l'ouest.

Le Château n'était à l'origine qu'un petit village. En raison de la proximité de la Forêt, les villageois avaient élevé des murs de pierre pour se défendre des sorciers, sorcières et gloutons qui n'hésitaient pas à leur voler leurs moutons, leurs poules et même leurs enfants. La construction de nouvelles maisons les avait amenés à prolonger les murs et à creuser un fossé pour assurer la sécurité de l'ensemble de la communauté.

Le Château n'avait pas tardé à attirer des artisans d'autres villages. Il avait tant prospéré que la place avait fini par manquer. Quelqu'un avait alors suggéré d'édifier l'Enchevêtre, un énorme bâtiment de pierre qui s'étirait sur trois lieues le long de la rivière et s'enroulait sur lui-même pour s'achever dans l'enceinte du Château. C'est là qu'habitaient Silas, Sarah et les garçons. Cet endroit bruyant et grouillant d'activité présentait un dédale de passages et de salles où les manufactures, les écoles et les échoppes côtoyaient les habitations, les minuscules jardins couverts et même un théâtre. Si on y vivait à l'étroit, l'atmosphère y était conviviale et les enfants y trouvaient toujours des compagnons de jeu.

Comme le soleil d'hiver plongeait derrière les murs du Château, Silas pressa le pas. Il fallait qu'il atteigne la porte Nord avant la tombée de la nuit ou le pont-levis serait fermé.

C'est alors qu'il sentit une présence toute proche. Une présence vivante, mais à peine. Un petit cœur humain battait près de lui. Silas s'immobilisa. En tant que magicien ordinaire, il percevait certaines choses, mais n'étant pas particulièrement doué, il avait besoin de se concentrer. La neige tombait dru autour de lui ; déjà, elle recouvrait ses empreintes. Puis il entendit un bruit. Était-ce un pleur, un soupir, un reniflement ? Il n'aurait su le dire, mais cela lui suffit.

Il trouva le paquet dans un buisson sur le côté du chemin. En le ramassant, il eut la surprise de voir deux yeux qui le fixaient d'un air grave. C'était un bébé, une petite fille. Silas la cala sur son bras, se demandant ce qu'elle faisait là, couchée dans la neige, le jour le plus froid de l'année. Bien qu'emmaillotée dans une épaisse couverture en laine, elle était déjà glacée. Elle avait les lèvres bleues et les cils saupoudrés de neige. Silas eut le sentiment pénible que ces yeux violets au regard scrutateur avaient contemplé des choses qu'une enfant aussi jeune aurait dû ignorer.

Il songea à Sarah qui l'attendait bien au chaud auprès des garçons et se dit qu'ils trouveraient bien une place pour une créature de sa taille. Il enveloppa soigneusement le bébé dans sa cape verte de magicien et courut en le serrant contre lui. Il atteignit le Château juste comme Gringe, le gardien de la porte, allait donner l'ordre de hisser le pont-levis.

– C'était moins une, marmonna Gringe. Vous autres magiciens, vous êtes une drôle d'espèce. Me demande ce que vous pouvez fabriquer dehors par un temps pareil.

Silas brûlait de fausser compagnie à Gringe, mais il devait d'abord lui graisser la patte. Il piocha un penny en argent dans une de ses poches et le lui tendit prestement.

– Merci, Gringe. Bonne nuit.

Gringe regarda le penny comme s'il allait le mordre.

– Marcia Overstrand, elle m'a donné une demi-couronne à l'instant. Mais cette femme-là, elle a de la classe. Normal, pour une magicienne extraordinaire.

Silas faillit s'étrangler de surprise.

– QUOI ?

– Dame, oui ! Elle a de la classe.

Gringe recula pour le laisser passer, ce que Silas fit sans tarder. Il aurait bien voulu savoir dans quelles circonstances Marcia Overstrand était devenue magicienne extraordinaire, mais le paquet commençait à gigoter sous sa cape et quelque chose lui disait qu'il valait mieux que Gringe n'en sache rien.

Comme il s'enfonçait dans le tunnel conduisant à l'Enchevêtre, une grande silhouette drapée de pourpre émergea de l'ombre et lui barra la route.

– Marcia ! Qu'est-ce que tu...

– Ne dis à personne que tu l'as trouvée. Tout le monde doit croire qu'elle est ta fille. Compris ?

Bouleversé, Silas ne put qu'acquiescer et Marcia se fondit dans un brouillard chatoyant avant qu'il ait retrouvé l'usage des mots. Les questions se bousculaient dans sa tête tandis qu'il se dirigeait vers son domicile à travers le dédale de couloirs de l'Enchevêtre. Qui était cette enfant ? Quels étaient ses liens avec Marcia ? Comment cette dernière était-elle devenue magicienne extraordinaire ? Il n'était plus très loin de la grande porte rouge signalant la pièce unique dans laquelle s'entassait sa famille quand une interrogation plus urgente surgit dans son esprit : comment Sarah allait-elle accueillir cette nouvelle bouche à nourrir ?

Il n'eut pas le temps d'y réfléchir. Comme il atteignait la porte, celle-ci s'ouvrit brusquement. Une grosse femme rougeaude (une matrone, à en juger par sa robe bleu nuit) sortit en coup de vent et faillit le renverser. Elle aussi tenait un paquet, mais le sien était emmailloté de la tête aux pieds et elle le portait sous le bras, comme s'il s'agissait d'un colis et qu'elle craignait d'arriver trop tard à la poste.

– Mort ! lui lança-t-elle.

Elle écarta brutalement Silas et s'éloigna au pas de course. À l'intérieur, Sarah Heap poussait des cris déchirants.

Silas entra, le cœur gros. Il vit sa femme entourée de six petits garçons très pâles et trop effrayés pour pleurer.

– Elle l'a emmené, expliqua Sarah, désespérée. Septimus est mort et elle l'a emmené.

Au même moment, un liquide chaud traversa la couverture du bébé que Silas dissimulait toujours sous sa cape. Ne trouvant pas les mots pour exprimer ce qu'il ressentait, il se contenta de sortir le petit paquet et le plaça dans les bras de sa femme.

Sarah Heap fondit en larmes.

✢ 2 ✢
SARAH ET SILAS

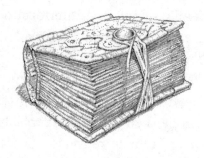

Le « paquet » élut domicile chez les Heap et reçut le nom de Jenna, en l'honneur de la mère de Silas.

Le plus jeune des garçons, Nicko, n'avait que deux ans à son arrivée et il ne pensa bientôt plus à son frère Septimus. Les aînés finirent par l'oublier aussi. Ils aimaient beaucoup leur petite sœur à qui ils rapportaient toutes sortes de trésors de l'école de **Magyk**.

Bien sûr, Sarah et Silas ne purent oublier Septimus. Silas s'en voulait d'avoir laissé Sarah seule à la maison pour aller chercher des herbes chez la guérisseuse. De son côté, Sarah se faisait tous les reproches possibles. Elle n'avait qu'un vague souvenir de ce jour terrible mais elle se souvenait très bien de ses vains efforts pour ranimer son bébé à l'aide de son souffle. Elle revoyait la matrone envelopper son petit Septimus de la tête aux pieds dans des langes puis se diriger vers la porte en lui jetant par-dessus son épaule ·

– Mort !

Cette scène était restée gravée dans sa mémoire.

Bientôt, Sarah aima la petite fille autant qu'elle avait aimé son Septimus. Pendant un temps, elle vécut dans la crainte de la perdre aussi. Mais au fil des semaines, comme Jenna devenait un bébé potelé qui gazouillait d'une voix plus sonore que celle de n'importe lequel des garçons, elle se détendit et cessa presque de s'inquiéter.

Mais un jour, sa meilleure amie, Sally Mullin, arriva tout essoufflée sur le pas de la porte. Sally Mullin était une des personnes les mieux informées sur tout ce qui se passait au Château. Cette petite femme active, coiffée d'une toque douteuse d'où s'échappaient en permanence des mèches de cheveux roux et fins, avait un visage rond et avenant. Ses joues rebondies témoignaient de son habitude de finir les restes de gâteaux et ses vêtements étaient généralement saupoudrés de farine.

Sally dirigeait un petit établissement sur le ponton au bord de la rivière :

> *Chez Sally Mullin, taverne et salon de thé*
> *Chambres propres à louer*
> *On ne sert pas la canaille*

On ne pouvait rien cacher aux habitués de la taverne de Sally Mullin. Toute nouvelle arrivée de passagers ou de marchandises par la voie fluviale y était immédiatement repérée et abondamment commentée. Or, la plupart des voyageurs aimaient mieux se rendre au Château en bateau que de traverser la sombre forêt qui l'entourait de toutes parts. Les gloutons y rôdaient en nombre durant la nuit, sans parler des arbres carnivores et des sorcières de Wendron, toujours à court d'espèces sonnantes et trébuchantes, qui passaient pour tendre des pièges aux imprudents et ne leur laisser que leur chemise et leurs chaussettes.

L'établissement de Sally, une baraque en bois enfumée et grouillante de clients, semblait posé en équilibre instable au-dessus de l'eau. Des embarcations de toutes tailles et de toutes formes venaient s'amarrer au ponton, déversant devant sa porte toutes sortes de bêtes et de gens. Beaucoup décidaient de se remettre de leurs émotions en buvant une ou plusieurs pintes de cette bière revigorante dont Sally avait le secret, en dégustant une part de gâteau à la farine d'orge et en rapportant les derniers potins. Et les habitants du Château, pour peu qu'ils aient une demi-heure à perdre et un creux à l'estomac, prenaient tout naturellement le chemin qui empruntait la porte du Port, longeait la rivière et le dépotoir communautaire avant d'aboutir à la taverne-salon de thé de Sally Mullin.

Sally veillait à rendre visite à Sarah chaque semaine afin de la tenir informée de tout ce qui se passait. De son point de vue, Sarah était esclave de ses sept enfants, sans compter son époux qui n'avait pas l'air de se donner beaucoup de mal. En général, les histoires de Sally concernaient des gens que Sarah n'avait jamais vus et qu'elle avait peu de chances de rencontrer un jour. Pourtant, elle attendait avec impatience les visites de son amie et se délectait de ses récits. Mais les nouvelles que Sally apportait ce jour-là étaient autrement plus sérieuses que les commérages habituels, et elles touchaient Sarah de près. Et pour la première fois, celle-ci en savait plus long que Sally sur le sujet.

Sally entra et referma la porte avec des airs de conspiratrice.

– J'ai quelque chose d'affreux à te raconter, murmura-t-elle.

Occupée à la fois à débarbouiller Jenna qui avait tout éclaboussé avec son petit déjeuner et à nettoyer les saletés du nouveau chiot de la famille, Sarah n'écoutait qu'à moitié.

– Bonjour, Sally. Va t'asseoir là où c'est propre. Une tasse de thé ?

– S'il te plaît, oui. Sarah, tu ne me croiras jamais !

– Que s'est-il passé ? demanda Sarah, s'attendant au récit de la dernière querelle d'ivrognes survenue à la taverne.

– La reine... Elle est morte !

– Quoi ?

Stupéfaite, Sarah souleva Jenna de sa chaise, l'emmena dans l'angle de la pièce où se trouvait son couffin et la coucha. Elle pensait qu'il fallait préserver les bébés des mauvaises nouvelles.

– Morte, répéta Sally d'un ton lugubre.

– Impossible ! Je n'en crois pas un mot. La naissance de son enfant l'a beaucoup fatiguée ; c'est pour ça qu'on ne l'a pas revue depuis.

– C'est ce qu'ont raconté les gardes du palais, pas vrai ?

– Exact, acquiesça Sarah en versant le thé. Mais ils sont bien placés pour savoir la vérité. Ce que je ne comprends pas, c'est pourquoi la reine a tout à coup choisi cette bande de brigands pour former sa garde personnelle...

Sally prit la tasse de thé que Sarah avait placée devant elle.

– Mmm, parfait. (Sally baissa la voix et lança un regard circulaire autour d'elle. Peut-être s'attendait-elle à découvrir un garde du palais dans un recoin de la pièce, même si elle avait peu de chances de le remarquer à cause du désordre qui régnait chez les Heap.) Des brigands, disais-tu ? Tout juste ! Ce sont eux qui l'ont tuée.

– Tuée ?

– Chut ! (Sally approcha sa chaise de Sarah.) Tu sais ce qu'on raconte ? Et ça, je le tiens de bonne source...

– Cette source, elle a un nom ? interrogea Sarah avec un sourire ironique.

– Parfaitement. Elle s'appelle dame Marcia !

Sally se redressa et croisa les bras d'un air triomphant.

– Quoi ? Depuis quand fréquentes-tu la magicienne extra-ordinaire ? Ne me dis pas qu'elle est entrée chez toi pour prendre une tasse de thé...

– Pas elle, mais Terry Tarsal. Il revenait de la tour du Magicien où il avait livré une paire de bottines fabriquée tout spécialement pour dame Marcia. Quand il eut fini de se plaindre du mauvais goût de sa cliente et de sa propre horreur des serpents, il m'a confié avoir surpris une conversation entre Marcia et une autre magicienne. Je crois que c'était Endor. Tu sais, la petite boule ? En bref, elles disaient que la reine avait été tuée par un assassin à la solde des gardes du palais...

Sarah n'en croyait pas ses oreilles.

– Quand ? souffla-t-elle.

– C'est ça le plus terrible, murmura Sally, tout excitée. Elle serait morte le jour même où son enfant naissait. C'était il y a six mois, et nous n'en savions rien. Quel drame effroyable ! Ils ont également tué messire Alther. Ça explique que Marcia...

– Alther ? la coupa Sarah. Quelle horreur ! Tout le monde le croyait à la retraite. Silas a été son apprenti. Un homme charmant.

– Ah ? marmonna Sally, impatiente de poursuivre. Ce n'est pas tout ! Terry a cru comprendre que Marcia avait sauvé la princesse en la mettant à l'abri. Endor et elle se posaient des questions à son sujet. Bien sûr, quand elles se sont aperçues de sa présence, elles ont mis fin à leur conversation. Il dit que Marcia s'est montrée très désagréable avec lui. Après, il s'est senti tout drôle, au point qu'il la soupçonne de lui avoir jeté un **sort d'oubli**. Mais il s'est glissé derrière un pilier en la voyant remuer les lèvres, de sorte que le sort a en partie échoué. Là où il est furieux, c'est qu'il ne se rappelle pas si elle lui a payé les bottines.

Sally Mullin fit une pause pour reprendre son souffle et avaler une gorgée de thé.

– Pauvre petite princesse ! Que Dieu lui vienne en aide. Je me demande où elle se trouve en ce moment ? Sans doute en train de dépérir dans quelque donjon. Pas comme ta petite chérie... Comment se porte le cher ange ?

– Oh ! À merveille.

En d'autres circonstances, Sarah aurait été intarissable sur les gazouillis et la dernière dent de Jenna. (Celle-ci se redressait maintenant toute seule, et tenait sa tasse comme une grande !) Mais pour le moment, elle n'aspirait qu'à détourner l'attention de Sally du bébé. Elle venait de passer six mois à s'interroger sur l'identité de la petite fille, et à présent, elle savait.

Jenna ne pouvait être que la princesse, la fille de la défunte reine !

21

Pour une fois, Sarah fut contente de voir partir Sally Mullin. Elle la regarda s'éloigner d'un pas pressé le long du couloir, referma la porte avec un soupir de soulagement et se précipita vers le couffin.

Quand elle la souleva dans ses bras, Jenna lui sourit et tendit sa menotte vers le collier porte-bonheur de sa mère.

– Bonjour, petite demoiselle, murmura Sarah. J'ai toujours su que tu avais quelque chose de spécial, mais je n'imaginais pas que tu étais notre princesse.

Le bébé planta ses yeux violets à l'expression sérieuse dans ceux de Sarah, comme pour lui dire : *eh bien, maintenant, tu le sais.*

Sarah la reposa doucement dans son couffin. La tête lui tournait et ses mains tremblaient quand elle se versa une autre tasse de thé. Elle hésitait encore à croire tout ce qu'elle venait d'entendre. La reine était morte, ainsi qu'Alther. Leur petite Jenna était la princesse, l'héritière du Château. Comment était-ce possible ?

Elle passa le reste de l'après-midi à contempler Jenna – la princesse Jenna – et à s'inquiéter des conséquences si quelqu'un découvrait son identité. Et Silas qui n'était jamais là quand elle avait besoin de lui...

Pendant ce temps, Silas goûtait aux joies de la pêche à la ligne avec les garçons.

Une petite plage de sable s'étirait dans un coude de la rivière, à une faible distance de l'Enchevêtre. Silas avait montré à Nicko et à Jo-Jo, ses deux plus jeunes fils, comment attacher un pot de confiture au bout d'une gaule qu'on plongeait ensuite dans l'eau. Jo-Jo avait déjà capturé trois petits poissons, mais Nicko laissait continuellement tomber sa gaule et commençait à s'énerver.

Silas prit le petit garçon dans ses bras et se dirigea vers Erik et Fred, les jumeaux âgés de cinq ans. Erik rêvassait et laissait traîner un pied dans l'eau fraîche et claire avec un sourire béat. Fred essayait de déloger un insecte de dessous une pierre avec un bâton. C'était un énorme gyrin au corps noir et brillant. En le voyant, Nicko hurla et se cramponna au cou de son père.

À presque sept ans, Sam était déjà un pêcheur confirmé qui avait reçu une canne à pêche digne de ce nom à son dernier anniversaire. Deux petits poissons d'argent reposaient sur une pierre près de lui et il s'apprêtait à en remonter un troisième quand Nicko se mit à piailler.

– Emmène-le, papa, dit son frère d'un ton maussade. Il va effrayer le poisson.

Silas s'éloigna sur la pointe des pieds et alla s'asseoir près de Simon, son fils aîné, avec Nicko. Simon tenait sa canne d'une main et un livre de l'autre. Il nourrissait l'ambition de devenir magicien extraordinaire et avait entrepris de dévorer tous les vieux grimoires de son père. Silas déchiffra le titre de celui qu'il lisait : *Le Manuel du charmeur de poissons*.

Silas escomptait que ses fils perpétueraient la tradition familiale en optant pour l'une ou l'autre branche de la **Magyk**. Sa tante était une sorcière blanche réputée et son oncle, un changeforme, tout comme son père. Toutefois, il espérait que ses garçons éviteraient cette dernière spécialité : avec l'âge, les bons changeformes souffraient d'une instabilité qui pouvait les empêcher de conserver leur apparence primitive plus de quelques minutes d'affilée. Le père de Silas s'était fondu dans la Forêt après s'être transformé en arbre (nul ne savait lequel). C'était une des raisons pour lesquelles Silas appréciait tant ses promenades dans les bois. Il n'était pas rare qu'il adresse la parole à un arbre particulièrement dépenaillé dans l'espoir qu'il s'agisse de son père.

Sarah Heap était issue d'une famille de sorciers et de magiciens. Petite fille, elle avait étudié les herbes et l'art de soigner auprès de Galen, la guérisseuse de la Forêt. C'est là qu'elle avait rencontré Silas, toujours à la recherche de son père. Le voyant triste et désemparé, elle l'avait conduit auprès de Galen. Celle-ci l'avait aidé à comprendre que son père, le changeforme, avait certainement choisi depuis longtemps d'achever son parcours sous l'apparence d'un arbre et qu'il devait être parfaitement heureux à présent. Et pour la première fois de sa vie, Silas s'était senti parfaitement heureux, assis aux côtés de Sarah près du feu de la guérisseuse.

Quand Sarah eut parfait sa connaissance des herbes et de l'art de soigner, elle prit congé de Galen avec effusion et rejoignit Silas dans la pièce unique qu'il occupait alors, celle où ils s'entassaient maintenant avec leurs enfants. À l'arrivée du premier, Silas avait de bon gré interrompu son apprentissage et trouvé un emploi de magicien ordinaire pour faire bouillir le chaudron. Sarah préparait des élixirs sur la table de cuisine quand elle avait un moment de liberté, ce qui n'arrivait pas souvent.

Ce soir-là, quand Silas et les garçons remontèrent de la plage, un garde du palais, géant menaçant tout vêtu de noir, leur barra le passage.

– Halte ! aboya-t-il.

Nicko fondit en larmes. Silas s'immobilisa et dit à ses fils de se tenir tranquilles.

– Papiers ! hurla le garde. Où sont tes papiers ?

Silas le regarda sans comprendre.

– Quels papiers ? demanda-t-il calmement, soucieux d'éviter les ennuis avec six garçons fatigués qui avaient hâte de rentrer souper.

– Les tiens, saleté de magicien, rétorqua le garde d'une voix qui suait le mépris. L'accès de la plage est interdit à tous ceux qui n'ont pas les papiers requis.

Silas fut abasourdi. Seul, il aurait sans doute discuté, mais il avait remarqué le pistolet du garde.

– Désolé, dit-il. Je l'ignorais.

Le garde les toisa des pieds à la tête, comme s'il statuait sur leur sort, mais par chance, il avait d'autres innocents à terroriser.

– Toi et ta marmaille, fichez le camp et ne vous avisez pas de revenir, lâcha-t-il d'un ton brusque. Restez dans votre trou à rats.

Silas se dépêcha de gravir les dernières marches et entraîna les garçons vers l'Enchevêtre. Une fois en sécurité, Sam jeta son poisson et se mit à sangloter.

– Allons, c'est fini, murmura Silas. Tout va bien.

Mais dans le fond, il n'en était pas si sûr. Que se passait-il au Château ?

– Pourquoi t'a-t-il traité de saleté de magicien, papa ? interrogea Simon. Les magiciens sont pourtant les meilleurs, non ?

– C'est ça, répondit distraitement Silas. Les meilleurs.

Le problème, songeait-il, c'est qu'il était impossible de cacher qu'on en était un. Tous les magiciens sans exception présentaient le même trait distinctif. C'était son cas, mais aussi celui de Sarah et de tous leurs fils, sauf Nicko et Jo-Jo. Ces derniers l'acquerraient sitôt qu'ils iraient à l'école et seraient exposés au pouvoir de la **Magyk**. Lentement mais sûrement, la couleur de leurs yeux virerait au vert, et bientôt nul n'ignorerait leur nature. Jusque-là, cette particularité avait toujours été un motif de fierté. Mais brusquement, elle était devenue synonyme de danger.

Ce soir-là, quand tous les enfants furent enfin endormis, Silas et Sarah parlèrent jusqu'au cœur de la nuit. Ils parlèrent de leur princesse, de leurs petits magiciens et des changements survenus au Château. Ils envisagèrent de fuir vers les marais de Marram ou d'aller vivre dans la Forêt avec Galen. Mais quand ils finirent par céder au sommeil, un peu avant l'aube, ils avaient décidé de suivre leur ligne de conduite habituelle – en d'autres termes, vivre au jour le jour en priant pour que tout s'arrange.

Ainsi, Silas et Sarah gardèrent le silence pendant neuf ans et demi. Ils avaient soin de barricader leur porte, ne parlaient qu'à leurs voisins et aux personnes de confiance. Quand les cours de **Magyk** furent interdits à l'école, ils continuèrent à enseigner celle-ci à leurs enfants, le soir à la maison.

C'est pourquoi, neuf ans et demi plus tard, tous les membres de la famille Heap sauf un arboraient des yeux d'un vert éclatant.

3
LE CUSTODE SUPRÊME

Il était six heures et il faisait encore nuit noire, dix ans jour pour jour après que Silas eut découvert le « paquet ».

Au bout du corridor 223, derrière la grande porte sombre sur laquelle la patrouille Numérique avait apposé le nombre 16, la famille Heap dormait d'un sommeil paisible, Jenna douillettement couchée dans le petit lit clos que Silas avait construit pour elle avec du bois ramassé sur la berge de la rivière. Le lit était encastré dans une armoire qui ouvrait sur la pièce principale – en fait, la seule que possédaient les Heap.

Jenna adorait son armoire-lit. Sarah lui avait confectionné des rideaux en patchwork qu'elle pouvait tirer pour se protéger du froid ou s'isoler de ses frères et de leurs jeux bruyants. Mais ce qu'elle préférait, c'était la lucarne juste au-dessus de son oreiller. Quand elle tardait à s'endormir, elle restait parfois des heures à contempler la rivière et les mille et une sortes d'embarcations qui arrivaient ou repartaient du Château. Et les nuits où le ciel était bien dégagé, elle aimait compter les étoiles jusqu'au moment où elle sombrait dans le sommeil.

La pièce unique où les Heap cohabitaient, cuisinaient, mangeaient, se disputaient et faisaient (de temps en temps) leurs devoirs était un véritable capharnaüm, rempli du sol au plafond de tous les objets amassés par Silas et Sarah durant leurs vingt années de vie commune. On y trouvait des cannes à pêche et des moulinets, des chaussures et des chaussettes, de la ficelle et des pièges à rat, des sacs et des draps, des habits et des pots de confiture, des livres, des livres et encore des livres...

Quand un visiteur imprudent promenait son regard autour de la pièce, cherchant un endroit pour s'asseoir, il y avait de fortes chances pour que celui-ci soit déjà occupé par un livre. De quelque côté que l'on se tournât, on apercevait des livres sur des étagères affaissées, dans des caisses, suspendus au plafond dans des sacs de toile, calant les pieds de la table, formant des piles si hautes et si instables qu'elles menaçaient de s'écrouler à tout instant. On trouvait là des traités d'histoire, de botanique, de cuisine, d'autres consacrés à la navigation ou à la pêche, mais surtout, des centaines de manuels de **Magyk**, sauvés illégalement de la destruction par Silas quand l'enseignement de cette discipline avait été interdit.

Le centre de la pièce comportait une large cheminée dont le tuyau sinueux disparaissait dans le plafond et qui abritait les restes d'un feu à présent éteint. Les six garçons plus un gros chien dormaient tout autour, dans un enchevêtrement confus de duvets et de couvertures.

Sarah et Silas dormaient aussi à poings fermés, dans la mansarde que Silas avait aménagée quelques années plus tôt en perçant un trou dans le plafond. (C'était après que Sarah eut déclaré qu'elle ne supportait plus de cohabiter dans une seule pièce avec six garçons en pleine croissance.)

Toutefois, un îlot d'ordre surnageait dans le chaos de la grande salle : une longue table quelque peu branlante, couverte d'une nappe blanche immaculée. On avait réparti tout autour neuf assiettes et gobelets et placé au bout une chaise décorée de branches et de baies de houx. Posé sur la table devant la chaise, un petit paquet entouré d'un papier de couleur vive et attaché avec un ruban rouge attendait que Jenna l'ouvre au matin de son dixième anniversaire.

Le calme et le silence régnaient sur la maisonnée endormie. Encore quelques heures d'obscurité, puis le soleil se lèverait sur une nouvelle journée d'hiver.

Cependant, à l'autre bout du Château, dans le palais des custodes, l'heure n'était plus au sommeil, qu'il soit paisible ou agité.

Tiré du lit en urgence, le custode suprême s'était dépêché de revêtir sa tunique noire bordée de fourrure et sa lourde cape noir et or avec l'aide du valet de nuit. Sur ses instructions, ce dernier avait ensuite lacé ses bottillons de soie brodée. Avec d'infinies précautions, le custode suprême s'était lui-même coiffé de la couronne qu'il portait toujours en public. Celle-ci présentait une bosse depuis qu'elle avait heurté le sol de pierre en tombant de la tête de la reine. Elle était posée un peu de travers sur sa tête chauve et légèrement pointue, mais le valet de nuit n'osa pas lui en faire la remarque : il était nouveau et proprement terrifié.

Le custode suprême parcourut d'un bon pas le corridor qui menait à la salle du trône. Le petit homme chétif, aux yeux pâles et presque incolores, passait de longues heures à bichonner amoureusement sa barbiche. Il disparaissait presque à l'intérieur de son ample cape surchargée de médailles militaires, et sa couronne penchée, à l'élégance presque féminine, lui donnait un air un peu ridicule. Mais si vous l'aviez croisé ce matin-là, vous n'auriez certes pas ri. Vous vous seriez renfoncé dans l'ombre en formant des vœux pour passer inaperçu, tant sa physionomie exsudait le danger.

Le valet de nuit aida le custode suprême à prendre place sur son trône richement décoré. Son maître le congédia d'un geste impatient et il fila sans demander son reste, soulagé de voir approcher la fin de son service.

Le froid de l'aube pesait telle une chape sur la salle du trône. Le custode suprême était impassible, mais sa respiration haletante, qui se condensait en buée au contact de l'air glacé, trahissait son impatience.

Il n'attendit pas longtemps : une grande jeune femme portant la tunique rouge et la sévère cape noire des Exécuteurs entra d'un pas vif et s'inclina profondément devant lui en balayant le sol de ses longues manches à crevés.

– La princesse, monseigneur... On l'a retrouvée, annonça-t-elle.

Le custode suprême se redressa et la fixa de ses yeux pâles.

– En es-tu sûre ? Cette fois, je ne tolérerai aucune erreur, proféra-t-il d'un ton menaçant.

– Cela faisait un moment que notre espionne nourrissait des soupçons au sujet d'une enfant, monseigneur. Elle trouvait qu'elle détonnait dans sa famille. Hier, elle a découvert que son âge correspondait à celui de la princesse.

– C'est-à-dire ?

– Dix ans tout juste, monseigneur.

– Déjà ?

Le custode suprême se cala sur son trône afin de réfléchir.

– J'ai ici un portrait de l'enfant, monseigneur. Il apparaît qu'elle ressemble beaucoup à sa mère, la reine.

L'Exécutrice tira un bout de papier de dessous sa tunique. Une main habile y avait dessiné le visage d'une jeune fille aux yeux violet foncé et aux longs cheveux bruns. Le custode suprême prit le portrait. En effet, le modèle offrait une ressemblance frappante avec la défunte souveraine. Ayant arrêté sa décision, il fit claquer ses longs doigts décharnés.

L'Exécutrice inclina la tête :

– Oui, monseigneur ?

– Ce soir, à minuit, tu te rendras à... Où est-ce ?

– Pièce 16, corridor 223, monseigneur.

– Le nom de la famille ?

– Heap, monseigneur.

– Bien. Munis-toi d'un pistolet d'argent... Combien de personnes dans la famille ?

– Neuf en comptant l'enfant, monseigneur.

– Tu prendras neuf balles en cas de problème, dont une en argent pour l'enfant. Et ramène-la-moi. J'exige une preuve.

La jeune femme pâlit. C'était sa première mission et elle savait qu'elle n'aurait pas de seconde chance.

– Oui, monseigneur.

Elle se retira après un bref salut, les mains tremblantes.

Dans un recoin tranquille de la salle du trône, le fantôme d'Alther Mella se souleva du banc de pierre glacé sur lequel il était assis. Il soupira en étirant ses vieilles jambes de spectre, resserra sa robe violet fané autour de lui et prit une profonde inspiration avant de traverser l'épaisseur du mur.

Il se retrouva dehors, flottant à vingt mètres du sol dans le froid de l'aube. Au lieu de s'éloigner d'un pas digne, comme il seyait à un revenant de son âge et de son rang, Alther étendit les bras tel un cerf-volant et s'élança avec grâce parmi les flocons de neige.

La faculté de voler était à peu près la seule chose qu'Alther appréciait dans la condition de spectre. La mort l'avait guéri de sa peur invalidante du vide et, depuis, il avait passé des heures grisantes à s'entraîner à l'acrobatie aérienne. À part cela, il n'avait pas beaucoup de plaisirs et ses longues factions dans la salle du trône – c'est là qu'il était né à son nouvel état ; par conséquent, il y était resté consigné durant toute l'année qui avait suivi son décès – ne figuraient certes pas parmi ses occupations favorites. Mais c'était une corvée nécessaire. Alther se faisait un devoir de percer les projets des custodes afin d'en informer Marcia. Grâce à son aide, celle-ci avait toujours un coup d'avance sur leurs adversaires et avait pu assurer la sécurité de Jenna, du moins jusqu'à présent.

Depuis sa lointaine cachette des Maleterres, DomDaniel, un ancien magicien extraordinaire devenu **nécromancien**, n'avait eu de cesse de traquer Jenna après l'échec partiel de la mission qu'il avait confiée à un premier tueur, dix ans plus tôt. La reine éliminée, il avait lancé son émissaire, le custode suprême, ses acolytes et toute une armée de gardes sur la piste de la petite princesse – « la Pouline », comme l'appelait DomDaniel avec mépris. Durant ces dix années interminables, Alther Mella avait contré tous ses efforts pour la débusquer.

DomDaniel ignorait que son ancien apprenti travaillait toujours contre lui. Comme aucun des fantômes du Château ne pouvait lui apparaître en raison de ses accointances avec la Ténèbre, DomDaniel n'était même pas conscient de leur présence. Il attribuait son incapacité à retrouver la princesse à l'exaspérante Marcia Overstrand et son impatience allait croissant. Mais à son insu même, DomDaniel avait récemment bénéficié d'un coup de chance.

Quand le custode suprême, à l'instigation de DomDaniel, s'était emparé du Château, une des premières mesures qu'il avait prises avait été de bannir les femmes du Palais de Justice. Devenus inutiles, les lavabos des dames avaient été transformés en salle de réunion. Durant le mois écoulé, le froid cuisant avait incité l'Assemblée des custodes à délibérer autour de son poêle à bois plutôt que dans la salle du Cénacle, une grande pièce pleine de recoins et de courants d'air qui vous changeaient les pieds en blocs de glace.

C'est ainsi que pour une fois, les custodes avaient devancé Alther Mella. En tant que fantôme, Alther ne hantait que les lieux qu'il avait connus de son vivant. Et en raison de sa bonne éducation, Alther n'avait jamais mis les pieds dans les lavabos des dames. Il avait dû patienter devant la porte, comme lorsqu'il était jeune magicien et courtisait la juge Alice Nettles.

Par une fin d'après-midi particulièrement froide, quelques semaines auparavant, Alther avait vu les custodes pénétrer dans la salle de réunion. Ils avaient refermé derrière eux la lourde porte sur laquelle on distinguait encore l'inscription « DAMES » en lettres d'or presque effacées. Flottant au-dessus du sol, Alther avait collé son oreille contre le panneau de bois afin d'épier leur conversation. Mais malgré ses efforts, il n'avait pu entendre quand l'Assemblée avait décidé d'installer sa meilleure espionne, Linda Lane, prise d'un « intérêt subit » pour les herbes et l'art de soigner, dans la pièce 17 du corridor 223, juste à côté des Heap.

Ainsi, ni Alther ni les Heap ne se doutaient que la nouvelle voisine de ces derniers était une espionne et, qui plus est, une excellente espionne.

Tout en réfléchissant au moyen de sauver la princesse, Alther Mella exécuta distraitement deux loopings presque parfaits, suivis d'un piqué à travers une rafale de neige qui lui permit d'atteindre la pyramide dorée coiffant la tour du Magicien.

Alther se reçut avec grâce. Il resta quelques secondes en équilibre sur la pointe des pieds, puis il leva les bras au-dessus de la tête et tournoya de plus en plus vite, s'enfonçant peu à peu dans le toit, pour s'introduire dans la chambre au-dessous. Mais il avait mal évalué la distance et traversa le baldaquin du lit monumental de Marcia Overstrand.

Effrayée, Marcia se dressa sur son séant. Étalé sur son oreiller, Alther semblait gêné.

– Désolé, Marcia. C'était très grossier de ma part. Encore heureux que je ne t'aie pas surprise en bigoudis...

34

– Pardon, mais mes cheveux frisent naturellement, rétorqua Marcia avec humeur. Vous auriez pu attendre mon réveil.

Alther prit un air sérieux et devint encore plus transparent que d'ordinaire.

– Je crains que non, Marcia, dit-il d'une voix accablée.

⊹ 4 ⊹
MARCIA OVERSTRAND

Marcia Overstrand surgit de la chambre à coucher avec vestiaire attenant qu'elle occupait au sommet de la tour, tira brusquement la lourde porte cramoisie du palier et s'inspecta dans le miroir réglable.

– Moins 8,3 %, ordonna-t-elle.

Le miroir était d'un tempérament anxieux et il redoutait le moment où la porte de Marcia s'ouvrait chaque matin. À la longue, il avait appris à interpréter le bruit de ses pas sur le parquet. Et ce jour-là, ce bruit était de nature à le rendre nerveux, voire très nerveux. Il se mit au garde-à-vous et, dans son désir de lui être agréable, amincit le reflet de Marcia de 83 %, de sorte qu'elle ressemblait à présent à une sauterelle violette en colère.

– Idiot !

Le miroir recommença ses calculs. Il détestait faire des maths dès l'aube et soupçonnait Marcia de lui compliquer volontairement la tâche. Elle n'aurait pas pu lui indiquer un nombre rond, comme 5 %, ou mieux, 10 % ? Le miroir raffolait des 10 % ; il en avait fait sa spécialité.

Marcia sourit à son reflet. Elle avait fière allure.

Son uniforme hivernal de magicienne extraordinaire la mettait très en valeur. La cape en soie pourpre bordée d'une fourrure indigo aux poils longs et soyeux qu'elle avait jetée sur ses épaules tombait avec grâce et s'enroulait docilement autour de ses pieds terminés en pointe. Ses pieds avaient cette forme parce qu'elle adorait les bottines pointues qu'elle faisait fabriquer sur mesure. Celles-ci étaient en serpent, confectionnées avec la mue du python pourpre que le cordonnier élevait dans son arrière-cour rien qu'à son intention. Cet homme, Terry Tarsal, avait horreur des reptiles. Il était persuadé que Marcia lui commandait des chaussures en serpent juste pour l'embêter, et il n'avait peut-être pas tort. La lumière réfléchie par le miroir faisait miroiter les bottines en python pourpre de Marcia et étinceler les métaux – or et platine – de sa ceinture de façon impressionnante. Elle portait autour du cou l'amulette d'Akhentaten, source et symbole de son pouvoir de magicienne extraordinaire.

Marcia était satisfaite. Aujourd'hui, elle devrait paraître imposante. Imposante et un tantinet effrayante. Plus qu'un tantinet, si nécessaire. Tout ce qu'elle souhaitait, c'était que ce ne soit pas nécessaire.

Marcia n'était pas sûre de pouvoir faire peur. Elle prit plusieurs expressions devant le miroir qui frissonna intérieurement, mais cela ne suffit pas à dissiper ses doutes. Marcia ignorait que beaucoup de gens la jugeaient très compétente en ce domaine. En fait, elle passait pour une terreur-née.

– Dos ! dit-elle en claquant des doigts.

Le miroir lui montra son reflet de dos.

– Profils !

Le miroir lui fit voir ses deux profils.

Marcia partit alors comme une flèche, descendit l'escalier deux à deux et fit irruption dans la cuisine, au grand affolement du fourneau qui, l'ayant entendue venir, tentait désespérément de s'allumer avant qu'elle franchisse le seuil.

Mais ses efforts échouèrent et Marcia fut d'une humeur exécrable durant tout le petit déjeuner.

Laissant à la vaisselle le soin de se laver elle-même, Marcia sortit de ses appartements d'un pas volontaire. La lourde porte cramoisie se referma derrière elle avec un chuintement respectueux quand elle sauta sur la première marche de l'escalier à vis en argent.

– Descends !

L'escalier se mit à tourner tel un tire-bouchon géant qui se serait lentement enfoncé dans l'intérieur de la tour, dépassant un nombre apparemment infini d'étages et de portes variées menant à des appartements occupés par une stupéfiante diversité de magiciens. Des bribes d'incantations, de psalmodies et de bavardages ordinaires autour de la table du petit déjeuner parvenaient aux oreilles de Marcia. Les odeurs de tartines grillées, de bacon et de porridge formaient un curieux mélange avec les vapeurs d'encens qui montaient par bouffées de la grande salle du rez-de-chaussée. C'est là que l'escalier déposa Marcia après un arrêt en douceur. Légèrement nauséeuse et impatiente de retrouver l'air libre, elle traversa le hall et s'approcha des portes en argent massif qui gardaient l'entrée de la tour du Magicien. Après qu'elle eut prononcé le mot de passe, les portes s'ouvrirent en silence devant elle. Quelques secondes plus tard, elle émergeait du porche dans le froid mordant d'un matin d'hiver neigeux.

Elle s'avança sur la neige craquante et tomba sur la sentinelle qui trompait l'ennui en bombardant de boules de neige un chat errant. L'une d'entre elles s'écrasa avec un bruit mat sur la soie pourpre de sa cape.

– Ça suffit ! grinça-t-elle.

Le garçon sursauta et se mit au garde-à-vous. Marcia le toisa de la tête aux pieds. Petit et plutôt malingre, il avait l'air terrifié et portait un uniforme de cérémonie qui frisait le grotesque. Sa tunique en coton léger était à rayures rouges et blanches, avec des ruchés pourpres autour des poignets. Des collants blancs et des bottes jaune vif complétaient son accoutrement. Il serrait une lourde pique dans sa main gauche toute bleue de froid.

Marcia avait protesté auprès du custode suprême quand les premières sentinelles étaient apparues au pied de la tour, arguant que les magiciens étaient tout à fait aptes à se garder eux-mêmes, merci bien. Avec un sourire suffisant, il lui avait assuré que leur seule mission était de veiller sur la sécurité des siens. Pourtant, elle le soupçonnait de les avoir placées là dans le but de ridiculiser les magiciens, en plus de surveiller leurs allées et venues.

Marcia examina le garçon. Sa toque trop large aurait caché ses yeux gris foncé si ses oreilles légèrement décollées ne l'avaient empêchée de glisser plus bas. Son regard s'emplit de terreur quand il vit où avait atterri sa boule de neige. Marcia se fit la réflexion qu'il semblait bien chétif pour un soldat.

– Quel âge as-tu ? demanda-t-elle d'un ton accusateur.

Le garçon rougit. C'était la première fois que quelqu'un d'aussi important posait les yeux sur lui, et à plus forte raison lui adressait la parole.

– D-dix ans, madame.

– Comment se fait-il que tu ne sois pas à l'école ?

Il bomba le torse :

– Je n'ai rien à apprendre de l'école, madame. J'appartiens à la Jeune Garde, la fierté du présent, la gloire de demain.

– Tu n'as pas froid ?

Venant de Marcia, la question était inattendue.

– N-non, madame. Nous sommes entraînés à résister au froid.

Toutefois, le garçon avait les lèvres bleuâtres et il grelottait.

– Mouais...

Marcia s'éloigna lourdement dans la neige, laissant la sentinelle affronter la perspective de quatre longues heures de garde.

Marcia traversa la cour en hâte, tournant le dos à la tour du Magicien, et franchit un portail discret débouchant sur un sentier enneigé. Cela faisait dix ans et un jour qu'elle était magicienne extraordinaire et de même que ses pas, ses pensées la ramenaient immanquablement vers le passé.

Elle se rappelait l'époque où elle n'était qu'une pauvre aspirante, dévorant tous les grimoires qui lui tombaient sous la main et nourrissant l'espoir insensé que le magicien extraordinaire, Alther Mella, ferait d'elle son apprentie. Elle coulait alors des jours heureux dans une pièce minuscule de l'Enchevêtre, parmi d'autres aspirants dont la plupart achèveraient leur formation avec des magiciens ordinaires. Mais pas elle. Elle savait ce qu'elle voulait et elle voulait ce qu'il y avait de mieux. Pourtant, quand l'occasion de réaliser son rêve s'était présentée à elle, elle avait eu peine à le croire. Si devenir l'apprentie d'Alther Mella ne la destinait pas nécessairement à lui succéder, ce n'en était pas moins une étape décisive. Pendant sept ans et un jour, elle avait vécu à la tour du Magicien auprès d'Alther.

Alther Mella était un merveilleux professeur. Il savait rendre amusants les exercices pratiques, se montrait patient quand un sort échouait et avait toujours une nouvelle blague à raconter. En outre, il était extrêmement puissant. Marcia n'avait pris la pleine mesure de ses talents qu'après avoir elle-même revêtu la dignité de magicienne extraordinaire. Mais surtout, Alther était un homme exquis. Elle se rembrunit en songeant au dernier jour de la vie d'Alther Mella – le Jour Un, comme l'appelaient maintenant les custodes.

Perdue dans ses pensées, Marcia gravit l'escalier étroit menant au chemin de ronde couvert qui longeait le mur du Château. C'était un raccourci pour le quartier Nord (le nouveau nom de l'Enchevêtre), le but de son expédition. L'accès en était réservé aux patrouilles de la Garde, mais Marcia savait que nul n'oserait empêcher la magicienne extraordinaire de circuler à sa guise, même à présent. Ainsi, au lieu de s'enfoncer dans le dédale de couloirs resserrés et souvent encombrés qu'elle arpentait au temps de sa jeunesse, elle fila à toute allure le long du chemin de ronde. Environ une demi-heure plus tard, elle avisa une porte qui lui était familière.

Marcia prit une profonde inspiration. *C'est là*, pensa-t-elle.

Quelques marches plus bas, elle se retrouva face à la porte en question. Elle s'apprêtait à la pousser quand la porte, effrayée par son aspect, s'ouvrit d'elle-même. Marcia se précipita à l'intérieur et rebondit sur un mur suintant l'humidité. La porte se referma en claquant et Marcia retint son souffle un instant. Le passage empestait le chou bouilli, l'urine de chat et la pourriture sèche, pas du tout comme dans son souvenir. Quand elle habitait encore l'Enchevêtre, les couloirs étaient propres, chauffés et éclairés par des torches en roseau disposées de loin en loin le long du mur. D'autre part, les habitants mettaient un point d'honneur à balayer chaque jour devant leur seuil.

Elle n'était pas certaine de se rappeler le chemin pour aller chez Silas et Sarah Heap. Du temps de son apprentissage, elle passait le plus souvent au pas de course devant leur porte, de crainte que Silas Heap ne l'aperçoive et lui propose d'entrer. Ce qui l'avait le plus frappée alors, c'était le bruit lié à la présence de tous ces petits garçons qui criaient, sautaient, se bagarraient et faisaient tout ce que font habituellement les petits garçons – en réalité, Marcia était assez ignare dans ce domaine car elle évitait autant que possible les enfants.

Un peu inquiète, elle s'enfonça dans la sinistre pénombre du couloir. Elle commençait à se demander comment allait se dérouler sa première visite à Silas depuis dix ans. Elle appréhendait de dire la vérité aux Heap et doutait même d'être crue. Silas était plus têtu qu'une bourrique et elle savait qu'il ne l'appréciait guère. Absorbée dans ses pensées, elle marchait résolument vers son but sans accorder la moindre attention à ce qui l'entourait.

Si cela n'avait pas été le cas, elle aurait été effarée par les réactions qu'elle suscitait. Il était huit heures du matin – l'heure du « coup de feu », selon l'expression de Silas Heap. Des centaines de passants au visage blême se rendaient à leur travail, clignant des yeux ensommeillés dans le demi-jour et ramenant autour d'eux leurs vêtements trop minces et bon marché pour se protéger du froid glacial que dégageaient les murs suintants. Mieux valait éviter le coup de feu dans le quartier Nord. Entraîné par la cohue, vous aviez toutes les chances de rater votre sortie et deviez alors vous extraire de la foule en vous trémoussant pour rejoindre la file qui cheminait dans la direction opposée. Le couloir résonnait de plaintes et de clameurs :

– Par pitié, laissez-moi passer !

– Enfin, arrêtez de me pousser !

– C'est ici que je tourne !

Mais le tumulte avait cessé devant Marcia. Ce prodige ne devait rien à la **Magyk** : son apparition aurait coupé n'importe qui dans son élan. La plupart des résidents du quartier Nord n'avaient jamais vu la magicienne extraordinaire auparavant. Les plus chanceux l'avaient brièvement entrevue dans le hall de la tour du Magicien, après avoir fait le pied de grue dans la cour une bonne partie de la journée. Mais sa présence parmi eux, dans les corridors humides du quartier Nord, tenait du miracle.

Frappés de stupeur, ils reculaient dans l'ombre d'un porche ou disparaissaient dans une venelle, marmottant quelque minable formule de protection. Certains s'arrêtaient net et restaient figés sur place, tels des lapins éblouis par une intense lumière. Ils regardaient Marcia comme si elle venait d'une autre planète, ce qui était presque vrai en dépit des nombreux points communs entre leur existence et la sienne.

Marcia n'en avait cure. Ces dix années de pouvoir l'avaient isolée du commun et si elle en avait d'abord été choquée, elle s'était habituée à voir les gens s'écarter devant elle et la saluer bas en murmurant des paroles respectueuses.

Quittant le corridor principal, elle s'engagea dans le passage étroit qui menait au logis des Heap. Au cours d'une précédente expédition, elle avait constaté que des numéros avaient remplacé les anciennes dénominations, toutes plus saugrenues les unes que les autres : « Carrefour Venteux », « Rue Sens-Dessus-Dessous »...

Auparavant, les Heap résidaient au lieu-dit La Grande Porte rouge, Première Allée et Venue, l'Enchevêtre.

Leur adresse était devenue pièce 16, corridor 223, quartier Nord. Marcia préférait de beaucoup l'ancienne.

Elle finit par atteindre la porte des Heap, que la patrouille des Pinceaux avait repeinte en noir réglementaire quelques jours plus tôt. À en juger par le vacarme, la famille prenait son petit déjeuner. Marcia prit son courage à deux mains.

Il n'y avait plus moyen de reculer.

✦ 5 ✦
CHEZ LES HEAP

– **O**uvre-toi, ordonna Marcia à la porte noire.

Mais comme celle-ci appartenait à Silas Heap, elle n'en fit rien. Au contraire, Marcia crut voir ses gonds se contracter et sa serrure se raidir. Toute magicienne extraordinaire qu'elle était, dame Marcia Overstrand en fut donc réduite à frapper. Nul ne répondit. Elle essaya à nouveau, plus fort et avec les deux poings, sans succès. Elle envisageait de donner un coup de pied à la porte, histoire de lui apprendre la politesse, quand celle-ci fut tirée en arrière. Marcia se retrouva alors nez à nez avec Silas Heap.

– Oui ? dit-il d'un ton rogue, comme si elle était un colporteur ou un vulgaire importun.

Marcia resta sans voix. Derrière Silas, elle aperçut une pièce qui semblait avoir été dévastée par une explosion avant d'être envahie par une troupe de jeunes garçons. Ceux-ci s'agglutinaient autour d'une petite fille aux cheveux sombres,

45

assise au bout d'une table couverte d'une nappe blanche étonnamment propre. L'enfant serrait entre ses mains un cadeau noué avec un ruban rouge. Riant aux éclats, elle tentait de repousser certains des garçons qui faisaient mine de vouloir s'emparer du paquet. Un à un, les enfants levèrent la tête et un silence inhabituel s'abattit sur la maison des Heap.

– Je te souhaite le bonjour, Silas Heap, dit Marcia avec une amabilité un peu forcée. À toi aussi, Sarah Heap, ainsi qu'à, euh... Tous les petits Heap.

Les « petits Heap », dont la plupart ne méritaient certes plus ce qualificatif, ne lui retournèrent pas son salut. Mais six paires d'yeux verts et une autre violet foncé se braquèrent sur elle, l'examinant en détail. Marcia commença à se sentir gênée. Peut-être avait-elle une saleté sur le nez, ou une mèche de cheveux qui rebiquait, lui donnant l'air ridicule ? À moins qu'un bout d'épinard ne se soit coincé entre ses dents...

Marcia se rappela qu'elle n'avait pas mangé d'épinards au petit déjeuner. *Allons, secoue-toi*, se gourmanda-t-elle. *Montre-leur qui commande.* Elle se retourna alors vers Silas, qui donnait l'impression de souhaiter ardemment son départ.

– J'ai dit bonjour, Silas Heap, reprit-elle d'un ton irrité.

– J'ai bien entendu, Marcia. Peut-on savoir ce qui t'amène après tout ce temps ?

Marcia alla droit au but :

– Je suis venue pour la princesse.

– Qui ça ?

– Tu sais très bien de qui je veux parler, grinça Marcia. (Elle détestait les questions, surtout de la part de Silas Heap.)

– Il n'y a aucune princesse ici, Marcia, lui opposa Silas. Cela me paraît évident.

Marcia regarda autour d'elle. Silas disait vrai : ce n'était pas le genre d'endroit où l'on s'attendait à trouver une princesse. En réalité, elle n'avait jamais vu un tel désordre de toute sa vie.

Au milieu du chaos, debout près du feu qu'elle venait d'allumer, se tenait Sarah Heap. Elle faisait cuire du porridge pour l'anniversaire de Jenna quand Marcia était entrée de force dans sa maison et dans sa vie. Aussi immobile qu'une statue, sa casserole de porridge à la main, elle ne quittait pas l'intruse des yeux. Quelque chose dans son expression indiquait qu'elle se doutait de ce qui allait suivre. *Ça ne va pas être facile*, pensa Marcia. Elle décida de renoncer à la manière forte et de tout reprendre depuis le début.

– Tu permets que je m'assoie, Silas... Sarah ?

Sarah fit oui de la tête. Silas se renfrogna. Ni l'un ni l'autre n'avait ouvert la bouche.

Silas jeta un coup d'œil à sa femme qui s'était laissé tomber sur une chaise. Pâle et tremblante, elle attira la petite fille sur ses genoux et la serra étroitement contre elle. Silas désirait par-dessus tout que Marcia s'en aille et les laisse en paix, mais il savait qu'elle n'en ferait rien avant de leur avoir délivré son message. Il poussa un profond soupir et dit :

– Nicko, donne une chaise à Marcia.

– Merci, Nicko.

Marcia s'assit précautionneusement sur une des chaises que Silas avait fabriquées. Le petit garçon tout ébouriffé la gratifia d'un sourire contraint et se fondit dans le groupe de ses frères qui s'étaient massés autour de Sarah comme pour la protéger.

Marcia considéra les Heap et fut surprise de constater à quel point ils se ressemblaient. Tous, y compris Sarah et Silas, possédaient les mêmes cheveux bouclés couleur paille et aussi, bien sûr, les mêmes iris d'un vert lumineux. Avec ses cheveux bruns et raides et ses yeux violet foncé, la princesse détonnait au milieu d'eux. Marcia étouffa un grognement. De son point de vue, rien ne distinguait un bébé d'un autre et il ne lui était jamais venu à l'esprit que la petite fille deviendrait si différente des Heap en grandissant. Pas étonnant que l'espionne l'ait percée à jour.

Silas Heap prit place sur une caisse retournée et dit :

– Eh bien, Marcia, que se passe-t-il ?

Marcia avait la bouche très sèche.

– Auriez-vous un verre d'eau ? demanda-t-elle.

Jenna sauta des genoux de Sarah et s'approcha de la visiteuse, lui tendant un gobelet en bois très abîmé dont le bord présentait des marques de dents sur son pourtour.

– Prenez le mien. Je n'ai pas soif, proposa-t-elle en levant vers Marcia un regard admiratif.

Elle n'avait encore jamais vu quelqu'un d'aussi pourpre, d'aussi brillant, d'aussi propre et fastueux, ni assurément avec des pieds aussi pointus.

Marcia examina le gobelet d'un œil soupçonneux, puis elle se rappela de qui elle le tenait et dit alors :

– Merci, Votre Altesse. Euh... Vous permettez que je vous appelle Jenna ?

Jenna resta muette. Elle était trop occupée à admirer les bottines pourpres de Marcia.

– Réponds à dame Marcia, poupette, insista Sarah Heap.

– Oh ! oui, dame Marcia, s'exclama la petite fille, intriguée mais polie.

– Merci, Jenna. Je suis heureuse de faire enfin ta connaissance. Et je t'en prie, appelle-moi Marcia.

Tout en parlant, la magicienne extraordinaire ne pouvait s'empêcher de constater combien l'enfant ressemblait à sa mère.

Jenna retourna se blottir contre Sarah. Marcia porta le gobelet mâchonné à ses lèvres et se força à boire une gorgée.

– Assez tourné autour du pot, Marcia, lui lança Silas depuis sa caisse. Qu'est-ce qui se passe ? Encore une fois, on dirait que nous sommes les derniers informés.

– Silas, est-ce que Sarah et toi savez qui est, euh... Jenna ?

– Oui, nous le savons. C'est notre fille, rétorqua Silas d'un air buté.

– Mais toi, tu as deviné ? reprit Marcia en dirigeant son regard vers sa femme.

– Oui, murmura Sarah.

– Alors, tu comprendras quand je vous aurai dit qu'elle n'est plus en sécurité ici. Je dois l'emmener sans délai, ajouta Marcia d'un ton pressant.

– Non ! hurla Jenna.

Elle grimpa aussitôt sur les genoux de Sarah qui se cramponna à elle. Silas laissa éclater sa colère :

– Le fait d'être magicienne extraordinaire ne te donne pas le droit de débarquer chez nous et de chambouler nos vies comme si ça n'avait aucune importance. Je ne te laisserai pas emmener notre unique fille. Elle est parfaitement en sécurité avec nous.

– Silas, soupira Marcia. Tu sais bien que ce n'est plus vrai. Quelqu'un a découvert son existence. Vous avez une espionne pour voisine. Linda Lane.

– Linda ? s'exclama Sarah. Elle, une espionne ? Je n'arrive pas à le croire.

– Quoi, fit Silas, cette vieille pie qui vient toujours se fourrer dans nos pattes pour jacasser à propos de pilules et de potions et faire le portrait des enfants ?

– Silas ! protesta Sarah. Ne sois pas aussi désagréable.

– Je le serai encore plus avec elle s'il s'avère qu'elle est une espionne.

– Il n'y a pas de « si », Silas, intervint Marcia. Il ne fait aucun doute que Linda Lane est une espionne. Et je suis sûre que ses portraits sont très utiles au custode suprême.

Comme Silas se contentait de grogner, Marcia avança un peu plus son pion :

– Écoute, Silas... Je ne désire que le bien de Jenna. Il faut me faire confiance.

Cette fois, Silas faillit s'étrangler :

– Et pourquoi t'accorderais-je ma confiance, Marcia ?

– Je t'ai bien accordé la mienne en te laissant la princesse. À présent, je te demande d'en faire autant. Le drame d'il y a dix ans ne doit pas se reproduire.

– Tu oublies que nous ignorons ce qui s'est passé il y a dix ans, répliqua Silas d'un ton cinglant. Personne n'a jamais pris la peine de nous le dire.

– Que voulais-tu que je fasse, Silas ? Dans l'intérêt de la princesse – je veux dire, de Jenna –, il valait mieux que tu ne saches rien.

En l'entendant prononcer le mot « princesse », Jenna leva les yeux vers Sarah.

– C'est la deuxième fois que dame Marcia m'appelle ainsi, murmura-t-elle. C'est bien de moi qu'il s'agit ?

– Oui, poupette, répondit Sarah.

Regardant Marcia bien en face, elle ajouta :

– Je crois que nous aimerions tous savoir ce qui s'est passé il y a dix ans.

Marcia consulta sa montre. Elle allait devoir faire vite.

– Il y a dix ans, sitôt reçue à mon examen final, je suis allée voir Alther pour le remercier. Peu après mon arrivée, un messager est entré et a annoncé que la reine venait de donner le jour à une petite fille. Cette nouvelle nous a remplis de joie : enfin, le Château avait une héritière. Puis le messager a prié Alther de se rendre au palais afin de diriger la cérémonie de bienvenue de la petite princesse. Je l'ai accompagné pour l'aider à porter les livres, les potions et les charmes dont il avait besoin et aussi pour lui rappeler l'ordre des différentes opérations, car le cher vieillard était un peu tête en l'air. On nous a conduits auprès de la reine dans la salle du trône. Elle semblait particulièrement heureuse. Son bébé dans les bras, elle nous a accueillis avec ces mots : « N'est-elle pas magnifique ? » Ce furent ses dernières paroles.

– Oh ! non, gémit Sarah.

– À cet instant précis, un homme vêtu d'un étrange uniforme rouge et noir a fait irruption dans la pièce. Depuis, j'ai appris à connaître la tenue des Exécuteurs mais à l'époque, je ne savais pas ce qu'il en était. Je l'ai pris pour un messager même si, à en juger par l'expression de la reine, elle ne s'attendait pas à cette visite. Puis j'ai vu qu'il était armé d'un long pistolet en argent et j'ai pris peur. J'ai regardé Alther, mais il était trop occupé à feuilleter ses grimoires pour l'avoir remarqué. Ensuite – ça semblait si irréel –, j'ai vu l'homme lever lentement son pistolet, viser et tirer sur la reine. Dans un silence effroyable, la balle d'argent a traversé le cœur de notre souveraine et s'est logée dans le mur derrière elle. La petite princesse a crié en tombant des bras de sa mère morte. Je me suis précipitée pour la rattraper.

Très pâle, Jenna faisait des efforts manifestes pour comprendre ce qui se disait.

– C'est de moi qu'elle parle, maman ? Le bébé, c'était moi ?

Sarah acquiesça d'un air grave. Marcia reprit, d'une voix qui tremblait un peu :

– C'était terrible... Alther venait d'entamer la formule du **bouclier protecteur** quand une deuxième balle lui fit décrire un demi-tour et l'envoya au sol. J'ai achevé la formule à sa place, ce qui nous a provisoirement mis à l'abri tous les trois. La balle suivante nous était destinée, à la princesse et à moi, mais elle a ricoché sur le bouclier invisible et a touché l'Exécuteur à la jambe. Il s'est écroulé sans toutefois lâcher son arme. Étendu par terre, il ne nous quittait pas des yeux, attendant que l'effet de la formule se dissipe, ce qui aurait fini par arriver. Alther était mourant. Il a pris l'amulette et me l'a tendue. Je l'ai refusée, pensant que je pouvais le sauver, mais Alther ne se faisait aucune illusion. Très calme, il m'a dit qu'il était temps qu'il s'en aille. Puis il m'a souri et il est mort.

Le silence était absolu. Personne n'osait bouger. Silas lui-même regardait fixement le sol. Marcia poursuivit d'une voix à peine audible :

– C'est à peine si je comprenais ce qui m'arrivait. J'ai passé l'amulette autour de mon cou avant de ramasser la petite princesse. Elle s'était mise à pleurer, tout comme moi. Alors, j'ai couru. J'ai couru si vite que l'Exécuteur n'a pas eu le temps de tirer. Ne sachant où aller, j'ai fui vers la tour du Magicien. Là, j'ai appris l'affreuse nouvelle à mes confrères et sollicité leur protection, qu'ils m'ont accordée. Nous avons passé l'après-midi à débattre de l'avenir de la princesse. Elle ne pouvait pas rester à la tour. Nous ne pourrions pas la protéger éternelle-ment et d'autre part, elle n'était qu'un nouveau-né qui avait besoin d'une mère. C'est alors que j'ai pensé à toi, Sarah.

Sarah eut l'air surpris.

– Alther me parlait souvent de toi et de Silas. Je savais que tu avais mis un enfant au monde ce jour-là. On en avait assez parlé à la tour : le septième fils d'un septième fils... J'ignorais qu'il était mort. J'ai eu beaucoup de peine en l'apprenant. Je savais que tu aimerais la princesse et la rendrais heureuse, c'est pour-quoi nous avons décidé de te la confier. Mais je ne pouvais pas vous la remettre en mains propres car quelqu'un m'aurait vue. Aussi ai-je attendu la fin de l'après-midi pour la faire sortir dis-crètement du Château et la déposer dans la neige afin que tu la trouves, Silas. Et c'est ce qui est arrivé. Je ne pouvais rien faire de plus. Mais après que Gringe m'eut extorqué une demi-couronne, je me suis cachée dans l'ombre jusqu'à ton retour. À ta démarche et à la façon dont tu serrais ta cape autour de toi, comme si elle renfermait quelque chose de précieux, j'ai compris que tu ramenais la princesse. Rappelle-toi mes recommandations : « Ne dis à personne que tu l'as trouvée. Tout le monde doit croire qu'elle est ta fille. Compris ? »

Un silence pesant planait sur l'assistance. Silas avait les yeux fixés par terre, Sarah tenait Jenna pressée contre elle et les garçons semblaient abasourdis. Marcia se leva sans bruit et tira un petit sac en velours rouge d'une poche de sa tunique. Puis elle traversa la pièce en prenant garde de ne rien écraser sous ses pieds, et surtout pas l'espèce de loup malpropre qu'elle venait de remarquer, endormi sur un tas de couvertures.

Fascinés, les Heap la virent se diriger vers Jenna d'un air solennel. Les garçons s'écartèrent, pleins de respect, quand elle s'arrêta et s'agenouilla devant la petite fille et Sarah.

Jenna écarquilla les yeux lorsqu'elle ouvrit le sac en velours et en sortit un cercle d'or.

– Votre Altesse, dit Marcia, ceci appartenait à votre mère et vous revient de droit.

Levant les bras, elle plaça le cercle d'or sur la tête de Jenna. On aurait dit qu'il avait été fait pour elle.

Silas rompit le charme en déclarant d'un ton hargneux :

– Bien joué, Marcia. Maintenant, elle ne risque plus de passer inaperçue.

Marcia se releva et épousseta sa cape. Ce faisant, elle eut l'immense surprise de voir le fantôme d'Alther Mella surgir du mur et prendre place aux côtés de Sarah Heap.

– Ah ! s'exclama Silas. Voici Alther. Il ne va pas être content, c'est moi qui te le dis.

– Bonjour, Silas et Sarah. Bonjour, mes jeunes magiciens.

Les garçons sourirent. Les gens les affublaient d'un tas de noms, mais seul Alther leur donnait celui de magiciens.

– Et bonjour à toi, ma petite princesse.

Alther appelait toujours Jenna ainsi. À présent, elle comprenait pourquoi.

– Bonjour, oncle Alther, répondit-elle.

Elle semblait plus détendue maintenant que le vénérable spectre flottait près d'elle.

– J'ignorais qu'Alther vous rendait visite, dit Marcia d'un ton froissé. (En même temps, son intervention lui ôtait un poids.)

– Je te rappelle que j'étais son apprenti avant que tu m'évinces, accusa Silas.

– Je ne t'ai pas évincé, c'est toi qui as renoncé. Tu as supplié Alther de mettre fin à ton apprentissage. Tu disais que tu aimais mieux lire des contes à tes enfants que d'être toujours enfermé dans une tourelle, le nez dans un vieux grimoire poussiéreux. Parfois, tu ne manques pas de toupet, acheva Marcia en lançant un regard mauvais à Silas.

– Allons, mes enfants, intervint Alther avec un bon sourire. Ce n'est pas le moment de vous disputer. Je vous aime autant l'un que l'autre. Tous mes apprentis sont exceptionnels.

Le spectre d'Alther Mella miroitait légèrement à la chaleur de l'âtre. Sa cape fantôme de magicien extraordinaire présentait des taches de sang qui bouleversaient Marcia chaque fois qu'elle les voyait. Ses longs cheveux blancs étaient attachés en queue de cheval et sa barbe soigneusement taillée en pointe. De son vivant, Alther avait toujours les cheveux et la barbe en bataille, à croire qu'ils poussaient trop vite pour qu'il les entretienne. C'était plus simple à présent : il avait résolu le problème dix ans plus tôt et n'avait pas eu à intervenir depuis. Si ses yeux verts avaient un peu perdu de leur éclat, les regards qu'il promenait autour de lui étaient aussi perçants qu'autrefois. Et le spectacle du logis des Heap l'emplissait de tristesse. Tant de choses allaient changer...

– Alther, dites-lui qu'il n'est pas question qu'elle emmène notre Jenna, supplia Silas. Princesse ou pas, elle restera ici.

– Je le voudrais bien, Silas, mais c'est impossible, répondit Alther avec grand sérieux. Vous avez été découverts. Une Exécutrice est en route. Elle sera ici à minuit avec une balle d'argent. Tu sais ce que cela signifie...

Sarah Heap prit sa tête dans ses mains.

– Non, murmura-t-elle.

– Si, répliqua Alther.

Avec un frisson, il effleura du doigt le minuscule trou rond que la balle avait percé juste sous son cœur.

– Que pouvons-nous faire ? demanda Sarah, très calme.

– Marcia emmènera Jenna à la tour du Magicien. Elle y sera en sécurité pour le moment. Toi et Silas, poursuivit Alther en s'adressant à Sarah, vous conduirez les garçons dans un endroit sûr où personne ne risquera de vous trouver.

– Nous irons dans la Forêt, dit Sarah d'une voix ferme malgré sa pâleur. Galen nous accueillera chez elle.

Marcia regarda à nouveau sa montre. Il se faisait tard.

– J'emmène tout de suite la princesse, déclara-t-elle. Il faut que nous soyons rentrées avant la relève de la garde.

– Je ne veux pas partir, gémit Jenna. S'il vous plaît, oncle Alther... Je voudrais aller chez Galen avec les autres. Je ne veux pas me retrouver toute seule.

La lèvre de Jenna se mit à trembler et ses yeux s'emplirent de larmes tandis qu'elle se cramponnait à Sarah.

– Tu ne seras pas toute seule, mais avec Marcia, remarqua doucement Alther.

Cette réponse ne parut pas réconforter la petite fille.

– Ma princesse, insista Alther. Marcia a raison. Tu dois l'accompagner. Elle seule peut t'apporter la protection dont tu as besoin.

Jenna n'eut pas l'air plus convaincu.

– Jenna, reprit Alther d'un ton sérieux. En tant qu'héritière du Château, tu as le devoir de te préserver afin de pouvoir monter un jour sur le trône. Pars avec Marcia. S'il te plaît.

Jenna leva les mains et toucha le cercle d'or que Marcia avait posé sur sa tête. Au fond d'elle-même, elle commençait à se sentir quelque peu différente.

– D'accord, murmura-t-elle. J'y vais.

☩ 6 ☩
AU PIED DE LA TOUR

Jenna avait l'impression de vivre un cauchemar. Marcia lui avait à peine laissé le temps d'embrasser sa famille avant de la recouvrir de sa cape pourpre, en lui recommandant de se coller contre elle et surtout, de marcher du même pas. Puis la grande porte noire des Heap s'était ouverte avec des craquements de mauvaise volonté et Jenna s'était enfuie de la seule maison qu'elle avait jamais connue.

C'était sans doute une bonne chose qu'elle n'ait pu voir l'expression interloquée de ses six frères et les visages éplorés de Silas et Sarah quand la cape à quatre pieds tourna le coin du corridor 223 avec un bruissement soyeux.

Marcia et Jenna avaient un long chemin à parcourir pour regagner la tour. Comme la première ne voulait pas risquer d'être vue dehors en compagnie de la seconde, les couloirs sombres et tortueux du quartier Nord lui avaient paru plus sûrs que le raccourci qu'elle avait emprunté à l'aller. Elle avançait à grands pas, obligeant Jenna à courir à ses côtés pour ne pas se laisser distancer. Par chance, l'enfant n'était chargée que d'un petit sac à dos contenant quelques trésors qui lui rappelleraient son foyer, même si, dans sa précipitation, elle avait oublié son cadeau d'anniversaire.

L'heure du « coup de feu » était passée. Au grand soulagement de Marcia, Jenna et elle circulaient sans peine dans les couloirs presque déserts. Elle se dirigeait sans réfléchir, en se fondant sur ses souvenirs.

Cachée sous le lourd manteau de Marcia, Jenna ne voyait presque rien, aussi fixait-elle son attention sur les seuls objets qu'elle distinguait : ses petons chaussés de bottes marron fatiguées et les longs pieds gainés de python pourpre de Marcia qui arpentaient les pavés gris et suintants. Bientôt, elle cessa de s'intéresser à ses propres pieds pour observer, fascinée, le ballet du couple de pythons au bec pointu – gauche, droite, gauche, droite, gauche, droite – qui dévoraient interminablement les kilomètres de couloirs. Sans se faire remarquer, leur couple insolite cheminait dans les entrailles du Château, dépassant les portes murmurantes des innombrables ateliers où les habitants du quartier Nord employaient leurs journées à fabriquer toutes sortes de produits – bottes, bière, barques, lits, pain, toiles, voiles, selles, chandelles et depuis peu armes, chaînes et uniformes –, les salles de classe glacées où des enfants accablés d'ennui psalmodiaient leurs tables de multiplication et les entrepôts pleins d'échos que l'armée avait récemment vidés de leurs réserves pour son propre usage.

Enfin, elles franchirent le porche étroit qui donnait sur la cour des Magiciens. Surprise par la fraîcheur, Jenna risqua un œil par l'entrebâillement de la cape.

Elle eut le souffle coupé.

Devant elle se dressait la tour du Magicien, si haute que sa pyramide dorée disparaissait presque derrière une dentelle de nuages bas. La tour brillait comme de l'argent sous le soleil d'hiver, si fort que Jenna en avait mal aux yeux. Par contraste, le verre violet de ses centaines de minuscules fenêtres émettait une mystérieuse obscurité qui repoussait la lumière, occultant les secrets qu'il dissimulait. Une brume bleutée enveloppait la tour, estompant ses contours de sorte que Jenna n'aurait su dire où elle s'arrêtait et où commençait le ciel. Même l'air semblait différent ; son parfum étrange et doux évoquait le vieil encens et les formules magiques. Incapable de faire un pas de plus, Jenna percevait autour d'elle les échos inaudibles d'incantations et de charmes très anciens.

Pour la première fois depuis qu'elle était partie de chez elle, elle ressentit de la peur.

Marcia passa un bras autour de ses épaules dans un geste protecteur. Elle n'avait pas oublié la terreur qui l'avait frappée lorsqu'elle avait elle-même découvert la tour.

– Nous y sommes presque, murmura-t-elle d'un ton encourageant.

Elles se dirigèrent du même pas vers la porte étincelante, comme si elles avaient glissé sur la neige. Dans son souci de garder l'équilibre, Marcia ne remarqua l'absence de la sentinelle qu'une fois au pied de l'escalier. Elle jeta un coup d'œil à sa montre, perplexe. La relève de la garde n'aurait dû avoir lieu qu'un quart d'heure plus tard. Où donc était passé le gamin auquel elle avait défendu de lancer des boules de neige ce matin-là ?

Elle regarda autour d'elle avec une moue contrariée. Quelque chose la chiffonnait. Le jeune soldat était invisible. En même temps, elle sentait toujours sa présence. Elle s'avisa soudain qu'il était là sans y être.

En d'autres termes, il était presque mort.

Marcia s'élança brusquement vers un monticule de neige voisin du porche, libérant Jenna.

– Creuse ! siffla-t-elle en fouillant le monticule de ses mains. Il est ici. Gelé !

Le corps maigre et blanc du jeune soldat était couché en boule sous la neige. Ses vêtements en coton trop léger, tout détrempés, collaient à sa peau telle une pellicule de givre. Les tons acidulés de son uniforme semblaient d'un mauvais goût criard sous le pâle soleil hivernal. Jenna frissonna, non à cause du froid mais d'un souvenir muet et indistinct qui lui avait traversé l'esprit à la vue du malheureux.

Tandis que Marcia frottait délicatement les lèvres violacées du garçon, Jenna posa une main sur son bras livide et décharné. Elle n'avait encore jamais touché quelqu'un d'aussi froid. À tous les coups, il était déjà mort.

Elle vit Marcia se pencher vers le garçon et prononcer quelques mots à voix basse. Puis la magicienne se tut, écouta et prit un air soucieux. Elle répéta (« **Réveille-toi, enfant,**

réveille-toi. ») d'un ton plus pressant. Après une pause, elle souffla longuement sur le visage de la sentinelle, enveloppant son nez et sa bouche d'un nuage de vapeur rose pâle. Peu à peu, le teint du garçon perdit son affreuse coloration bleue et retrouva l'éclat du vivant. S'il ne bougeait toujours pas, il sembla à Jenna que sa poitrine se soulevait. Il respirait à nouveau.

– Vite ! lui chuchota Marcia. Il ne tiendra pas longtemps si on le laisse ici. Il faut le rentrer.

Elle souleva le garçon dans ses bras et monta avec lui les degrés de marbre. Quand elle fut au sommet de l'escalier, les portes en argent massif de la tour du Magicien s'écartèrent sans un bruit. Jenna suivit Marcia et le garçon à l'intérieur.

✛ 7 ✛
LA TOUR DE MAGYK

Une fois les portes refermées, Jenna se retrouva face au vaste hall doré de la tour du Magicien. Alors seulement, elle comprit que son existence venait de basculer. Jamais, au grand jamais elle n'avait vu ou même rêvé d'un pareil lieu. Elle savait aussi que la plupart des résidents du Château ne verraient jamais rien de semblable. Déjà, elle commençait à se distinguer de ceux qu'elle avait laissés derrière elle.

Debout au centre de l'immense salle circulaire, elle promenait des regards extasiés sur les trésors inconnus qui l'entouraient. Des visions fugaces de créatures mythiques, de symboles et de paysages étranges dansaient sur les murs dorés. L'air tiède sentait l'encens et résonnait d'un bourdonnement discret, écho de la **Magyk** qui assurait le fonctionnement quotidien de la tour. Le sol se mouvait comme du sable sous ses pieds. Il était composé d'une infinité de nuances de couleurs qui tournoyaient autour de ses bottes, épelant les mots : BIENVENUE À NOTRE PRINCESSE. Soudain, à son grand étonnement, les lettres se transformèrent pour lui délivrer un nouveau message : DÉPÊCHEZ-VOUS !

Elle releva la tête et vit Marcia, qui chancelait sous le poids de la sentinelle, poser le pied sur un escalier d'argent en spirale.

– Vite, lui lança-t-elle d'un ton impatient.

Jenna courut vers elle, prit pied sur la première marche et entreprit de gravir les autres.

– Restez ou vous êtes, lui expliqua Marcia. L'escalier se chargera du reste. Monte, ajouta-t-elle d'une voix sonore.

L'escalier entra alors en rotation, causant une vive surprise à Jenna. Après un départ au ralenti, il se mit à tourner de plus en plus vite en s'élevant vers le sommet de la tour. Arrivée à destination, Marcia sauta à terre, suivie de Jenna tout étourdie, juste avant que l'escalier entame sa descente, en réponse à l'appel d'un magicien des étages inférieurs.

La grande porte cramoisie de Marcia s'était ouverte d'elle-même et les bûches dans l'âtre promptement enflammées. Un sofa prit place devant la cheminée ; deux coussins et une couverture volèrent à travers la pièce et se rangèrent bien proprement sur lui, tout ça sans que Marcia eût prononcé un mot.

Jenna aida Marcia à étendre le garçon sur le sofa. Il avait l'air mal en point, le visage crispé et livide de froid, les paupières closes, le corps agité de frissons incoercibles.

– C'est bon signe s'il grelotte, commenta Marcia avant de claquer des doigts. **Habits mouillés, virez !**

Le ridicule uniforme de sentinelle s'envola et retomba en tourbillonnant pour former sur le sol un paquet détrempé aux couleurs agressives.

– **Tu n'es qu'un déchet,** lui dit Marcia.

L'uniforme piteux s'enroula sur lui-même, se traîna jusqu'au conduit du vide-ordures en laissant des traces humides par terre et se jeta dans la gueule qui l'engloutit. Marcia sourit :

– Bon débarras. Et maintenant, **des vêtements secs !**

Un pyjama douillet se matérialisa sur le garçon qui se mit à trembler un peu moins fort.

– Bien ! Le voilà tiré d'affaire. Nous allons lui tenir compagnie pendant qu'il se réchauffera.

Le temps que Jenna prenne place sur le tapis, deux tasses de lait bien chaud avaient surgi du néant. Marcia la rejoignit. La petite fille en fut tout intimidée. La magicienne extraordinaire était assise près d'elle par terre, comme Nicko avait coutume de le faire. De quoi allait-elle lui parler ? Rien ne lui venait à l'esprit, sinon qu'elle avait les pieds glacés mais n'osait pas enlever ses bottes.

– Vous feriez mieux d'enlever vos bottes, lui conseilla Marcia. Elles sont trempées.

Jenna dénoua ses lacets et se déchaussa.

– Non mais, regardez vos chaussettes !

Jenna rougit. Ses chaussettes étaient dans un état épouvantable. Elles avaient appartenu à Nicko, qui les tenait lui-même de Fred ou d'Erik. Elles étaient reprisées de partout et beaucoup trop grandes pour elle.

Jenna agita ses orteils devant l'âtre afin de se sécher.

– Voulez-vous des bas neufs ?

Jenna hocha timidement la tête. Une paire de bas violets chauds et épais recouvrit aussitôt ses jambes.

– On va quand même garder les autres, décida Marcia. **Lavage**, ordonna-t-elle aux vieilles chaussettes. **Séchage. Pliage.**

Les chaussettes s'exécutèrent. Elles se secouèrent, éliminant la crasse qui forma bientôt un petit paquet poisseux devant le feu, se plièrent puis vinrent se poser près de leur propriétaire. Jenna sourit. Elle était reconnaissante à Marcia de ne pas avoir traité de « déchet » le travail de raccommodage de Sarah.

L'après-midi était bien avancé et le jour commençait à décliner. Le jeune soldat avait enfin cessé de trembler pour dormir d'un sommeil paisible. Pelotonnée devant l'âtre, Jenna feuilletait un des nombreux livres illustrés de **Magyk** de Marcia quand on frappa furieusement à la porte.

– Ouvre vite, Marcia. C'est moi ! fit une voix impatiente.

– Papa ! s'exclama Jenna.

– Chut ! souffla Marcia. C'est peut-être un piège.

– Pour l'amour du Ciel, vas-tu ouvrir, oui ou non ? reprit la voix.

Marcia lança à la porte un **sort de translucidité**. C'était bien Silas et Nicko qui attendaient dehors. Histoire de l'agacer un peu plus, ils étaient venus avec le loup. Assis près de son maître, un foulard à pois noué autour du cou, il laissait pendre sa langue dégoulinante de salive.

Marcia n'avait pas le choix : elle devait les laisser entrer.

– **Ouvre-toi** ! dit-elle à la porte.

– Salut, Jen ! lança Nicko avec un large sourire.

Il s'avança prudemment sur le tapis de soie de Marcia, suivi de Silas et du loup, lequel balaya d'un coup de queue sa précieuse collection de fées miniatures en pots.

– Nicko ! Papa ! s'écria Jenna en se jetant au cou de Silas comme si elle ne l'avait pas vu depuis des mois. Où est maman ?

– Elle va bien, la rassura Silas. Elle est allée chez Galen avec les garçons. Nicko et moi sommes juste passés pour te donner ceci, ajouta-t-il en farfouillant dans sa poche. Une seconde. Il est quelque part par là.

– Aurais-tu perdu la tête ? gronda Marcia. Qu'est-ce qui t'a pris de venir ici ? Et puis, éloigne cette saleté de loup de moi...

Le loup en question s'était mis à baver sur ses bottines en python.

– Ce n'est pas un loup, rectifia Silas, mais un chien-loup d'Abyssinie. Ses ancêtres appartenaient au Maghul Maghi. Et son nom est Maximilien. Il t'autorisera peut-être à l'appeler Maxie, si tu es gentille avec lui.

– Gentille ! cracha Marcia, au bord de l'apoplexie.

– J'ai pensé qu'on pourrait dormir ici, reprit Silas.

Il vida un petit sac à la propreté douteuse au-dessus du plateau de Ouija en ébène et en jade de Marcia et passa son contenu en revue.

– Il fait trop sombre pour gagner la Forêt.

– Dormir ? Ici ?

– Papa ! Tu as vu mes bas ? demanda Jenna en frétillant des orteils.

– Mmm ? Très jolis, poupette. Mais enfin, où ai-je pu le mettre ? Je suis sûr de l'avoir apporté...

– Comment trouves-tu mes bas, Nicko ?

– Je les trouve... violets. Je suis gelé.

Jenna le conduisit près de l'âtre.

– On attend son réveil, dit-elle en lui désignant la sentinelle. Il était enfoui sous la neige et Marcia l'a sauvé en lui rendant le souffle.

Nicko siffla, impressionné.

– Eh ! fit-il. On dirait qu'il est réveillé.

Le jeune soldat avait ouvert les yeux et regardait les deux enfants. Il semblait terrifié. Jenna caressa sa tête rasée. Elle était couverte d'un duvet rêche et était encore un peu froide.

– Tu es en sécurité avec nous, lui dit-elle. Moi, c'est Jenna, et lui, Nicko. Comment t'appelles-tu ?

– 412, murmura la sentinelle.

– Quatre cent douze ? répéta-t-elle, perplexe. Mais ce n'est pas un nom, ça. C'est un numéro.

Le garçon regarda Jenna sans répondre, puis il referma les yeux et se rendormit.

– C'est drôle, commenta Nicko. Papa m'a dit que dans la Jeune Garde, on désignait les gens par des numéros. On a vu deux sentinelles dehors ce soir, mais il leur a fait croire qu'on était des gardes. Et il se souvenait du mot de passe d'il y a plusieurs années.

– Ce cher vieux papa, soupira Jenna. Sauf qu'il n'est pas mon père, reprit-elle d'un air pensif. Et tu n'es pas non plus mon frère...

– Ne dis pas de bêtises, répliqua Nicko. Rien n'a changé entre nous, espèce de princesse à la noix.

– Mmm... Peut-être.

– Pas peut-être, sûrement.

– Je serai toujours ton papa, dit Silas qui avait surpris leur conversation. Et maman sera toujours ta maman. Simplement, tu avais une autre maman avant elle.

– C'était une vraie reine ? interrogea Jenna.

– C'était *la* reine. Notre reine. Avant qu'on nous impose ces... custodes.

Il plissa le front puis son visage s'éclaira, comme s'il venait de se rappeler quelque chose. Il souleva son épais chapeau de laine. Bien sûr ! Il l'avait rangé là, dans la poche intérieure.

– Trouvé ! Ton cadeau. Bon anniversaire, poupette.

Il tendit à Jenna le paquet qu'elle avait oublié. Il était petit et étrangement lourd pour sa taille. Ayant déchiré le papier, elle découvrit une bourse bleue qui tenait dans le creux de la main. Elle dénoua délicatement le cordon en retenant son souffle.

– Oh ! (Sa voix trahissait sa déception.) Un caillou. Il est très joli. Merci, papa.

Elle prit le galet gris et poli et le posa sur sa paume.

– Ce n'est pas un caillou ordinaire, expliqua Silas en la hissant sur ses genoux. Chatouille-lui le menton, pour voir.

Jenna n'aurait su dire de quel côté se trouvait le menton du galet, mais elle s'exécuta. Lentement, le caillou gris ouvrit ses petits yeux noirs et la regarda. Puis il étira ses quatre courtes pattes, se leva et fit le tour de sa main.

– Papa, c'est fantastique ! souffla Jenna.

– J'étais sûr que ça te plairait. J'ai trouvé la formule dans une boutique, À la Pierre qui Roule. Ne le nourris pas trop, sinon il deviendra gras et paresseux. Et veille à ce qu'il fasse de l'exercice tous les jours.

– Je l'appellerai Petrus, décida Jenna. Petrus Trelawney.

Petrus Trelawney semblait aussi satisfait que peut l'être un caillou, c'est-à-dire que sa physionomie n'exprimait pas grand-chose. Il replia ses pattes, ferma les yeux et se prépara à dormir. Jenna le glissa au chaud dans sa poche.

Pendant ce temps, Maxie mâchouillait le papier qui avait emballé le cadeau et bavait dans le cou de Nicko.

– Du vent, espèce de limace ! Allez, couché ! ordonna Nicko en s'efforçant de le repousser.

Mais le chien-loup n'avait aucune envie de se coucher. À présent, il avait les yeux fixés sur un grand portrait de Marcia, peint le jour où elle avait reçu son diplôme de magicienne. Tout à coup, il se mit à geindre.

– Elle te fait peur, hein ? murmura Nicko en lui caressant la tête.

Le chien remua la queue sans conviction et poussa un jappement en voyant Alther Mella surgir du tableau. Il ne s'était jamais habitué aux apparitions soudaines du vieux magicien.

En gémissant, il enfouit sa tête sous la couverture de 412, qui s'éveilla en sursaut au contact de sa truffe froide et moite. Se dressant tel un ressort, il regarda autour de lui avec l'expression d'un lapin affolé. Ce qu'il vit ne lui plut pas du tout. En réalité, il était en train de vivre son pire cauchemar.

Le commandant de la Jeune Garde pouvait débarquer d'une minute à l'autre et alors, il aurait de graves ennuis.

Collusion avec l'ennemi : il suffisait d'adresser la parole à un magicien pour se rendre coupable de ce délit. Et lui se trouvait dans la même pièce que deux d'entre eux, plus un vieux magicien fantôme, à en juger par son allure. Sans parler des deux gosses (la fille avec sa couronne bizarre et le garçon aux yeux verts caractéristiques) et du chien dégoûtant. Plus grave, ils lui avaient ôté son uniforme pour lui passer des vêtements civils. Il risquait d'être exécuté comme espion. À cette idée, il gémit et prit sa tête dans ses mains.

Jenna se pencha vers lui et passa un bras autour de ses épaules.

– Tout va bien, murmura-t-elle. Nous veillerons sur toi.

Cependant, Alther semblait très agité.

– Cette Linda... Elle les a prévenus de votre départ. Ils sont en chemin. Ils ont lancé leur Exécutrice après vous.

– Oh ! non, s'exclama Marcia. Je vais prononcer un **sort de verrouillage** pour les portes de la tour.

– Trop tard. Elle est déjà entrée.

– Comment ?

– Quelqu'un a laissé la porte ouverte.

– Silas, espèce d'idiot !

– C'est bon, nous partons, dit Silas en faisant mine de sortir. Et j'emmène Jenna. Il est évident qu'elle n'est pas en sécurité auprès de toi, Marcia.

– Quoi ? glapit Marcia, indignée. Elle n'est en sécurité nulle part, bougre d'imbécile !

– Je t'interdis de me traiter d'imbécile ! Je suis aussi intelligent que toi, bien que je ne sois qu'un magicien ordi...

– ASSEZ ! cria Alther. Ce n'est pas le moment de vous disputer. Pour l'amour du ciel, elle est en train de monter...

Chacun se tut et tendit l'oreille. Tout était calme – beaucoup trop. On n'entendait que le bourdonnement continu de l'escalier qui acheminait un passager vers le sommet de la tour et la porte de Marcia.

Voyant la frayeur de Jenna, Nicko la prit par les épaules :

– Je te protégerai, Jen. Avec moi, il ne t'arrivera rien.

Soudain, Maxie coucha les oreilles en arrière et poussa un hurlement à vous glacer le sang. Tous sentirent leurs cheveux se hérisser.

La porte s'ouvrit brutalement et la silhouette de l'Exécutrice se découpa dans la lumière. Très pâle, elle embrassa la scène d'un regard glacé, cherchant sa proie : la princesse. Elle tenait dans la main droite un pistolet d'argent, celui dont Marcia avait fait la connaissance dix ans auparavant, dans la salle du trône.

L'Exécutrice fit un pas en avant.

– Vous êtes en état d'arrestation, dit-elle d'un ton lourd de menaces. Vous n'avez pas droit à la parole. On va vous conduire dans un endroit où...

412 se leva, tout tremblant. Ses craintes s'étaient réalisées ; on venait le chercher. Il s'avança lentement vers la tueuse qui le toisa d'un air dur.

– Ôte-toi de mon chemin, gronda-t-elle.

D'une violente bourrade, elle l'expédia au sol.

– Vous n'avez pas le droit ! protesta Jenna.

Elle se précipita vers 412, étalé de tout son long, mais comme elle s'agenouillait pour voir s'il était blessé, la femme l'empoigna par le bras.

– Lâchez-moi ! cria-t-elle en faisant volte-face.

– Tout doux, *Votre Altesse*, dit l'Exécutrice avec un sourire sarcastique. Quelqu'un souhaite vous voir. Mais il souhaite vous voir *morte* !

Elle leva son pistolet d'argent et visa la tête de Jenna.

CRAC !

Un **éclair fulgurant** jaillit de la main de Marcia, fauchant l'Exécutrice.

– **Encercle et préserve** ! dit Marcia d'une voix sonore.

Un écran de lumière blanche surgit du sol telle une lame étincelante et se dressa autour d'eux, les séparant de la tueuse, inconsciente.

Marcia ouvrit la trappe du conduit d'évacuation des ordures.

– C'est la seule issue, expliqua-t-elle. Toi d'abord, Silas. Essaie de forger un **sort nettoyant** pendant la descente.

– Quoi ?

– Tu as très bien entendu. Maintenant, file ! aboya-t-elle en le poussant rudement.

Silas bascula dans le conduit du vide-ordures et disparut dans un grand cri.

Jenna releva 412.

– Vas-y, dit-elle en le poussant la tête la première dans le conduit.

Puis elle sauta à son tour, suivie de près par Nicko, Marcia et un chien-loup surexcité.

✢ 8 ✢
DANS LE VIDE-ORDURES

Quand Jenna s'était jetée dans le conduit du vide-ordures, la terreur que lui inspirait l'Exécutrice l'empêchait de s'inquiéter des conséquences de son plongeon. Mais quand elle se sentit tomber dans un puits de ténèbres sans pouvoir résister, elle fut prise de panique.

L'intérieur du conduit était aussi froid et glissant qu'une patinoire. Il avait été taillé dans un bloc d'ardoise noire, puis poli et assemblé par les maîtres maçons qui avaient construit la tour du Magicien de nombreux siècles auparavant. La pente était raide, trop raide pour que Jenna puisse contrôler sa descente, aussi était-elle ballottée de-ci delà, bringuebalée par-ci par-là.

Mais le pire, c'était l'obscurité.

Profonde, totale, impénétrable, elle enserrait Jenna de partout. Malgré ses efforts désespérés, ses yeux ne distinguaient pas la moindre lueur, à croire qu'elle était devenue aveugle.

Aveugle, mais pas sourde. Elle entendit derrière elle un frottement semblable à une fourrure trempée qui se rapprochait à toute vitesse.

Maxie le chien-loup s'amusait comme un fou. Le jeu lui plaisait. En sautant dans le conduit, il avait été un peu surpris de ne pas y trouver Silas prêt à lui lancer sa balle. Il l'avait été encore plus en constatant que ses pattes ne lui obéissaient plus. Il s'était débattu, cherchant à comprendre ce qui lui arrivait, puis sa truffe avait heurté la nuque de la femme effrayante. D'un coup de langue, il avait tenté d'enlever une savoureuse bouchée qui s'était prise dans ses cheveux, mais elle lui avait donné une bourrade qui l'avait retourné sur le dos.

À présent, Maxie nageait dans le bonheur. Le museau pointé vers l'avant, les pattes repliées, il fendait l'obscurité tel un bolide gainé de fourrure. Il dépassa Nicko qui agrippa sa queue avant de lâcher prise, Jenna qui lui cria dans les oreilles, 412 roulé en boule, puis son maître. Il fut un peu gêné de devancer Silas, ce dernier étant le « chef de meute » et lui, son inférieur. Mais il n'eut pas le choix. Surfant sur une vague de soupe froide et d'épluchures de carottes, il doubla Silas et poursuivit sa descente.

Le vide-ordures s'enroulait à la tour du Magicien tel un toboggan géant caché dans l'épaisseur de ses murs. Sa pente s'accentuait entre chaque étage, charriant, en plus de Maxie, Silas, 412, Jenna, Nicko et Marcia, tous les restes que les magiciens avaient versés dans son conduit cet après-midi-là. La tour comprenait vingt et un étages. Les deux niveaux supérieurs appartenaient à la magicienne extraordinaire et chacun des dix-neuf autres comportait deux appartements. Cela faisait beaucoup de repas. Pour un chien-loup, c'était le paradis. Durant sa descente, Maxie ingéra de quoi remplir son estomac jusqu'à la fin de la journée.

Enfin, au bout d'un temps qui parut interminable à Jenna, même s'il ne dura en réalité que deux minutes et quinze secondes, la pente devint moins abrupte et sa vitesse diminua pour rentrer dans les limites du supportable. À son insu, Jenna avait quitté la tour du Magicien et se déplaçait à présent sous terre, en direction des caves du Parlement des custodes. Cependant, il faisait toujours aussi froid et sombre dans le conduit, et Jenna se sentait très seule. Elle tendait l'oreille, espérant entendre ses compagnons, mais sachant combien il était important de ne pas faire de bruit, ceux-ci n'osaient se manifester. S'il lui semblait percevoir le froissement de la cape de Marcia derrière elle, depuis que Maxie l'avait dépassée à toute allure, elle n'avait eu aucune confirmation de la présence des autres. La crainte de demeurer à jamais seule dans le noir s'insinua dans son esprit, mais juste comme elle allait céder à la panique et crier, un trait de lumière tombant d'une cuisine loin au-dessus d'elle lui permit d'apercevoir 412 qui roulait comme une boule un peu devant elle. Cette vision la réconforta et elle se surprit à plaindre le pauvre garçon, tellement maigre et exposé au froid dans son pyjama.

De son côté, 412 n'était pas d'humeur à plaindre qui que ce soit, et encore moins lui-même. Quand la jeune folle à la couronne dorée l'avait poussé dans l'abîme, il s'était instinctivement ramassé en boule et laissé ballotter telle une bille dans un tuyau. À présent, bien que meurtri et contusionné, il n'était pas plus effrayé que pendant les quelques heures qu'il avait passées en compagnie des quatre magiciens, dont un enfant et un fantôme. Puis la pente s'atténua, il perdit de la vitesse et reprit ses esprits. Les quelques idées qu'il parvint à rassembler l'amenèrent à la conclusion qu'il s'agissait d'un test. Les recrues de la Jeune Garde devaient constamment passer des tests. Ceux-ci vous tombaient dessus par surprise en pleine nuit, quand vous faisiez de votre mieux pour réchauffer et rendre plus douillet votre lit étroit. Cette fois, on les avait soignés. C'était sans doute un test du type « ça passe ou ça casse ». 412 serra les dents. À cet instant, il n'aurait pas parié cher sur ses chances d'en sortir vivant. De toute manière, il ne pouvait pas faire grand-chose. Alors, il ferma les yeux et se laissa rouler.

Le conduit descendait toujours. Il tournait à gauche sous la salle du Conseil des custodes, puis à droite pour desservir les quartiers des officiers avant de se creuser un chemin dans l'épaisseur des murs des cuisines souterraines du palais. C'est là que les choses se gâtèrent. Les servantes n'avaient pas fini de nettoyer les cuisines après le déjeuner du custode suprême, aussi les trappes situées juste au-dessus des voyageurs s'ouvraient-elles avec une régularité alarmante, faisant pleuvoir sur eux les restes mêlés du banquet. Même Maxie, qui avait maintenant l'estomac rempli, trouvait cela désagréable, surtout quand un morceau de gâteau de riz rassis atterrit pile sur son museau. La fille de cuisine qui avait jeté le gâteau l'aperçut et rêva par la suite de loups dans le vide-ordures.

77

Marcia n'était pas en reste question cauchemar. Étroitement enveloppée dans sa cape de soie pourpre bordée de fourrure et de crème aux œufs, elle esquiva de justesse une averse de choux de Bruxelles et se récita intérieurement le **sort de détachage** express qu'elle comptait prononcer à la seconde où elle émergerait de ce conduit.

Enfin, ils s'éloignèrent des cuisines et retrouvèrent un environnement relativement plus propre. Jenna commençait à se détendre quand elle eut le souffle coupé : le conduit plongeait presque à pic sous les murailles du Château pour rejoindre sa destination finale, le dépotoir situé au bord de la rivière.

Silas fut le premier à recouvrer ses esprits et à deviner qu'ils approchaient du terme de leur périple. Il scruta l'obscurité, s'efforçant de discerner la lumière au bout du tunnel, en vain. Le soleil était à présent couché, mais il espérait qu'un rayon de pleine lune aurait filtré à l'intérieur. Tout à coup, il eut la surprise d'être arrêté par quelque chose de mou, visqueux et malodorant : Maxie.

Il se demandait comment Maxie pouvait obstruer le conduit du vide-ordures quand 412, Jenna, Nicko puis Marcia lui rentrèrent tour à tour dedans. Il n'y avait pas que Maxie qui fût mou, visqueux et malodorant. Ils l'étaient tous autant.

La voix apeurée de Jenna jaillit de l'obscurité :

– Papa ? C'est toi, papa ?

– Oui, poupette.

– On est où, papa ? fit Nicko d'une voix enrouée.

Nicko détestait le conduit du vide-ordures. Avant de sauter dedans, il ignorait qu'il avait l'angoisse des lieux clos, une découverte dont il se serait bien passé. Toutefois, il avait réussi à réfréner sa peur en se répétant qu'au moins, ils avançaient et finiraient par émerger à l'air libre. Mais à présent, ils étaient arrêtés et il n'y avait aucune issue en vue.

Ils étaient coincés... Pris au piège !

Quand Nicko tenta de se redresser, sa tête heurta l'ardoise glacée au-dessus de lui. Il voulut étendre les bras mais ses mains rencontrèrent les parois lisses du tunnel avant qu'il ait pu les déplier. Sa respiration s'accéléra. Il se dit qu'il allait devenir fou s'ils ne sortaient pas rapidement de là.

– Pourquoi n'avance-t-on plus ? souffla Marcia.

– On est bloqués, répondit Silas.

En allongeant le bras au-delà de Maxie, il comprit qu'ils avaient été projetés contre un énorme tas d'ordures qui bouchait le passage.

– Quelle barbe ! marmonna Marcia.

– Papa ? Je voudrais sortir, dit Nicko d'une voix haletante.

– Nicko ? Tu te sens bien ?

– Non...

– C'est la nouvelle grille ! s'écria Marcia d'un ton triomphant. Elle empêche les rats de s'introduire dans le conduit. On l'a posée la semaine dernière – Endor avait découvert un rat dans son ragoût. Ouvre-la, Silas.

– Je ne peux pas l'atteindre. Toutes ces ordures me gênent.

– Elles ne se trouveraient pas là si tu avais prononcé un **sort nettoyant**, comme je te l'avais demandé.

– Quand tu te crois sur le point de mourir, tu as autre chose en tête que de faire un brin de ménage !

– Papa, gémit Nicko, désespéré.

– C'est bon, je m'en charge, glapit Marcia.

Elle claqua des doigts et récita une formule à voix basse. La grille pivota sur ses gonds en grinçant faiblement, puis les détritus évacuèrent obligeamment le conduit et tombèrent en cascade sur le tas d'ordures juste au-dessous.

Ils étaient libres.

La pleine lune venait de se lever, perçant les ténèbres du tunnel de sa pâle clarté. En se guidant sur elle, les six rescapés épuisés et contusionnés parvinrent à quitter l'endroit qu'ils avaient eu tellement hâte d'atteindre : le dépotoir communautaire de la rivière.

✛ 9 ✛
CHEZ SALLY MULLIN

C'était une soirée d'hiver tout ce
qu'il y avait de paisible et d'ordinaire à la taverne de Sally Mullin.
La salle résonnait du bourdonnement continu des conversations
tandis qu'habitués et voyageurs
se mêlaient autour des longues
tables regroupées près d'un
petit poêle à bois. Sally venait
d'en faire le tour, plaisantant avec
l'un ou l'autre, proposant des
parts de gâteau à l'orge tout
juste sorti du four, remplissant les
lampes à huile qui avaient brûlé tout
au long de l'après-midi morne et froid. À présent, debout derrière son bar, elle versait avec précaution des pintes de Springo
Special Ale à cinq marchands qui arrivaient du Nord.

En jetant un coup d'œil vers ces derniers, elle eut la surprise de les voir rire, alors que les marchands du Nord affi-
chaient habituellement une mine triste et résignée. Sally sourit. Elle s'enorgueillissait de la réputation de gaieté de son
établissement, mais il fallait être sacrément douée pour

dérider cinq marchands austères avant leur première chope de bière !

Sally se dirigea vers la table des marchands, près de la fenêtre, et déposa les pintes devant eux sans en perdre une goutte. Mais les marchands ne lui prêtèrent aucune attention ; ils étaient trop occupés à essuyer la buée des vitres avec leurs manches douteuses et à scruter l'obscurité extérieure. L'un d'eux pointa le doigt vers quelque chose et ils partirent tous d'un gros rire.

L'hilarité gagna la salle en un rien de temps. D'autres buveurs regardèrent à leur tour et bientôt, toute la clientèle de la taverne se bouscula autour de la rangée de fenêtres qui occupait le mur du fond. Sally Mullin s'approcha pour voir ce qui les mettait ainsi en joie.

Elle resta bouche bée.

À la clarté de la pleine lune, on distinguait la magicienne extraordinaire, dame Marcia Overstrand, couverte d'immondices, qui dansait comme une folle sur la montagne d'ordures du dépotoir communautaire.

Non, pensa Sally. *C'est impossible.*

Elle regarda à nouveau par la vitre pleine de traces et dut se rendre à l'évidence. C'était bien dame Marcia, accompagnée de trois enfants (des enfants ? chacun savait que dame Marcia ne pouvait pas les souffrir), d'un loup et d'un homme dont la silhouette lui semblait vaguement familière. Qui cela pouvait-il être ?

Le mari de Sarah, ce fainéant, ce bon à rien de Silas !

Qu'est-ce que Silas Heap pouvait bien fabriquer avec Marcia Overstrand, plus trois de ses enfants, au beau milieu du dépotoir ? Sarah était-elle au courant ?

Eh bien, elle ne tarderait pas à l'être !

En tant que meilleure amie de Sarah Heap, Sally se sentait le devoir d'élucider cette affaire. Ayant confié la surveillance de la salle au petit plongeur, elle sortit dans le clair de lune.

Elle remonta le ponton dont les planches vibrèrent sous ses pas et gravit en courant la butte qui menait au dépotoir. Tandis qu'elle avançait dans la neige, elle arriva à une conclusion inévitable : Silas Heap mettait les voiles avec Marcia Overstrand !

Tout s'expliquait : elle avait souvent entendu Sarah se plaindre de ce que Silas était obsédé par Marcia. Depuis qu'il avait mis un terme à son apprentissage et qu'elle lui avait succédé auprès d'Alther Mella, il avait observé son ascension fulgurante avec un mélange d'horreur et de fascination, songeant qu'il aurait pu être à sa place. Et quand elle était devenue magicienne extraordinaire, dix ans plus tôt, l'état de Silas s'était encore aggravé, si possible.

Complètement obsédé par les moindres faits et gestes de Marcia – c'est ce que disait Sarah.

Bien sûr (Sally avait fini par atteindre l'énorme tas d'ordures et entamé son escalade), Sarah n'était pas non plus toute blanche. Cela sautait aux yeux que leur fille n'était pas de Silas. Elle n'avait rien de commun avec les autres. Une fois, Sally avait tenté d'aborder la question du père de Jenna avec le tact qui la caractérisait, mais Sarah avait vite détourné la conversation. Dame, oui ! Cela faisait des années que le torchon brûlait entre les époux Heap. Mais cela n'excusait en rien la conduite de Silas. *Ah ça, non !* pensa Sally, pleine de hargne, en progressant péniblement sur le flanc de la pile d'ordures.

Entre-temps, les silhouettes déguenillées qu'elle avait aperçues au sommet avaient entrepris de descendre et se dirigeaient vers elle. Elle leur fit signe en agitant les bras, mais ils ne semblèrent pas la remarquer. Ils avaient l'air préoccupés et titubaient un peu, comme étourdis. Quand ils furent plus près, elle vit qu'elle ne s'était pas trompée.

– SILAS HEAP ! cria-t-elle d'un ton rageur.

Les cinq fugitifs sursautèrent violemment et tournèrent la tête dans sa direction.

– CHUT ! murmurèrent quatre bouches, aussi fort qu'elles l'osèrent.

– Non, je ne me tairai pas ! Silas Heap, comment peux-tu abandonner ta femme pour cette... grue, poursuivit-elle en pointant un index désapprobateur vers Marcia.

– Moi, une grue ? répéta Marcia en manquant de s'étouffer.

– En plus, tu as le culot d'emmener ces pauvres enfants !

Silas s'avança vers Sally en s'enfonçant dans les détritus.

– Qu'est-ce que c'est que ce charabia ? Et d'abord, tu vas me faire le plaisir de BAISSER LE TON !

– CHUT ! firent trois bouches derrière lui.

Sally consentit enfin à se calmer.

– Ne fais pas ça, Silas, souffla-t-elle d'une voix rauque. N'abandonne pas ton adorable femme et ta famille. Je t'en supplie.

Silas parut abasourdi.

– Mais je n'en ai jamais eu l'intention, protesta-t-il. Qui t'a raconté ça ?

– C'est vrai ?

– OUI !

– CHUT !

La descente de la montagne d'ordures fut longue et malaisée, pourtant elle suffit à peine à expliquer la situation à Sally. Celle-ci écarquillait les yeux tandis que Silas lui divulguait les informations susceptibles de l'amener à se ranger de leur côté. En réalité, il lui dit presque tout, jugeant qu'ils auraient besoin de son concours en plus de son silence. Marcia était plus circonspecte : Sally n'était pas exactement la personne qu'elle aurait choisie pour l'aider. Par conséquent, elle décida d'intervenir et de reprendre les choses en main.

– Bien ! dit-elle quand ils prirent pied sur le sol ferme. Nous pouvons être sûrs que le Chasseur et sa meute sont déjà sur notre piste.

Un instant, la peur crispa les traits de Silas. Il connaissait la réputation du Chasseur. Marcia, pour sa part, faisait preuve d'un sens pratique et d'un calme inébranlables.

– J'ai remis la grille en place et l'ai soudée par **Magyk** après avoir bourré le conduit d'ordures, expliqua-t-elle. Ainsi, avec un peu de chance, il croira que nous sommes toujours coincés à l'intérieur.

À cette idée, Nicko frissonna.

– Mais ça ne le retardera pas longtemps. Il sera bientôt là à fureter... à poser des questions.

Elle regarda Sally, l'air de dire : et c'est *toi* qu'il interrogera.

Personne ne pipa.

Sally soutint bravement le regard de Marcia. Elle savait qu'elle s'exposait à de graves ennuis, mais elle était une amie loyale. Ils pouvaient compter sur elle.

– En attendant, dit-elle d'un ton brusque, faudrait voir à vous conduire loin d'ici, vous et les p'tiots. Pas vrai ?

Elle les guida jusqu'au dortoir attenant à la taverne. Plus d'un voyageur exténué avait trouvé là un lit accueillant pour la nuit ainsi que des habits de rechange en cas de besoin. Le bâtiment était vide à ce moment de la journée. Sally leur fit voir où étaient rangés les vêtements et leur dit de se servir. La nuit allait être longue et froide. Elle remplit un seau d'eau chaude pour leur permettre de faire un brin de toilette et sortit en hâte après leur avoir lancé :

– Rejoignez-moi sur le quai dans dix minutes. Vous pourrez prendre mon bateau.

Jenna et Nicko furent trop heureux de se débarrasser de leurs vêtements souillés, mais 412 refusa de les imiter. Il avait eu sa dose de changements pour la journée et tenait à garder ce qu'il avait sur le dos, même s'il s'agissait d'un pyjama de magicien crasseux et mouillé.

En fin de compte, Marcia fut forcée d'employer un **sort de nettoyage** suivi d'une **formule d'échange de vêtements** pour l'équiper de l'épais chandail de pêcheur, du pantalon et de la veste en peau de mouton ainsi que du bonnet rouge vif que Silas lui avait dégotés.

Elle était fâchée d'avoir dû recourir à la **Magyk** pour habiller 412 alors qu'elle souhaitait économiser ses forces. En effet, elle avait le pressentiment qu'elle aurait besoin de tout son pouvoir pour les conduire en sécurité. Bien sûr, elle avait dépensé un peu d'énergie avec un **sort de détachage express** qui, vu l'état de saleté de sa cape, s'était transformé en un **sort de détachage soigné** sans pour autant venir à bout de toutes les traces de graisse. Mais dans l'esprit de Marcia, sa cape de magicienne extraordinaire était bien plus que cela : c'était un merveilleux instrument de **Magyk** qui méritait tous les égards.

Dix minutes plus tard, tout le monde était sur le quai.

Sally les attendait près d'un petit voilier vert amarré au ponton. Nicko l'examina d'un air approbateur. Il adorait les bateaux. À vrai dire, il n'appréciait rien tant que la navigation, et ce bateau lui faisait une excellente impression : large, stable, il avait une bonne assiette et une paire de voiles rouges toutes neuves. Il avait aussi un très joli nom : la *Muriel*. Nicko l'adopta tout de suite.

Marcia était loin de partager son enthousiasme.

– Il marche comment ? demanda-t-elle à Sally.

– Faudrait encore qu'il ait des jambes, maugréa Nicko.

– De qui parles-tu ? fit Marcia, déconcertée.

– Du bateau, expliqua Nicko d'un ton patient. Il ne « marche » pas, il navigue.

Sally donnait des signes d'impatience.

– Vous feriez bien d'y aller, dit-elle en jetant un coup d'œil en direction du dépotoir. Je vous ai mis des rames en cas de besoin, ainsi que des provisions. Je vais dénouer la corde et la retenir le temps que vous soyez tous montés.

Jenna fut la première à grimper à bord. Au passage, elle agrippa 412 par le bras et l'entraîna à sa suite. Il lui opposa une faible résistance avant de céder. Il commençait à être très fatigué.

Nicko les rejoignit d'un bond, puis Silas poussa Marcia dans le bateau malgré ses protestations. Elle alla s'asseoir près du gouvernail et se mit à renifler.

– Qu'est-ce qui sent aussi mauvais ? marmonna-t-elle.

– Le poisson, répondit Nicko. (Il se demanda si elle avait la moindre expérience de la navigation.)

Silas sauta à son tour avec Maxie, et la *Muriel* s'enfonça un peu plus dans l'eau.

– Je vais vous pousser, annonça Sally d'une voix anxieuse.

Elle lança la corde à Nicko qui l'attrapa au vol et la rangea soigneusement à la proue du voilier.

Marcia empoigna la barre, les voiles claquèrent avec violence et la *Muriel* vira brutalement à bâbord.

– Vous voulez que je prenne la barre ? proposa Nicko.

– La quoi ? Oh ! cette espèce de poignée ? À ta guise, Nicko. Je ne tiens pas à me fatiguer.

Drapée dans sa cape et sa dignité, elle se dirigea vers le côté du voilier en vacillant sur ses jambes. Elle se sentait très mal à l'aise. C'était la première fois qu'elle montait sur un bateau et était résolue à tout faire pour éviter que cela se reproduise. Pour commencer, il n'y avait pas moyen de s'asseoir correctement. Pas de tapis, de coussins ni de toit. En revanche, il y avait un peu trop d'eau à son goût, non seulement à l'extérieur mais aussi à l'intérieur du bateau. Était-ce le signe qu'il allait couler ? Et la puanteur était inimaginable.

Très excité, Maxie parvenait à piétiner les précieuses bottines de Marcia tout en lui fouettant le visage de sa queue.

– Ôte-toi de là, animal sans cervelle, gronda Silas en le poussant vers la proue où il s'empressa de humer le vent et les odeurs qui montaient de l'eau de son long museau de chien-loup.

Silas se casa ensuite auprès de Marcia qui s'en trouva fort mal tandis que Jenna et 412 se pelotonnaient contre l'autre flanc du bateau.

Debout à la proue, Nicko tenait la barre d'une main ferme et dirigeait résolument le voilier vers le milieu de la rivière.

– Où est-ce qu'on va ? demanda-t-il.

Marcia était trop préoccupée par le voisinage d'une aussi grande quantité d'eau pour répondre.

– Chez tante Zelda, dit Silas. (Sarah et lui avaient envisagé toutes les possibilités après le départ de Jenna.) Elle nous hébergera quelque temps.

Le vent s'engouffra dans les voiles de la *Muriel*. Le petit bateau prit de la vitesse et fut entraîné par le courant. Marcia ferma les yeux. Était-ce normal qu'un bateau penche autant ?

– La gardienne... des marais de Marram ? fit-elle d'une voix à peine audible.

– Elle-même, acquiesça Silas. Nous serons en sécurité près d'elle. Son cottage est protégé par un **enchantement permanent** depuis qu'elle a été attaquée par les bobelins, l'hiver dernier. Personne ne peut le repérer.

– Alors, va pour la tante Zelda...

Silas parut surpris que Marcia l'ait approuvé sans même discuter. Puis il sourit intérieurement. À présent, ils étaient tous dans le même bateau.

La minuscule silhouette de Sally agitait hardiment la main sur la terre ferme tandis que le petit bateau vert s'enfonçait dans la nuit. Quand la *Muriel* eut disparu, elle s'attarda un moment sur le quai, écoutant le clapotis de l'eau contre les pierres froides. Tout à coup, elle se sentit très seule. Puis elle fit volte-face et rebroussa chemin le long de la berge enneigée, éclairée par la lumière jaune qui irradiait de sa taverne. Quelques clients approchèrent leur visage des vitres pendant qu'elle pataugeait dans la neige, impatiente de retrouver la chaleur de la salle et le brouhaha des conversations, et remontait le trottoir en planches en direction du ponton. Mais ils ne semblèrent pas la voir.

Quand Sally poussa la porte de la taverne et s'avança au milieu du vacarme, ses plus fidèles clients remarquèrent qu'elle n'était pas dans son état normal. Et ils avaient raison : contrairement à ses habitudes, Sally n'avait qu'une seule idée en tête.

Dans combien de temps le Chasseur serait-il là ?

⊹⊹ IO ⊹⊹

LE CHASSEUR

Il fallut exactement huit minutes et vingt secondes au Chasseur et à sa meute pour atteindre le dépotoir communautaire après que Sally eut salué le départ de la *Muriel* depuis le quai. Chacune de ces cinq cents secondes avait renforcé le sentiment d'angoisse qui broyait le cœur de la pauvre femme.

Qu'avait-elle fait ?

Si elle n'avait pas prononcé un mot en regagnant la taverne, quelque chose dans son attitude avait incité la plupart des clients à se dépêcher de vider leur chope et à avaler les dernières miettes de leur part de gâteau avant de se fondre dans la nuit. Bientôt, il ne resta plus que les cinq marchands du Nord qui dégustaient leur seconde tournée de Springo Special en conversant d'une voix monocorde aux accents plaintifs. Même le petit plongeur avait disparu.

La bouche sèche, les mains tremblantes, Sally luttait contre une envie pressante de prendre ses jambes à son cou. *Du calme, ma fille*, se répétait-elle. *Un peu de cran, que diable. Tu n'auras qu'à nier en bloc. Le Chasseur n'a aucune raison de te soupçonner. Si tu fuis, il saura que tu as quelque chose à te reprocher et finira par te retrouver. Il retrouve toujours sa proie. Alors, reste assise et essaie de te détendre.*

La petite aiguille de la grande horloge avançait inexorablement.

Tic-tac, tic-tac, tic-tac...

Quatre cent quatre-vingt-dix-huit.. Quatre cent quatre-vingt-dix-neuf... Cinq cents.

Le faisceau puissant d'un projecteur balaya le sommet de la pile d'ordures.

Sally courut vers la fenêtre la plus proche, le cœur battant. À la lumière du projecteur, elle distingua un essaim de silhouettes sombres qui s'activaient. Le Chasseur était venu avec sa meute, comme l'avait prédit Marcia.

Sally redoubla d'attention, s'efforçant de comprendre ce qui se passait. La meute faisait cercle autour de la grille que Marcia avait scellée par un **sort de verrouillage**. Elle fut soulagée de constater qu'ils ne semblaient pas pressés. On eût dit qu'ils riaient et échangeaient des plaisanteries. Comme le vent lui apportait des bribes de conversation, Sally tendit l'oreille. Ce qu'elle entendit lui fit froid dans le dos.

– ... saletés de magiciens.

– ... faits comme des rats !

– ... bougez pas. On vient vous chercher. Ah ! ah !

Au bout d'un moment, les silhouettes commencèrent à s'agiter car la grille résistait à leurs tentatives pour l'arracher. Un peu à l'écart, un personnage solitaire les observait avec une impatience manifeste. Sally supposa à juste titre qu'il s'agissait du Chasseur.

Soudain, le Chasseur en eut assez de leurs efforts dérisoires. Il s'approcha à grands pas, arracha sa hache à un de ses hommes et attaqua rageusement la grille. Le choc répété de la lame sur l'acier résonna à travers l'espace, jusqu'à la taverne. Pour finir, la grille massacrée fut jetée de côté et un des hommes s'introduisit dans le conduit afin d'en déloger les ordures. Un projecteur fut braqué sur la sortie du tunnel et la meute se rassembla autour. Sally voyait briller leurs pistolets dans la lumière aveuglante. Le cœur au bord des lèvres, elle attendit qu'ils découvrent que leurs proies s'étaient enfuies.

Ce ne fut pas long.

L'homme émergea bientôt du vide-ordures, débraillé et hirsute. Le Chasseur l'empoigna au collet, visiblement furieux, le secoua tel un prunier et l'écarta sans ménagement, l'envoyant rouler au pied du tas de détritus. Il s'accroupit alors et scruta l'intérieur du conduit comme pour se convaincre qu'il était bien vide. Puis il fit signe au plus petit du groupe de s'y glisser. Comme l'homme hésitait, il le poussa dedans et posta deux gardes armés à l'entrée.

Le Chasseur se dirigea lentement vers la limite du dépotoir afin d'apaiser la colère qui l'avait saisi en apprenant que sa proie lui avait échappé. La frêle silhouette d'un tout jeune garçon le suivait à bonne distance.

Si le garçon portait la robe verte ordinaire d'un apprenti magicien, l'écharpe rouge qui ceignait sa taille était ornée de trois étoiles noires – l'emblème de DomDaniel.

Muré dans son silence, le Chasseur n'était pas conscient de la présence de l'apprenti. Cet homme trapu, solidement bâti, avait les cheveux coupés ras, selon l'usage de la Garde, et un visage hâlé, marqué par de longues années passées au grand air à traquer et chasser le gibier humain. Il portait la tunique vert sombre, la courte cape et les bottes de cuir brun propres à sa fonction, ainsi qu'une large ceinture en cuir d'où pendaient la gaine d'un couteau et une bourse.

Un sourire sinistre abaissa les coins de sa bouche mince et énergique tandis qu'il plissait les yeux pour surveiller les alentours. Ainsi, sa proie lui donnait du fil à retordre ? Très bien. Il n'aimait rien autant que le sport. Il avait gravi un à un les échelons de la hiérarchie avant d'atteindre son but. Il était un Chasseur, le meilleur de la meute, et cela faisait des années qu'il attendait ce moment. Cette fois, il pourchassait non seulement la magicienne extraordinaire, mais aussi la princesse, l'héritière du trône – rien que ça ! Son excitation était à la mesure des espoirs qu'il plaçait dans cette nuit. D'abord, repérer la proie, puis la traquer, l'acculer et enfin l'abattre... Un jeu d'enfant. Son sourire s'élargit, dévoilant de petites dents pointues qui étincelaient au clair de lune.

Il tourna ses pensées vers la partie de chasse qui l'attendait. Quelque chose lui disait que les oiseaux s'étaient envolés du tunnel, mais pour être efficace, il ne devait négliger aucune piste. Le garde qu'il avait désigné pour explorer le conduit avait reçu l'ordre de remonter celui-ci et de vérifier toutes les issues jusqu'à la tour du Magicien. La difficulté de cette mission ne le troublait pas le moins du monde : le garde en question était une quantité négligeable qu'il pouvait aisément sacrifier. Il ferait son devoir ou mourrait en tentant d'accomplir celui-ci. À ses débuts, il était lui-même une quantité négligeable, mais il avait fait en sorte que cela ne dure pas. À présent, pensa-t-il avec un frisson d'impatience, il devait retrouver la piste des fugitifs.

Toutefois, le dépotoir offrait peu d'indices, même pour un traqueur aussi expert que lui. La chaleur produite par la décomposition des ordures avait fait fondre la neige et l'activité constante des rats et des mouettes avait déjà effacé toutes les traces. Qu'à cela ne tienne. Il avait d'autres moyens à sa disposition.

Profitant de la position avantageuse que lui offrait le dépotoir, le Chasseur cligna des yeux et promena ses regards sur le paysage éclairé par la lune. Derrière lui se dressaient les murailles sombres et abruptes du Château dont les créneaux se découpaient nettement sur le ciel glacé et rempli d'étoiles. Devant lui s'étendaient les terres riches et vallonnées qui bordaient l'autre côté de la rivière et au loin, sur l'horizon, il distinguait les crêtes dentelées des montagnes Frontalières. Il considéra longuement la plaine enneigée sans rien remarquer d'intéressant. Il reporta alors son attention sur les environs immédiats du dépotoir. La rivière décrivait une grande courbe à cet endroit. En suivant le fil de l'eau, son regard survola la berge qui s'incurvait juste au-dessous de lui, dépassa la taverne perchée sur le ponton qui oscillait doucement au gré de la marée, le quai et ses bateaux amarrés pour la nuit, puis longea la rivière jusqu'à l'endroit où elle disparaissait derrière le rocher du Corbeau, un affleurement escarpé surplombant les flots.

Il tendit l'oreille, à l'affût du moindre écho, mais la neige étouffait tous les sons. Il scruta la rivière, cherchant des indices – une ombre sous les berges, un oiseau effarouché, un clapotis révélateur –, sans plus de succès. Rien... Tout était étrangement calme et silencieux. Les eaux sombres serpentaient à travers le paysage enneigé qui miroitait au clair de lune. *Les conditions idéales pour chasser,* songea-t-il.

Tous ses sens en alerte, le Chasseur attendait un signe.

Il observait et attendait...

Soudain, quelque chose attira son attention. Un visage livide derrière une des vitres de la taverne. Le visage apeuré de quelqu'un qui savait. Le Chasseur sourit. C'était le signe qu'il espérait. Il était à nouveau sur la bonne piste.

✢ II ✢
LA PISTE

Sally les vit approcher.

Elle fit un bond en arrière pour s'écarter de la fenêtre et rajusta sa jupe tout en réfléchissant. *Courage, ma fille*, se dit-elle. *Tu vas t'en sortir. Tu leur adresseras ton sourire modèle « hôtesse accueillante » et ils ne soupçonneront rien.* Elle se glissa derrière le bar et, pour la première fois durant ses heures de travail, se versa une chope de Springo Special dont elle but une grande lampée.

Beurk... Elle n'avait jamais été très friande de ce truc. Trop de rats crevés au fond du tonneau à son goût.

Comme elle s'enfilait une seconde gorgée de rat crevé, un puissant faisceau de lumière pénétra dans la taverne, balayant son intérieur et les personnes qui s'y trouvaient. Il s'arrêta un instant sur Sally avant de se déplacer et d'éclairer les visages blêmes des marchands du Nord. Ceux-ci cessèrent de parler et échangèrent des regards inquiets.

Quelques secondes plus tard, des pas pressés résonnèrent sur le trottoir en planches puis la meute s'engagea en courant sur le ponton qui trembla. La taverne fut également secouée, les assiettes et les verres s'entrechoquèrent, accompagnant le mouvement. Sally posa sa chope, se releva et plaqua à grand-peine un sourire aimable sur ses traits.

La porte s'ouvrit dans un grand fracas.

Le Chasseur entra d'un pas volontaire. Derrière lui, à la lumière du projecteur, Sally aperçut ses hommes alignés sur le ponton, prêts à faire feu.

– Bonsoir, monsieur, dit-elle avec une gaieté forcée. Qu'est-ce que je vous sers ?

Le Chasseur perçut la tension dans sa voix et en éprouva de la satisfaction. Il aimait inspirer la crainte.

Il s'approcha lentement du bar, se pencha au-dessus et regarda Sally dans les yeux.

– Des renseignements. Je sais que tu en as.

– Ah ? fit Sally.

Derrière le ton poli et faussement intéressé de l'hôtesse, le Chasseur devina la peur et le désir de gagner du temps.

Bien, pensa-t-il. *Elle sait quelque chose.*

– Je poursuis un petit groupe de dangereux terroristes, dit-il en scrutant le visage de son interlocutrice.

Sally se cramponnait à son masque d'« hôtesse accueillante » mais durant une fraction de seconde, celui-ci se lézarda, laissant apparaître la plus volatile des émotions : la surprise.

– Cela t'étonne d'entendre tes amis décrits comme des terroristes ?

– Non, se défendit Sally.

Comprenant qu'elle avait gaffé, elle bredouilla ·

– Je... Ce n'est pas ce que je voulais dire. Je...

Elle renonça. Le mal était fait. Comme ça avait été facile ! Ce devait être à cause des yeux du Chasseur ; des yeux flamboyants, à peine fendus, qui fouillaient vos pensées tels deux projecteurs. Elle avait été idiote de croire qu'elle pourrait le tromper. Son cœur battait si fort qu'il lui semblait que l'homme pouvait l'entendre. Bien sûr, c'était le cas. Aucun son n'était plus doux à ses oreilles que les battements affolés du cœur d'une proie acculée. Après en voir bien joui, il reprit :

– Tu vas me dire où ils sont.

– Non, marmonna Sally.

Le Chasseur resta impassible devant cette dérisoire tentative de rébellion.

– Mais si, répliqua-t-il d'un ton neutre.

Il s'appuya contre le bar :

– Tu as un bel établissement, Sally Mullin. Très joli. Il est en bois, pas vrai ? Ça fait un bout de temps qu'il existe, si j'ai bonne mémoire. Le bois doit être sec. Ça ferait une belle flambée.

– Non...

– Voici ce que je te propose : tu me dis où sont allés tes amis et je ferai comme si j'avais égaré mon briquet...

Sally resta muette. Les pensées se bousculaient dans sa tête, sans ordre ni logique. Tout ce qu'il en ressortait, c'est qu'elle avait omis de faire remplir les seaux à incendie depuis que le petit plongeur avait accidentellement enflammé des serviettes.

– Dans ce cas, je vais dire à mes gars d'allumer le feu. Je fermerai la porte derrière moi en sortant. Ce serait trop bête que quelqu'un se blesse en essayant de se sauver, tu ne crois pas ?

– Vous n'avez pas...

Sally s'avisa tout à coup que non content d'incendier sa taverne chérie, le Chasseur s'apprêtait à la brûler avec... Sans parler des cinq marchands. Elle jeta un coup d'œil à ces derniers. Ils discutaient à voix basse d'un air angoissé.

Le Chasseur n'avait rien à ajouter. Tout se déroulait à peu près comme prévu. À présent, il allait montrer à cette femme qu'il ne plaisantait pas. Il tourna brusquement les talons et se dirigea vers la porte.

Tandis qu'elle le suivait des yeux, Sally sentit la colère l'envahir.

Comment osait-il faire irruption chez elle et terrifier ses clients, avant de menacer de tous les réduire en cendres ? Cet homme n'était qu'une brute, et elle détestait les brutes.

Pleine de fougue, elle surgit de derrière le bar.

– Une seconde !

Le Chasseur sourit. Sa ruse avait fonctionné, comme toujours. Rien de tel que de les laisser mariner quelques minutes pour les faire changer d'avis. Il s'arrêta sans se retourner.

Sally lui décocha un violent coup de botte dans le tibia. Pris au dépourvu, le Chasseur agrippa sa jambe et se mit à sautiller sur place.

– Brute !

– Imbécile ! Tu vas le regretter, Sally Mullin.

Un officier de la Garde passa la tête à la porte :

– Un problème, chef ?

Vexé d'avoir été surpris dans une posture aussi peu digne, le Chasseur éructa :

– Non ! Ça fait partie du plan.

– On a ramassé des branchages et on les a disposés sous la taverne comme vous l'aviez demandé, chef. Le bois est bien sec et les hommes ont commencé à battre le briquet.

– Parfait, dit le Chasseur d'un air sinistre.

– Excusez-moi, monsieur ? fit une voix à l'accent prononcé.

Un des marchands du Nord avait quitté la table et s'était approché.

– Quoi ? grommela le Chasseur en faisant volte-face sur un pied.

Le marchand se tenait gauchement devant lui. Sa tunique rouge foncé, signe d'appartenance à la Ligue hanséatique, avait récolté nombre de taches et d'accrocs au cours de ses voyages. Ses cheveux blonds et fins étaient maintenus en place par une bande de cuir graisseux nouée autour de son front. La lumière crue du projecteur lui faisait une mine de papier mâché.

– Je crois que nous avons le... renseignement que vous... désirez ?

Le marchand cherchait laborieusement ses mots dans une langue qu'il ne maîtrisait pas et sa voix montait comme s'il posait une question.

– Vraiment ?

Tout à coup, le Chasseur ne sentait plus sa jambe. Enfin, il entrevoyait une piste !

Sally se tourna vers le marchand, horrifiée. Comment pouvait-il savoir ? Puis elle comprit. Il avait dû les observer par la fenêtre.

Le marchand évitait le regard accusateur de l'hôtesse. Il semblait gêné mais de toute évidence, il avait entendu assez du discours du Chasseur pour avoir peur.

– Nous pensons que ceux que vous... recherchez ont fui avec le... bateau ?

– Le bateau. Quel bateau ? aboya le Chasseur, trop heureux de faire voir qui était le chef.

– Nous ne connaissons pas vos bateaux. Un petit, avec des voiles... rouges ? Une famille et un... loup.

– Un loup ? Ah ! Oui, le corniaud.

Le Chasseur s'approcha du marchand (un peu trop au goût de ce dernier) et lui murmura :

– De quel côté sont-ils allés ? Vers l'amont ou vers l'aval ? Les montagnes ou le Port ? Réfléchis bien, mon ami, si tu veux que tes compagnons et toi passiez la nuit au frais.

– Vers l'aval. Le Port, marmonna le marchand qui trouvait l'haleine de son interlocuteur particulièrement déplaisante.

Le Chasseur laissa éclater sa satisfaction :

– À la bonne heure ! Maintenant, toi et tes amis, je vous suggère de partir tant que vous le pouvez.

Les quatre autres marchands se levèrent sans un mot et rejoignirent leur compagnon en évitant piteusement le regard plein d'effroi de Sally. Puis ils se fondirent dans la nuit, abandonnant la pauvre femme à son sort.

– Bonne nuit, gente dame, persifla le Chasseur en exécutant une révérence. Et encore merci pour votre hospitalité.

Il sortit et claqua la porte derrière lui.

– Barricadez la porte et les fenêtres ! lança-t-il d'un ton rageur. Empêchez-la de fuir !

Il parcourut le trottoir de planches en quelques enjambées.

– File à l'embarcadère et trouve-moi une chaloupe rapide, ordonna-t-il à l'estafette qui attendait au bout du trottoir. Qu'est-ce que tu attends ?

Quand il eut atteint la berge, il se retourna vers la taverne assiégée. Rien ne lui aurait fait plus plaisir que de voir les flammes monter à l'assaut des murs avant de partir, mais il ne pouvait s'attarder. Il devait suivre la piste tant qu'elle était chaude. Il se dirigea vers le quai pour y attendre la chaloupe, un sourire satisfait aux lèvres.

Cette femme allait voir ce qu'il en coûtait de se moquer de lui !

Derrière le Chasseur souriant trottait l'apprenti, à la fois très excité et vexé d'être resté au froid à l'extérieur de la taverne. Il s'enveloppa dans sa cape, frémissant d'impatience. Ses yeux sombres étincelaient et l'air vif rougissait ses joues pâles. Ça allait être la grande aventure que lui avait annoncée son maître, le prélude au retour de celui-ci ! Et il en faisait partie. Sans lui, rien ne pourrait arriver. Il était le conseiller du Chasseur. C'est lui qui superviserait la traque, lui qui ferait la différence grâce à ses pouvoirs magiques. Un doute lui traversa l'esprit, mais il se hâta de le repousser. Il se sentait tellement important qu'il avait envie de crier, de faire des bonds ou de frapper quelqu'un. Mais il n'en avait pas le droit. Il devait obéir à son maître, se montrer prudent et discret tant qu'il suivrait le Chasseur. Peut-être pourrait-il frapper la princesse – la Pouline – quand il l'aurait capturée. Ce serait bien fait pour elle.

– Arrête de rêvasser et dépêche-toi de monter, le houspilla le Chasseur. Mets-toi au fond pour ne pas gêner.

L'apprenti obtempéra. Même s'il répugnait à l'admettre, cet homme lui faisait peur. Il gagna prudemment l'arrière de la chaloupe et se glissa dans l'espace minuscule aux pieds du premier rameur.

Le Chasseur jaugea la chaloupe d'un air approbateur. Longue, effilée et aussi noire que la nuit, elle était recouverte d'une laque brillante qui lui permettait de glisser sur l'eau aussi aisément que la lame d'un patin sur la glace. Propulsée par dix rameurs surentraînés, elle pouvait distancer n'importe quelle embarcation.

L'avant était équipé d'un projecteur puissant et d'un trépied. Le Chasseur s'assit sur une planche à la proue, derrière le trépied sur lequel il fixa son pistolet d'argent en un tournemain. Puis il tira une balle du même métal de sa giberne, l'examina pour s'assurer que c'était bien celle qu'il voulait et la plaça dans un petit plateau à côté du pistolet. Il prit ensuite cinq balles ordinaires dans les réserves du bateau et les aligna près de la première. Il était fin prêt.

– En route !

La chaloupe s'éloigna du quai sans bruit, gagna le milieu de la rivière et se fondit dans l'obscurité.

Le Chasseur jeta un coup d'œil derrière lui pour jouir du spectacle qu'il avait tant attendu.

Des flammes montaient vers le ciel, ondulant tels des serpents.

Le feu dévorait la taverne de Sally Mullin.

✦ 12 ✦
LA MURIEL

À quelques milles en aval, la *Muriel* courait vent arrière. Nicko se trouvait dans son élément. Il avait pris la barre du petit voilier surchargé qu'il guidait d'une main experte le long du chenal au milieu de la rivière, là où le lit était le plus profond et le courant le plus rapide. Tandis que le reflux les emportait à vive allure, la houle s'était levée de sorte que la *Muriel* donnait l'impression de bondir sur les vagues.

La pleine lune voguait haut dans le ciel, répandant sur les eaux une clarté argentée qui leur éclairait le chemin. La rivière s'élargissait à mesure qu'ils se rapprochaient de l'océan. Quand les passagers du bateau regardaient autour d'eux, les rives plantées d'arbres parmi lesquels on distinguait çà et là une maison isolée leur paraissaient de plus en plus éloignées. Le silence s'abattit sur leur groupe. Ils se sentaient tout petits et perdus au milieu de cette vaste étendue d'eau. Bientôt, Marcia fut prise de terribles nausées.

Assise sur le pont, le dos appuyé contre la coque, Jenna se cramponnait au cordage que lui avait confié Nicko. Le cordage en question, relié à la petite voile triangulaire à l'avant de la *Muriel*, subissait une telle traction qu'elle avait le plus grand mal à le retenir. Malgré ses doigts raides et gourds, elle n'osait relâcher son étreinte. Nicko pouvait se montrer très autoritaire quand il était aux commandes d'un bateau.

La bise était glacée et la fraîcheur qui montait de l'eau lui donnait des frissons malgré l'épais chandail, la veste en peau de mouton et le bonnet de laine rêche que Silas avait choisis à son intention dans l'armoire de Sally.

412 dormait, pelotonné contre elle. Après son embarquement forcé, il s'était résigné à son impuissance et avait renoncé à lutter contre les magiciens et les deux enfants bizarres. Quand la *Muriel* avait dépassé le rocher du Corbeau et qu'il avait cessé de voir le Château, il s'était tout bonnement roulé en boule aux côtés de Jenna et n'avait pas tardé à sombrer dans le sommeil. Maintenant qu'ils naviguaient dans des eaux plus agitées, sa tête cognait le mât au gré des mouvements du bateau. Voyant cela, Jenna le déplaça délicatement et lui fit un oreiller de ses genoux. En contemplant le visage aux joues creuses et aux traits tirés qui disparaissait presque sous son bonnet rouge, elle se dit qu'il paraissait plus heureux dans son sommeil que réveillé. Puis elle songea à Sally.

Jenna aimait beaucoup Sally, son bavardage incessant et ses récits tellement vivants. Quand elle entrait en coup de vent chez les Heap, elle leur apportait toute l'activité et l'animation du Château et Jenna adorait cela.

– J'espère qu'il n'arrivera rien à Sally, murmura-t-elle en écoutant les craquements réguliers et le bruissement soyeux et obstiné du petit voilier fendant les eaux sombres et miroitantes.

– Moi aussi, poupette, acquiesça Silas, absorbé dans ses pensées.

Depuis que le Château avait disparu, il avait eu tout le temps de réfléchir. Il avait d'abord songé à Sarah et aux garçons, en espérant qu'ils avaient atteint sans encombre l'arbre-maison de Galen, puis l'image de Sally s'était imposée à son esprit, lui causant un certain malaise.

– Elle s'en sortira, assura Marcia d'une voix à peine audible. (Elle détestait avoir la nausée.)

– Je te reconnais bien là ! attaqua Silas. À présent que tu es magicienne extraordinaire, tu crois pouvoir te servir des autres et les jeter sans plus y penser. Tu as perdu le contact avec la réalité. Alors que nous, magiciens ordinaires, nous savons ce qu'est le danger...

– On avance bien, annonça Nicko afin de détourner la conversation.

Il n'aimait pas quand Silas commençait à se plaindre. Pour sa part, Nicko ne voyait aucun mal à n'être qu'un magicien ordinaire. S'il le laissait volontiers aux autres – trop de livres à étudier et pas assez de temps pour naviguer –, il estimait que c'était un travail parfaitement respectable. Et puis, qui aurait voulu devenir magicien extraordinaire ? Pas lui, en tout cas. Pour passer sa vie entre les murs d'une tour biscornue et ne pouvoir faire un pas dehors sans que tout le monde vous dévore des yeux...

Marcia soupira.

– Je suppose que le **talisman** en platine que j'ai décroché de ma ceinture lui aura été de quelque secours, dit-elle lentement en scrutant la rive qui s'éloignait de plus en plus.

– Tu as donné un **talisman** à Sally ? demanda Silas, stupéfait. N'est-ce pas un peu risqué ? Il pourrait te faire défaut.

– Elle en aura plus besoin que moi. Et puis, elle va rejoindre Sarah et Galen. Elles aussi pourraient le trouver utile. Maintenant, tais-toi. Je crois que je vais vomir.

Un silence gêné s'abattit sur le bateau.

– La *Muriel* avance bien, Nicko. Tu es un fameux marin, reprit Silas un peu plus tard.

– Merci, papa, répondit Nicko avec le sourire qu'il arborait chaque fois qu'il trouvait un bateau à son goût.

Il manœuvrait la barre d'une main experte, de façon à contrer la force du vent qui gonflait les voiles. Sous sa conduite, la *Muriel* semblait chevaucher les vagues en chantant.

– Ce sont les marais de Marram, papa ? demanda-t-il au bout d'un moment en pointant le doigt vers la rive à bâbord.

Il avait remarqué des changements dans le paysage. La *Muriel* naviguait à présent au milieu d'une vaste étendue d'eau et on apercevait au loin une plaine saupoudrée de neige qui miroitait au clair de lune.

Silas scruta à son tour l'horizon.

– Tu devrais t'approcher, suggéra-t-il en agitant le bras dans la direction que désignait son fils. Comme ça, on repérerait mieux la passe de Deppen. C'est elle qu'on cherche.

Silas craignait de rater l'entrée du chenal qui menait au cottage de tante Zelda. Cela faisait longtemps qu'il n'avait pas rendu visite à sa parente et à ses yeux, ces marais se ressemblaient tous.

Nicko venait de changer de cap suivant les indications de son père quand un pinceau de lumière vive déchira la nuit derrière eux.

C'était le projecteur de la chaloupe.

✝ 13 ✝
LA TRAQUE

Ils fouillèrent tous l'obscurité du regard, à l'exception de 412 toujours endormi. Au même moment, le faisceau du projecteur balaya à nouveau la ligne d'horizon, éclairant brièvement le lit du fleuve et les rives de chaque côté. Sa signification ne faisait aucun doute pour personne.

– C'est le Chasseur. Pas vrai, papa ? murmura Jenna.

Silas savait qu'elle avait raison. Néanmoins, il répondit :

– Cela peut-être n'importe quoi, poupette. Des pêcheurs ou... autre chose, acheva-t-il sans conviction.

– Évidemment que c'est le Chasseur ! glapit Marcia dont les nausées avaient tout à coup cessé. Et sauf erreur de ma part, il est à bord d'une chaloupe rapide.

Marcia mit du temps à comprendre que son état s'était amélioré parce que la *Muriel* avait arrêté de caracoler sur les vagues. En fait, le voilier ne faisait plus grand-chose, hormis aller à la dérive.

Elle lança un regard accusateur à leur pilote :

– Remue-toi, Nicko ! Pourquoi as-tu ralenti ?

– J'y peux rien s'il n'y a plus de vent, marmonna Nicko, contrarié.

Il venait de mettre le cap sur les marais de Marram quand la brise était tombée. La *Muriel* avait perdu toute sa vitesse et ses voiles pendaient mollement.

– On ne va pas rester les bras croisés, reprit Marcia en observant avec angoisse la lumière qui se rapprochait. Cette chaloupe nous aura rejoints d'ici quelques minutes.

– Tu ne pourrais pas nous bricoler un petit coup de vent ? lui demanda Silas, très énervé. Je croyais qu'on apprenait le **contrôle des éléments** en classe de perfectionnement ? Ou alors, rends-nous invisibles. Enfin, fais quelque chose, Marcia !

– Pour « bricoler » un coup de vent, comme tu le dis si bien, il faudrait que je dispose d'un peu plus de temps. Et tu devrais savoir que le **sort d'invisibilité** est d'un usage strictement personnel. Je ne peux l'appliquer qu'à moi-même.

Le faisceau du projecteur rasa à nouveau la surface de l'eau – plus large, plus intense, plus proche. Et il se dirigeait vers eux à toute allure.

– Il faut pagayer, déclara Nicko. (En tant que capitaine, il avait décidé de reprendre la situation en main.) On va essayer de gagner les marais et de s'y cacher. Vite !

111

Marcia, Silas et Jenna attrapèrent chacun une rame. Dans sa précipitation, la petite fille fit rouler sur le pont la tête de 412 qui s'éveilla en sursaut et regarda autour de lui d'un air morose. Il se trouvait toujours à bord du voilier avec les magiciens et les enfants. Qu'est-ce qu'ils lui voulaient, à la fin ?

Jenna lui fourra dans la main la pagaie restante.

– Rame ! lui dit-elle. De toutes tes forces !

Le ton de sa voix lui rappela celui de son sergent instructeur. Il plongea la pagaie dans l'eau et rama de toutes ses forces.

Lentement, beaucoup trop lentement, la *Muriel* se mit à avancer en direction des marais de Marram tandis que le projecteur de la chaloupe balayait impitoyablement la surface du fleuve, traquant sa proie.

Jenna lança un regard furtif derrière elle et fut frappée d'horreur en apercevant la sombre silhouette de la chaloupe, pareille à un cancrelat géant avec ses dix paires de fines pattes noires qui brassaient les flots d'avant en arrière, d'avant en arrière. En joignant leurs forces à celles du bateau, les rameurs surentraînés gagnaient rapidement du terrain sur eux, en dépit des efforts frénétiques des pagayeurs improvisés.

Assis à la proue, le Chasseur évoquait un fauve prêt à bondir. Son regard froid et calculateur croisa celui de Jenna qui trouva subitement le courage de s'adresser à Marcia :

– On n'atteindra jamais les marais à temps. Vous devez faire quelque chose. Vite.

Bien que surprise de se voir apostrophée en ces termes, Marcia acquiesça. *Un ton digne d'une princesse*, pensa-t-elle.

– Je vais tenter d'invoquer un **brouillard**, annonça-t-elle. Je devrais y arriver en cinquante-trois secondes, s'il fait assez froid et humide.

L'équipage de la *Muriel* n'avait aucune inquiétude à ce sujet. En revanche, ils n'étaient pas sûrs de disposer encore de cinquante-trois secondes.

– Cessez de pagayer et tenez-vous tranquilles, reprit Marcia. Surtout, ne faites aucun bruit.

Un son nouveau émergea du silence qui suivit ses instructions : le clapotement cadencé des rames de la chaloupe.

Marcia se leva avec précaution – si seulement ce bateau n'avait pas remué autant ! –, s'appuya au mât pour se soutenir et écarta les bras en déployant sa cape comme une paire d'ailes cramoisies.

– **Ténèbres, réveillez-vous**, dit-elle aussi fort qu'elle l'osa. **Réveillez-vous et un refuge offrez-nous !**

La formule était belle. Jenna vit d'épais nuages blancs s'amasser dans le ciel de façon à occulter la lune. La température de l'air chuta de façon vertigineuse et une paix mortelle s'étendit sur le fleuve obscur. À perte de vue, celui-ci se couvrit de délicates volutes de vapeur qui grandissaient à un rythme accéléré et se rassemblaient pour former des nappes de **brouillard** compactes, alors que les brumes des marais déferlaient sur les eaux afin de les rejoindre. Au centre de cette agitation, la *Muriel* attendait, immobile, que les filaments nébuleux qui roulaient et tournoyaient autour d'elle s'épaississent.

Bientôt, le voilier fut enveloppé d'un épais manteau blafard qui glaça Jenna jusqu'aux os. 412, encore mal remis de son séjour sous la neige, frissonna violemment à ses côtés. La voix de Marcia s'éleva, assourdie par le **brouillard** :

– Cinquante-trois secondes précises. Pas mal.

– Chut ! fit Silas.

Un silence dense s'abattit sur le petit voilier. Jenna leva lentement une main et la plaça devant ses yeux grands ouverts. Elle ne voyait que du blanc. En revanche, elle entendait très bien.

Elle entendait le clapotis régulier de vingt rames tranchantes comme des lames qui plongeaient et émergeaient simultanément de l'eau. Elle entendait la proue de la chaloupe qui fendait les flots et même... Leurs poursuivants étaient maintenant si près qu'elle entendait la respiration des rameurs.

– STOP ! tonna le Chasseur derrière un écran de brume.

Les rames se turent et la chaloupe cessa d'avancer pour dériver au gré du courant. Les occupants de la *Muriel* retenaient leur souffle. La chaloupe devait être très proche. Si proche – qui sait ? – que ses passagers auraient pu les toucher, ou que le Chasseur aurait pu sauter sur le pont encombré du voilier...

Jenna sentit son cœur s'emballer, mais elle s'obligea à respirer lentement, sans bruit, et à rester immobile. Même s'ils étaient invisibles, elle savait qu'on pouvait toujours les entendre. Nicko et Marcia en faisaient autant de leur côté. Pour corser la situation, Silas serrait d'une main le long museau de Maxie pour l'empêcher de hurler et caressait de l'autre l'échine du chien-loup affolé par le **brouillard**.

Percevant les tremblements incessants de 412, Jenna allongea un bras et l'attira contre elle dans l'espoir de le réchauffer.

Le garçon lui sembla nerveux. Elle devina qu'il se concentrait pour mieux capter la voix du Chasseur.

– On les tient ! s'exclama ce dernier. Ça, c'est un **brouillard magique** ou je ne m'y connais pas. Et que trouve-t-on au cœur d'un **brouillard magique** ? Un magicien ou une magicienne... et ses complices.

Son petit rire satisfait parvint aux oreilles de Jenna, lui donnant la chair de poule. Soudain, la voix désincarnée du Chasseur parut envelopper la *Muriel* de toutes parts :

– Rendez-vous ! La princesse n'a rien à craindre de nous, pas plus qu'aucun d'entre vous. Notre unique souci est d'assurer votre sécurité en vous escortant jusqu'au Château avant que ne survienne... un regrettable accident.

Jenna détestait son ton patelin. Dire qu'ils ne pouvaient lui échapper, qu'ils étaient obligés de rester là à écouter ses mensonges doucereux ! Elle aurait voulu le traiter de tous les noms, lui signifier que c'était *elle* la princesse, que ses menaces ne l'impressionnaient pas et qu'un jour, elle les lui ferait rentrer dans la gorge. Tout à coup, elle entendit 412 prendre une profonde inspiration et devina aussitôt ses intentions.

Il allait crier !

Elle mit une main sur sa bouche. Il se débattit, s'efforçant de la repousser, mais elle parvint à plaquer ses bras contre son corps. Jenna était robuste pour sa taille et extrêmement rapide. De constitution chétive, 412 ne faisait pas le poids.

Le garçon enrageait. Il venait de laisser passer sa dernière chance de se racheter et de réintégrer la Jeune Garde en héros, après avoir courageusement déjoué les tentatives de fuite des magiciens. Au lieu de ça, la petite main crasseuse que la princesse avait collée sur sa bouche lui donnait envie de vomir. Sans compter qu'elle était plus forte que lui. Ce n'était pas juste. Il était un garçon et elle, rien qu'une idiote de fille. Dans sa colère, 412 envoya un grand coup de pied qui fit résonner le pont. Nicko se jeta aussitôt sur lui, lui immobilisant les jambes et le tenant si solidement qu'il ne pouvait ni bouger ni émettre le moindre son.

Mais le mal était fait. Déjà, le Chasseur introduisait la balle d'argent dans son pistolet. Le geste furieux de 412 était le signe dont il avait besoin pour les repérer avec exactitude. Il sourit en dirigeant le pistolet vers le **brouillard**. Ce faisant, il pointa le canon de l'arme vers Jenna.

Marcia avait perçu le cliquetis de la balle quand il l'avait chargée dans le pistolet. Ce bruit, elle l'avait déjà entendu une fois et ne l'avait jamais oublié. Elle réfléchit en moins de deux. Elle pouvait invoquer un **bouclier protecteur**, mais tel qu'elle le connaissait, le Chasseur aurait tranquillement attendu que le sort se dissipe. La seule solution était de créer une **projection**, en espérant qu'il lui resterait assez d'énergie pour la maintenir.

Elle ferma les yeux et **projeta**. Elle **projeta** une image de la *Muriel* et de ses occupants qui surgissaient du **brouillard** à toute allure. Comme toutes les **projections**, il s'agissait d'une image inversée. Mais l'obscurité et la vitesse de la *leiruM* aidant, le Chasseur se laisserait peut-être abuser.

– Chef ! cria un rameur. Ils essaient de nous distancer !

Le Chasseur interrompit ses préparatifs et poussa un juron sonore.

– Suivez-les, bande d'idiots ! vociféra-t-il.

La chaloupe s'éloigna lentement du **brouillard**.

– Plus vite ! hurla le Chasseur, furieux de voir sa proie lui échapper pour la troisième fois consécutive.

Au cœur du **brouillard**, Jenna et Nicko esquissèrent un sourire. Ils venaient de reprendre l'avantage.

✛ 14 ✛
LA PASSE DE DEPPEN

Marcia était d'une humeur de chien.

Mener deux sorts de front n'était pas une mince tâche, d'autant que l'un, la **projection**, relevait d'une forme inversée de **Magyk** et réclamait beaucoup de doigté pour éviter la contamination par le **Côté Obscur** – l'**Autre Côté**, comme elle l'appelait plus volontiers. Il fallait une bonne dose de courage et d'expérience pour pratiquer la **Magyk inversée** sans que l'**Autre** en profite pour s'inviter. Mais elle avait été à bonne école : beaucoup des sorts qu'Alther tenait de DomDaniel faisaient appel à la **Magyk noire**, de sorte qu'il était devenu expert dans l'art de contrer celle-ci. Pendant qu'elle se concentrait sur la **projection**, Marcia sentait la présence de l'**Autre** qui rôdait autour d'eux, attendant une occasion de s'immiscer. Son cerveau menaçait d'exploser, aussi n'était-ce pas le moment de lui demander d'être polie.

– Bon sang de bois, Nicko, bouge-moi cette cochonnerie de bateau ! glapit-elle.

Nicko prit un air vexé. Elle n'avait pas à lui parler sur ce ton.

– Pour ça, faudrait pagayer, marmonna-t-il. Et il vaudrait mieux que je sache où aller.

Marcia fit l'effort supplémentaire de creuser un tunnel dans le **brouillard**, ce qui n'arrangea pas son humeur. Silas se taisait. Conscient de la quantité d'énergie et de **Magyk** qu'elle mettait en œuvre, il éprouvait à son endroit un respect mêlé de réticences. Jamais il n'aurait été capable de susciter une **projection** aussi compliquée, surtout en entretenant simultanément un **brouillard** d'une telle densité. Il fallait lui rendre cette justice : elle était douée.

Laissant Marcia à sa **Magyk**, il se mit à pagayer. Sous la conduite prudente de Nicko, le voilier s'engagea dans le cocon ouaté formé par le tunnel et se dirigea vers le ciel étoilé qu'on apercevait au bout. Bientôt, le fond du bateau racla un banc de sable et sa coque heurta une épaisse touffe de joncs.

Ils avaient atteint les marais de Marram.

Avec un soupir de soulagement, Marcia laissa le **brouillard** se dissiper. Tous se détendirent, sauf Jenna. Quand on était la seule fille d'une fratrie qui comptait six garçons, on apprenait forcément un ou deux trucs. Elle n'avait eu qu'à tordre le bras de 412 pour l'étendre face contre terre et l'y maintenir de force.

– Laisse-le, Jen, lui dit Nicko.

– Pourquoi ?

– Ce n'est qu'un idiot.

– Mais il a failli nous faire tuer ! On lui a sauvé la vie quand il était enfoui sous la neige et il nous a trahis !

412 restait muet. Sauvé la vie ? Enfoui sous la neige ? Tout ce qu'il se rappelait, c'est qu'il s'était endormi à l'extérieur de

la tour du Magicien et réveillé prisonnier au dernier étage de la même tour.

– Laisse-le, Jenna, insista Silas. Il ne comprend pas ce qui se passe.

– D'accord, dit Jenna en s'exécutant de mauvaise grâce. N'empêche que c'est un porc.

412 se redressa lentement en frictionnant son bras. Il n'aimait pas la façon dont les autres le regardaient. Et il n'aimait pas que la princesse le traite de porc, surtout après avoir été aussi gentille avec lui. Il se pelotonna le plus loin possible de Jenna et s'efforça de mettre de l'ordre dans sa tête. Ce n'était pas facile. Rien n'avait de sens. Il fit alors appel à l'enseignement qu'il avait reçu à la Jeune Garde.

Les faits. Seuls les faits existaient, les bons comme les mauvais. Donc...

Fait numéro un : son enlèvement : MAUVAIS.

Fait numéro deux : le vol de son uniforme : MAUVAIS.

Fait numéro trois : la descente du conduit du vide-ordures : MAUVAIS. Très MAUVAIS.

Fait numéro quatre : son embarquement forcé à bord d'un bateau qui puait le poisson : MAUVAIS.

Fait numéro cinq : les magiciens ne l'avaient pas tué (pas encore) : BON.

Fait numéro six : les magiciens allaient probablement le tuer bientôt : MAUVAIS.

Il fit le compte des « BONS » et des « MAUVAIS » points. Comme d'habitude, les « MAUVAIS » l'emportaient, ce qui ne le surprit pas outre mesure.

Nicko et Jenna parvinrent à s'extraire de la coque et se hissèrent sur le talus prolongeant le banc de sable sur lequel la *Muriel* reposait à présent, les voiles pendantes. Nicko avait besoin de faire une pause. Il prenait son rôle de capitaine très à cœur et s'attribuait la responsabilité de tout ce qui pouvait survenir de mal pendant qu'il était aux commandes. De son côté, Jenna se réjouissait de retrouver la terre ferme, même si celle-ci était plutôt détrempée. L'herbe sur laquelle elle s'était assise cédait légèrement sous son poids, comme si elle poussait sur une grosse éponge imbibée d'eau, et elle était enduite d'un glacis de givre.

Profitant de ce que son adversaire s'était éloignée, 412 se risqua à relever la tête et ce qu'il vit lui fit dresser les cheveux sur la tête.

La puissance de la **Magyk**...

À part lui, personne ne semblait remarquer le halo d'énergie scintillant qui enveloppait Marcia, couvrait sa cape de magicienne extraordinaire de reflets changeants et donnait un éclat pourpré à ses cheveux bruns bouclés. Ses yeux verts étincelaient tandis qu'elle contemplait l'infini, faisant défiler un film muet qu'elle était seule à voir. Malgré la formation anti-magiciens qu'il avait reçue à la caserne, 412 était comme frappé de paralysie devant elle.

Bien sûr, le film que regardait Marcia concernait la *leiruM* et son équipage fantôme qui filaient vers l'embouchure du fleuve. Avant longtemps, ils auraient dépassé le Port et gagné la haute mer. Le Chasseur trouvait étonnant qu'un voilier de cette taille atteigne des vitesses pareilles. Bien que la *leiruM* fût toujours visible, la chaloupe n'arrivait pas à réduire suffisamment la distance pour lui permettre de tirer la balle en argent. D'autre part, les dix rameurs se fatiguaient et le Chasseur s'était enroué à force de leur crier : « Plus vite, tas d'incapables ! »

L'apprenti était resté sagement assis à l'arrière du bateau depuis le début de la traque. Plus le Chasseur devenait furieux, moins il osait se manifester et plus il se tassait dans son coin, près des pieds suants du rameur numéro 10. Mais quand ce dernier commença à grommeler entre ses dents des commentaires extrêmement grossiers et instructifs sur le Chasseur, il reprit un peu d'assurance et se mit à scruter l'horizon. Il vit la *leiruM* qui s'éloignait à toute allure. Plus il la regardait, plus le doute grandissait en lui. Rassemblant son courage, il héla le Chasseur :

– Vous aviez remarqué que le nom du bateau était écrit à l'envers ?

– N'essaie pas de jouer au plus fin avec moi, mon garçon.

La vue du Chasseur était perçante, mais peut-être pas autant que celle d'un garçon de dix ans et demi dont le passe-temps favori consistait à collectionner et à étiqueter des fourmis. Ce n'était pas pour rien qu'il avait passé autant d'heures à observer le fleuve dans la camera obscura de son maître, jusqu'à connaître le nom et l'histoire de tous les bateaux qui naviguaient sur ses eaux. Il savait que le voilier qu'ils pourchassaient *avant* le **brouillard**, la *Muriel*, avait été construit par Rupert Gringe qui le louait pour la pêche au hareng. *Après* le **brouillard**, il s'était transformé en *leiruM* – l'image inversée de *Muriel*. Et il était assez versé en **Magyk** pour savoir ce que cela signifiait.

122

La *leiruM* était une **projection**, une **apparition**, une **illusion mensongère**.

Heureusement pour l'apprenti, juste comme il s'apprêtait à informer le Chasseur de sa découverte, à bord de la véritable *Muriel*, Maxie eut l'idée de lécher la main de Marcia en signe d'affection. Le contact de sa langue baveuse fit tressaillir la magicienne qui relâcha son attention une fraction de seconde, provoquant la dissolution de la *leiruM*. Le bateau fantôme reparut presque aussitôt, mais il était trop tard. La ruse était éventée.

Hurlant de rage, le Chasseur abattit son poing sur le coffret à munitions. Il poussa un nouveau cri, cette fois de douleur. Il venait de se fracturer le cinquième métacarpien – l'auriculaire, en bref, le petit doigt – et cela faisait TRÈS mal. Tout en se tenant la main, il jeta un ordre aux rameurs :

– DEMI-TOUR, BANDE D'IDIOTS !

La chaloupe stoppa, les hommes retournèrent leurs sièges d'un air las et se mirent à ramer dans la direction opposée. Le Chasseur se retrouva à l'arrière du bateau et l'apprenti, pour sa plus grande joie, à l'avant.

Mais la chaloupe ne tournait plus à plein rendement. Les rameurs se fatiguaient vite et ils n'appréciaient guère de se faire couvrir d'injures par un meurtrier en puissance de plus en plus hystérique. La cadence s'en ressentait et au lieu de glisser à la surface des eaux, la vedette progressait désormais par à-coups, avec des soubresauts.

Le Chasseur boudait à l'arrière du bateau. La piste s'était refroidie pour la quatrième fois cette nuit. Cette traque virait au cauchemar.

L'apprenti, en revanche, appréciait cette volte-face. Assis désormais à la proue, il levait son visage vers le ciel nocturne, tel Maxie, pour mieux jouir de la caresse du vent. Il était également soulagé d'avoir pu faire son travail. Son maître serait fier. Il s'imaginait à ses côtés, lui racontant comment il avait détecté une **projection** diabolique et sauvé la situation. Peut-être cet exploit consolerait-il son maître de sa déconvenue : son apprenti n'était pas doué pour la **Magyk**. Il faisait de son mieux, sincèrement. Mais il lui manquait toujours quelque chose – quoi ? – pour réussir.

Ce fut Jenna qui vit le projecteur tant redouté faire demi-tour au loin.

– Ils reviennent ! cria-t-elle.

Marcia sursauta et perdit complètement le contrôle de la **projection**. La *leiruM* et son équipage s'évanouirent à jamais, causant un choc violent à un pêcheur solitaire sur le mur du Port.

– Il faut cacher le bateau !

Nicko se releva d'un bond et courut sur l'herbe, suivi par Jenna.

Silas tira Maxie hors du voilier et lui intima l'ordre de se coucher, puis il aida Marcia à débarquer. 412 se dépêcha de l'imiter.

Marcia s'assit sur la berge de la passe de Deppen, décidée à garder ses bottines en python le plus longtemps possible au sec. Tous les autres (même 412, au grand étonnement de Jenna) se mirent à patauger dans l'eau peu profonde pour désensabler la *Muriel* et la remettre à flot. Puis Nicko saisit une corde et hala le voilier le long de la passe, jusqu'à l'endroit où celle-ci faisait une courbe, afin de le rendre invisible depuis le fleuve. La marée descendait, de sorte que le mât court de la *Muriel* disparaissait derrière l'escarpement qui bordait la passe.

Comme les vociférations du Chasseur se propageaient à la surface de l'eau, Marcia passa la tête au-dessus du talus pour s'enquérir de ce qui se passait. Le spectacle la laissa sans voix. Debout à l'arrière de la chaloupe, le Chasseur agitait frénétiquement les bras au risque de compromettre son équilibre déjà instable, tout en déversant un déluge d'insultes sur les rameurs qui, ayant perdu tout sens du rythme, laissaient le bateau avancer en zigzag.

– Je ne devrais pas faire ça, murmura Marcia. C'est petit, mesquin et indigne du pouvoir qui m'a été conféré, mais je m'en fiche !

Tandis que Jenna, Nicko et 412 accouraient, elle pointa l'index vers le Chasseur et marmonna :

– **Plonge !**

Durant une fraction de seconde, le Chasseur se sentit tout drôle, comme s'il s'apprêtait à commettre une grosse bêtise, ce qui était d'ailleurs le cas. Pour une raison qui lui échappait, il leva gracieusement les bras au-dessus de sa tête, plia lentement les genoux et s'élança depuis la chaloupe, exécutant un saut périlleux parfait avant de s'immerger dans l'eau glacée.

Sans grande conviction, les rameurs firent marche arrière et le tirèrent sur le pont, tout suffocant.

– Z'auriez pas dû, chef, dit le rameur numéro 10. Avec le temps qu'il fait...

Le Chasseur ne put répliquer. Ses dents claquaient si fort qu'il avait du mal à aligner deux pensées. Ses vêtements trempés lui collaient à la peau et il frissonnait violemment dans le froid de la nuit. Il contemplait les marais, l'air lugubre, certain que ses proies y avaient trouvé refuge même s'il ne les voyait pas. Or, il était trop expérimenté pour s'aventurer à pied dans les marais de Marram en pleine nuit. La piste s'arrêtait là ; il n'avait d'autre choix que de faire demi-tour.

Alors que la chaloupe rebroussait le fleuve en direction du Château, il se blottit à l'arrière afin de dorloter son doigt cassé et méditer sur la ruine de ses efforts et de sa réputation.

– Ça lui apprendra, décréta Marcia. Quel affreux bonhomme !

Soudain, une voix familière retentit dans le fond de la passe :

– Ce n'est pas très professionnel, mais parfaitement compréhensible, ma chère. Dans mon jeune temps, j'aurais été tenté d'en faire autant.

– Alther ! s'exclama Marcia en rosissant.

✛ 15 ✛
MINUIT SUR LA PLAGE

– **O**ncle Alther !

Avec un cri joyeux, Jenna dévala la berge afin de rejoindre le vieux magicien. Debout sur la plage, celui-ci examinait d'un air perplexe la canne à pêche qu'il tenait à la main.

– Ma princesse !

Le visage d'Alther s'épanouit dans un large sourire. Comme chaque fois qu'il la serrait dans ses bras, Jenna eut la sensation d'être traversée par une brise tiède d'été.

– Enfant, je venais souvent pêcher dans ces parages, expliqua Alther. Apparemment, mon vieux matériel m'a accompagné. J'avais bon espoir de vous trouver ici.

Jenna pouffa : elle avait du mal à se représenter l'oncle Alther enfant.

– Vous venez avec nous ?

– Hélas, ça m'est impossible. Tu connais nos lois :

Un spectre ne peut hanter
Que là où vivant il allait.

Malheureusement, je n'ai jamais été au-delà de cette plage – l'endroit regorgeait de poissons. N'est-ce pas un panier à pique-nique que j'aperçois là-bas ? dit-il, passant du coq à l'âne.

Les provisions que Sally Mullin avaient préparées à leur intention étaient restées au fond du bateau, sous un rouleau de corde trempé. Silas souleva le panier et poussa un grognement :

– Aïe, mon dos ! Qu'est-ce qu'elle a bien pu mettre dedans ? Tout s'explique, soupira-t-il après avoir levé le couvercle. Il est rempli de gâteau à l'orge. Avec ça, le bateau ne risquait pas de chavirer !

– Papa, fit Jenna d'un ton de reproche. Ne sois pas si méchant. Nicko et moi, on adore le gâteau de Sally, pas vrai ?

Nicko grimaça mais la figure de 412 s'éclaira : à manger ! Il avait si faim qu'il n'aurait su dire depuis quand il n'avait rien avalé. À la réflexion, on lui avait donné un bol de porridge froid et grumeleux à la caserne, juste avant l'appel de six heures. Cela faisait une éternité.

Quelques objets étaient tassés au fond du panier sous le gâteau à l'orge. Silas sortit une boîte d'allumettes, un fagot de bois sec, un bidon d'eau, du chocolat, du sucre et du lait. Il alluma un feu et mit l'eau à bouillir pendant que ses compagnons se pressaient autour des flammes hésitantes et réchauffaient leurs mains gelées entre deux bouchées de gâteau compact.

Oubliant la tendance bien connue du gâteau à l'orge à coller aux dents, Marcia en dévora presque toute une tranche. 412 engloutit sa part et finit les miettes laissées par les autres. Puis il s'étendit sur le sable humide, se demandant s'il arriverait jamais à se relever. C'était comme si on avait coulé du mortier dans son estomac.

Jenna plongea la main dans sa poche et en tira Petrus Trelawney. Le caillou reposait sur sa paume, inerte et muet. Quand elle le caressa, il déplia ses petites pattes et pédala dans le vide, pareil à un scarabée renversé sur le dos.

– Oh ! pardon, gloussa Jenna.

Une fois retourné, Petrus ouvrit lentement les yeux.

Jenna lui présenta une miette de gâteau sur son pouce. Petrus cligna les paupières, comme s'il réfléchissait, puis il grignota délicatement la miette, pour le plus grand bonheur de la petite fille.

– Il a tout mangé ! claironna-t-elle.

– C'est un caillou, remarqua Nicko. Pas étonnant qu'il apprécie le ciment.

Toutefois, Petrus lui-même ne put avaler plus d'une miette du gâteau de Sally. Au bout de quelques minutes, il cessa de promener ses regards autour de lui, ferma les yeux et se rendormit, au chaud dans la main de Jenna.

Cependant, l'eau s'était mise à bouillir. Silas y fit fondre les carrés de chocolat noir, ajouta le lait et réchauffa le mélange. Quand des bulles se formèrent à la surface (c'était ainsi qu'il aimait le chocolat), il versa le sucre et remua à nouveau.

– C'est le meilleur chocolat que j'aie jamais bu, déclara Nicko.

Nul ne le contredit. Le bidon passa de main en main et bientôt, il n'en resta plus une goutte.

Pendant que chacun se restaurait, Alther travaillait son lancer avec sa canne à pêche. Quand il vit qu'ils avaient terminé, il se laissa flotter jusqu'au feu.

– Il est arrivé quelque chose de grave après votre départ, annonça-t-il d'un air sérieux.

Silas sentit un poids lui tomber sur l'estomac. Ce n'était pas seulement le gâteau, mais aussi l'angoisse.

– Quoi donc, Alther ? demanda-t-il.

Une certitude horrible venait de se faire jour dans son esprit : Sarah et les garçons avaient été capturés. Alther devina aussitôt sa pensée.

– Ce n'est pas ça, Silas. Sarah et les garçons vont bien. Mais DomDaniel est de retour au Château.

– Impossible ! rétorqua Marcia. Je suis la magicienne extraordinaire ; c'est *moi* qui détiens l'amulette. Et il y a assez de magiciens à la tour pour repousser ce vieux croûton. Croyez-moi, il n'a pas fini de moisir dans les Maleterres ! Êtes-vous sûr de ce que vous avancez, Alther ? Ne serait-ce pas plutôt le custode suprême – l'odieuse canaille ! – qui me jouerait un tour en mon absence ?

– Ce n'est pas une plaisanterie, Marcia. Je l'ai vu de mes yeux. La *Muriel* n'avait pas plus tôt dépassé le rocher du Corbeau qu'il s'est **matérialisé** au pied de la tour. L'air était complètement imprégné de **Magyk noire** ; c'était une véritable infection. Pris de panique, les magiciens fuyaient en tous sens, telles des fourmis dont on aurait détruit le nid.

– Quelle honte ! Comment ont-ils pu ? Le niveau des magiciens ordinaires est vraiment atterrant de nos jours, ajouta Marcia avec un regard appuyé en direction de Silas. Et Endor, ma soi-disant suppléante ? Ne me dites pas qu'elle a aussi cédé à la panique !

– Non, non... Elle est sortie et a prononcé un sort pour **barrer la porte** à DomDaniel.

Marcia poussa un soupir de soulagement :

– À la bonne heure ! La tour est sauve.

– Hélas, non, Marcia. DomDaniel a **foudroyé** Endor. Elle est morte.

Alther fit un nœud particulièrement compliqué à la ligne de sa canne à pêche avant d'ajouter :

– Je suis navré.

– Morte ? murmura Marcia.

– Ensuite, il a **déplacé** les magiciens.

– Tous ? Où les a-t-il envoyés ?

– Dans les Maleterres. Ils n'ont rien pu faire. J'imagine qu'il les retient dans une de ses tanières.

– Mon Dieu, Alther...

– Puis le custode suprême – l'horrible nabot ! – est arrivé avec son escorte. Vous l'auriez vu faire des courbettes et baver d'admiration devant son maître... Tout ce que je puis encore vous dire, c'est qu'il l'a accompagné à l'intérieur de la tour et jusqu'à tes appartements, Marcia.

– Quoi ? DomDaniel est entré chez moi ?

– Si cela peut te consoler, il n'était pas en état d'apprécier le décor car ils ont dû y monter à pied. Il n'y avait plus assez de **Magyk** dans la tour pour actionner l'escalier, ni quoi que ce soit.

Marcia secoua la tête :

– Je n'aurais jamais cru DomDaniel capable d'un tel coup d'éclat.

– Moi non plus, avoua Alther.

– Je pensais qu'il nous suffirait de tenir bon jusqu'à ce que la princesse soit en âge de régner. Nous aurions alors repoussé les custodes, la Jeune Garde et la **Ténèbre** qui infeste le Château pour notre malheur à tous.

– Je le pensais aussi. J'ai suivi DomDaniel dans l'escalier. Il se félicitait de sa bonne fortune avec le custode suprême : non contente de lui laisser le champ libre, tu l'avais débarrassé du seul obstacle qui s'opposait à son retour.

– Quel obstacle ?

– Jenna.

– Moi, un obstacle ? fit Jenna en tournant vers Alther un visage consterné. Comment ça ?

Alther regardait le feu, plongé dans ses réflexions :

– J'ignore comment, mais il semble que ta présence empêchait cet affreux **nécromancien** de reparaître au Château. Ta mère possédait le même pouvoir, selon toute vraisemblance. Je me suis toujours demandé pourquoi il avait ordonné d'assassiner la reine et pas moi.

Jenna frissonna, en proie à une terreur subite. Silas mit un bras autour de ses épaules et dit :

– Ça suffit, Alther. Inutile de nous affoler tous. À mon avis, vous avez dû vous assoupir et faire un cauchemar – ce ne serait pas la première fois, vous le savez. Les custodes ne sont qu'un ramassis de brigands. Une magicienne extraordinaire digne de ce nom leur aurait damé le pion depuis longtemps.

– Je ne me laisserai pas insulter sans réagir ! protesta Marcia. Tu n'as aucune idée des efforts que nous avons déployés pour tenter de chasser cette vermine, ou simplement pour faire fonctionner la tour. Et tout cela sans ton aide, Silas Heap.

– Pourquoi faire tant d'histoires, Marcia ? DomDaniel est mort.

– Erreur !

– Ne dis pas de bêtises ! Alther l'a jeté du haut de la tour du Magicien, il y a de ça quarante ans.

Jenna et Nicko étouffèrent un cri.

– C'est vrai, oncle Alther ? souffla Jenna.

– Non ! se récria Alther. Je n'y suis pour rien ; c'est lui qui a sauté.

– En tout cas, il est mort, répéta Silas d'un air buté.

– Pas nécessairement...

Alther avait baissé la voix, perdu dans la contemplation des flammes. Les braises rougeoyantes projetaient des ombres dansantes sur toutes les personnes présentes, hormis Alther qui flottait parmi elles, mélancolique, en tentant distraitement de défaire le nœud qu'il venait de faire à sa ligne. Les flammes grandirent tout à coup, éclairant brièvement leur cercle.

– Que s'est-il passé au sommet de la tour avec DomDaniel, oncle Alther ? murmura Jenna.

– C'est une histoire terrifiante, ma princesse. Je ne voudrais pas t'effrayer.

– Allez-y, dit Nicko. Jen adore les histoires qui font peur.

Jenna acquiesça de la tête, un peu hésitante.

133

– Il m'est difficile de la relater à la première personne, aussi le ferai-je tel que je l'ai moi-même entendu raconter autour d'un feu de bois, au cœur de la Forêt, une nuit pareille à celle-ci. Il n'était pas loin de minuit, la pleine lune voguait haut dans le ciel quand la Grande Mère des sorcières de Wendron, une vieille très sage, s'est adressée à ses filles.

Alther Mella revêtit la forme d'une femme grande et forte, tout habillée de vert. Puis il prit la parole, avec la voix sourde et grasseyante des hôtes de la Forêt :

« Cette histoire commence au sommet d'une pyramide dorée couronnant une tour d'argent. La tour du Magicien étincelle aux premières lueurs du jour. Elle est si haute que les nombreux curieux rassemblés à son pied ont l'air de fourmis pour le jeune homme qui gravit péniblement une des faces de la pyramide. Un peu plus tôt, il a baissé les yeux vers ces fourmis et le vertige l'a envahi. Depuis, son regard est resté fixé sur l'homme qui le précède. Quoique plus âgé, celui-ci paraît remarquablement agile et il ne craint pas le vide, ce qui lui procure un avantage certain. Comme la bise qui souffle en permanence à cette hauteur fait voler sa cape pourpre, d'en bas, on croirait une chauve-souris qui avancerait lentement vers la pointe de la pyramide en agitant ses grandes ailes sombres.

« La même question habite tous les esprits : que fait leur magicien extraordinaire à cet endroit ? Et n'est-ce pas son apprenti que l'on aperçoit derrière lui ? Ma parole, on dirait qu'il le poursuit !

« L'apprenti, Alther Mella, a presque rejoint son maître, DomDaniel. Ce dernier vient de prendre pied sur l'étroite plate-forme en or martelé, incrustée de hiéroglyphes d'argent aux vertus magiques, coiffant la pyramide. Avec sa cape flottant sur ses épaules et sa ceinture en or et platine de magicien extraordinaire qui brille de mille feux au soleil, il semble défier son apprenti.

« Alther Mella sait qu'il n'a pas le choix. Surmontant sa terreur, il se lance bravement en avant. Surpris, DomDaniel perd l'équilibre. Son apprenti fond alors sur lui et saisit le bijou en or et lapis-lazuli – l'amulette d'Akhentaten – qu'il porte en sautoir au bout d'une épaisse chaîne d'argent.

« Un murmure incrédule parcourt la foule massée dans la cour au pied de la tour du Magicien. Clignant des yeux à cause de l'éclat doré de la pyramide, tous observent le combat des deux hommes qui vacillent d'un bord à l'autre de la minuscule plate-forme alors que le magicien extraordinaire tente de faire lâcher prise à son apprenti.

« DomDaniel plonge ses yeux vert sombre luisants de fureur dans les yeux vert émeraude d'Alther qui ne bronche pas. Resserrant son étreinte autour de l'amulette, l'apprenti tire d'un coup sec et brise la chaîne dont les maillons s'éparpillent et retombent en pluie scintillante.

« – Prends-la, dit DomDaniel d'une voix sifflante. Mais sache que je reviendrai la chercher. Je reviendrai avec le septième du septième.

« Un cri perçant jaillit d'un millier de poitrines : sous les regards de la multitude, le magicien extraordinaire s'est jeté du haut de la tour. Sa cape déployée telle une magnifique paire d'ailes ne peut ralentir sa chute. Il tournoie dans le vide,

135

soumis à la force qui l'entraîne vers la terre... et disparaît soudain.

« Au sommet de la pyramide, son apprenti serre l'amulette d'Akhentaten dans son poing, frappé de stupeur devant la scène qu'il vient d'apercevoir : son maître précipité dans l'Abyme.

« La foule s'agglutine autour de la marque de brûlure qui s'étale à l'endroit où DomDaniel a touché le sol. Aucun n'a vu la même chose. L'un affirme que le magicien s'est transformé en chauve-souris et s'est sauvé à tire-d'aile. Un autre raconte qu'un cheval noir surgi du néant l'a emporté au galop vers la Forêt, un autre encore qu'il s'est changé en serpent avant de se faufiler sous une pierre. Mais Alther est le seul à avoir entrevu la vérité.

« Alther Mella redescend lentement le côté de la pyramide, les yeux fermés pour ne pas voir le gouffre vertigineux. Il ne les rouvre qu'après s'être glissé par la lucarne de la bibliothèque à l'intérieur de la pyramide dorée. Là, il éprouve un nouveau choc : à la place de sa robe en laine verte d'apprenti magicien, il porte à présent une tunique de soie pourpre et sa ceinture en cuir ordinaire paraît beaucoup plus lourde. Elle est maintenant en or avec des incrustations de platine – des runes et des formules de protection. C'est en elle que réside le pouvoir du magicien extraordinaire qu'il est devenu, pour son plus grand étonnement.

« Alther contemple l'amulette dans sa main tremblante : une pierre ronde bleu d'outremer, veinée d'or et gravée d'une rune-dragon enchantée. Elle comporte un petit anneau d'or relié à un maillon de la chaîne d'argent qu'il a brisée en l'arrachant.

« Après quelques secondes de réflexion, Alther se penche afin de retirer le lacet de cuir d'une de ses bottes. Puis il enfile l'amulette autour du lacet et la suspend à son cou, comme tous les magiciens extraordinaires avant lui. Son combat a mis ses cheveux bruns en désordre. L'angoisse crispe son visage pâle et la stupeur agrandit ses yeux verts. C'est ainsi qu'il descend l'escalier interminable menant au bas de la tour vers la foule qui l'attend dehors.

« Quand Alther franchit en titubant les immenses portes en argent massif de la tour du Magicien, il est accueilli par un murmure désapprobateur. Mais on ne discute pas la légitimité d'un nouveau magicien extraordinaire, et la foule se disperse en parlant tout bas. Toutefois, une voix l'apostrophe :

« – De même que tu l'as gagnée, tu la perdras.

« Alther soupire. Il sait que c'est la vérité.

« Conscient de sa solitude, il regagne l'intérieur de la tour où il s'emploiera désormais à défaire l'œuvre **ténébreuse** de DomDaniel.

« Au même moment, pas très loin de là, un enfant mâle vient au monde dans une chambre minuscule.

« Il est le septième fils d'une famille de magiciens pauvres, et son nom est Silas Heap. »

Le silence se prolongea tandis qu'Alther regagnait lentement sa forme. Silas frissonna. Il n'avait jamais entendu l'histoire racontée ainsi.

137

– C'est stupéfiant, murmura-t-il. J'ignorais les détails. Comment la Grande Mère des sorcières en savait-elle autant ?

– Elle assistait à la scène parmi la foule. Plus tard, elle est venue me présenter ses hommages et je lui ai livré ma version des faits. Si on veut rendre la vérité publique, il suffit de la confier à la Grande Mère des sorcières. Elle s'empressera de la répéter à tout le monde. En revanche, il n'est pas sûr qu'on la croira.

Quelque chose semblait intriguer Jenna :

– Mais enfin, oncle Alther, pourquoi pourchassiez-vous DomDaniel ?

– Bonne question. Je n'en ai rien dit à la Grande Mère des sorcières, car il est des sujets **dangereux** qu'on ne doit pas évoquer à la légère. Mais vous avez le droit de savoir. Ce matin-là, comme chaque jour, j'avais fait le ménage dans la bibliothèque. C'est une des tâches qui incombent à un apprenti et je m'en acquittais scrupuleusement, malgré l'aversion que m'inspirait mon maître. Toujours est-il que ce matin-là, j'avais trouvé entre les pages d'un livre une étrange **incantation** de la main de DomDaniel. Il en avait déjà laissé traîner une semblable, mais je n'avais pu la déchiffrer. Tandis que j'étudiais celle-ci, j'eus l'idée de la tenir devant un miroir. J'avais vu juste : son reflet était parfaitement lisible. Cette trouvaille avait éveillé mes soupçons. Je savais qu'il s'agissait d'une **incantation inversée**, mettant en œuvre la **Magyk du Côté Obscur** – je préfère l'appeler **l'Autre Côté**, car il n'est pas toujours lié à la **Ténèbre**. Décidé à en avoir le cœur net, j'ai pris le risque de lire l'**incantation**. J'avais à peine commencé qu'une chose terrible est arrivée.

– Quoi ? souffla Jenna.

– Un **spectre** est apparu à mes côtés. Ou plutôt, je le voyais dans le miroir, mais quand je me retournais, il n'y avait rien. Pourtant, je percevais sa présence. Je l'ai senti poser une main sur mon épaule, puis je l'ai entendu. Il s'est adressé à moi d'une voix atone, me disant que mon heure avait sonné, qu'il était venu me chercher « comme il avait été convenu »...

Avec un frisson, Alther posa sa main sur son épaule gauche ainsi que l'avait fait le **spectre**. Depuis ce jour, son épaule était raide et engourdie.

Les autres frissonnèrent aussi et se rapprochèrent du feu.

– Je lui ai répondu que je n'étais pas prêt. Pas encore. J'étais assez bien renseigné sur l'**Autre Côté** pour savoir qu'on ne doit jamais repousser ses émissaires. Mais ils consentent à patienter. Le temps ne signifie rien pour eux. Ils n'ont rien d'autre à faire qu'attendre. Le **spectre** a dit qu'il reviendrait le lendemain et que j'avais intérêt à m'y préparer. Sur ce, il disparut. Après son départ, je me suis obligé à déchiffrer les mots **inversés** et j'ai su que DomDaniel m'avait employé comme monnaie d'échange avec l'**Autre Côté**. J'aurais dû être emmené au moment où je lirais l'**incantation**. J'ai alors eu la certitude qu'il s'adonnait à la **Magyk inversée**, celle qui utilise les gens, et que j'étais tombé dans un piège.

Le feu dépérissait. Blottis les uns contre les autres, ils se pressaient autour de sa clarté mourante pendant qu'Alther poursuivait :

– Soudain, DomDaniel est entré et m'a vu lire l'**incantation**. Pourtant, j'étais toujours là. On ne m'avait pas **emmené**. Sachant son plan éventé, il a pris la fuite. Il a monté les marches de l'escabeau à toute vitesse, pareil à une araignée, a couru le long des étagères et s'est glissé par la trappe donnant sur l'extérieur de la pyramide. Il se moquait de moi, me mettant au défi de le suivre – il savait que j'avais une peur atroce du vide. Mais je n'avais pas le choix. Je l'ai suivi.

Le silence était absolu. Personne, pas même Marcia, n'avait encore entendu l'intégralité de l'histoire du **spectre**.

– C'est horrible, déclara brusquement Jenna. Est-ce que le **spectre** est revenu vous chercher, oncle Alther ?

– Non, ma princesse. En me faisant aider, j'ai mis au point un **contresort**.

Après un moment de réflexion, il ajouta :

– Je tiens à ce que vous sachiez que je ne suis pas fier de ce qui s'est passé au sommet de la tour du Magicien, même si je n'ai pas réellement poussé DomDaniel. Il n'y a rien de plus terrible pour un apprenti que de supplanter son maître.

– Mais vous y avez été forcé, oncle Alther.

– En effet, Jenna. Et nous allons devoir recommencer.

– Dès ce soir, acquiesça Marcia. Je vais retourner au Château et balancer cet affreux personnage du haut de la tour. Ça lui apprendra à chercher querelle à une magicienne extra-ordinaire !

Elle se leva d'un air résolu et s'enveloppa dans sa cape pourpre, prête à se mettre en route. Alther fit un bond en l'air et posa une main immatérielle sur son bras :

– Non, Marcia !

– Mais, Alther...

– Il n'y a plus personne qui puisse te protéger à la tour, et tu as donné ton **talisman** à Sally Mullin. Je t'en supplie, ne retourne pas là-bas. C'est trop dangereux. Tu dois conduire la princesse en sécurité et t'assurer qu'il ne lui arrivera rien. Je vais regagner le Château et faire mon possible.

Marcia se laissa tomber sur le sable humide. Alther avait raison. Le feu grésilla avant de s'éteindre. Il commençait à pleuvoir de gros flocons. La nuit se referma sur eux. Alther posa sa canne à pêche fantôme et s'éleva au-dessus de la passe de Deppen pour contempler le paysage qui s'étendait jusqu'à l'horizon. Quel spectacle paisible ! Aussi loin que portait la vue, la lune éclairait des marécages saupoudrés de neige et parsemés de minuscules îlots de terre ferme.

– Des canoës, déclara-t-il une fois redescendu. Quand j'étais enfant, les gens des marais se déplaçaient en canoë. Voilà ce qu'il vous faudrait.

– À toi de jouer, Silas, maugréa Marcia. Je suis trop fatiguée pour perdre mon temps avec des bateaux.

– Viens, Nicko, dit Silas en se levant. Allons **transformer** la *Muriel* en canoës.

La *Muriel* les attendait gentiment dans un méandre de la passe, invisible depuis la rivière. Nicko était triste de voir partir cette amie fidèle, mais il connaissait les **règles de la Magyk** : un sort ne pouvait ni créer ni détruire la matière. Il lui plaisait d'imaginer que la *Muriel* ne disparaîtrait pas ; sa structure se modifierait pour donner naissance à plusieurs canoës.

– Je pourrais en avoir un rapide, papa ?

Silas regardait fixement le bateau, fouillant dans ses souvenirs pour trouver un sort approprié.

141

– Je n'en sais rien, Nicko. Je m'estimerai satisfait si j'arrive seulement à le faire flotter. Laisse-moi réfléchir. Je suppose qu'il nous faut un canoë par personne. Allons-y. **En cinq parties divise-toi !** Oh non...

Cinq modèles réduits de la *Muriel* dansaient à présent devant leurs yeux.

– Papa, tu t'y prends mal.

– Une seconde Nicko. Je réfléchis. Ça y est. **En canoë change-toi !**

– Papa !

Un énorme canoë était échoué sur la berge.

– Voyons, marmonna Silas dans sa barbe. Procédons avec ordre et méthode...

– Pourquoi ne pas demander simplement cinq canoës ? suggéra Nicko.

– Excellente idée, mon garçon. Tu verras que nous ferons de toi un magicien. **Des canoës pour cinq je voudrais !**

Après un départ poussif qui laissait craindre un nouvel échec, le sort finit par accoucher de deux canoës ainsi que d'une pile de cordages et de pièces de bois dont la couleur évoquait celle de la *Muriel*.

– Il n'y en a que deux ! s'exclama Nicko, déçu de ne pas avoir un canoë rien qu'à lui.

– Il faudra s'en contenter. Après trois tentatives, on ne peut plus transformer la matière sans la fragiliser.

En réalité, Silas était trop heureux d'avoir obtenu quelque chose qui ressemblait peu ou prou à des canoës.

Jenna, Nicko et 412 prirent place dans la *Muriel 1*, comme l'avait baptisée Nicko, tandis que Silas et Marcia s'entassaient dans la *Muriel 2*. Silas insista pour s'asseoir à la proue :

– Ne discute pas, Marcia. Je connais le chemin, pas toi.

Marcia ricana d'un air sceptique, mais elle était trop lasse pour faire une scène.

– Maxie, tu montes avec Nicko, ordonna Silas au chien-loup.

Mais Maxie avait d'autres projets. Son seul but dans l'existence était de rester aux côtés de son maître, et rien ne pouvait l'en détourner. Il sauta sur les genoux de Silas et le canoë pencha dangereusement.

– Tu ne peux pas contrôler cet animal ? rouspéta Marcia. (La proximité de l'eau la plongeait dans la désolation.)

– Bien sûr que si. Il fait tout ce que je lui demande. Pas vrai, Maxie ?

Nicko pouffa.

– Va t'asseoir à l'arrière, Maxie, reprit Silas d'un ton ferme.

L'oreille basse, Maxie bondit au-dessus de Marcia et s'installa juste derrière elle, à la proue du canoë.

– Je ne veux pas qu'il se colle à moi !

– Je ne peux pas le garder ici, lui rétorqua Silas. J'ai besoin de me concentrer pour nous guider.

– À ce propos, intervint Alther qui voletait impatiemment autour d'eux. Vous feriez bien d'y aller avant qu'il neige pour de bon. Je regrette de ne pouvoir vous accompagner.

Il prit de l'altitude et les regarda s'éloigner en pagayant. Avec la marée, la passe se remplissait lentement et le courant

143

poussait les canoës vers l'intérieur des marais. Jenna, Nicko et 412 montraient le chemin à Silas, Marcia et Maxie.

Assis sur son derrière, ce dernier soufflait son haleine canine dans le cou de Marcia. Il humait l'odeur des marécages (une découverte pour lui) et épiait les trottinements des petits animaux qui fuyaient à leur approche. Par moments, l'excitation devenait trop forte et il bavait de bonheur sur les cheveux de Marcia.

Le premier canoë s'immobilisa bientôt à l'entrée d'un chenal qui s'écartait de la passe.

– On prend de ce côté, papa ? lança Jenna.

L'indécision se peignit sur le visage de Silas. Il n'avait aucun souvenir de cette bifurcation. Soudain, ses réflexions furent interrompues par un cri strident de Jenna.

Une main brunâtre et visqueuse aux doigts palmés avait surgi de l'eau et agrippé la proue du premier canoë avec ses ongles noirs.

⊹⊹ 16 ⊹⊹

LE BOGGART

En se déplaçant le long du canoë, la main s'approcha de Jenna et saisit sa pagaie. Jenna résista et parvint à la lui arracher. Elle s'apprêtait à l'abattre de toutes ses forces sur l'horrible chose visqueuse quand une voix s'éleva :

– Oh jé ! Pas besoin de ça.

Une créature au pelage brun et huileux qui évoquait un peu un phoque sortit la tête de l'eau. Deux yeux brillants d'un noir de jais se fixèrent sur Jenna qui levait toujours sa pagaie, prête à frapper.

– Vous feriez ben d' poser ça avant d'estourbir quelqu'un. Où c'est-y qu' vous étiez passés ?

La créature parlait d'une voix grave et grasseyante, avec l'accent traînant propre aux habitants du marais.

– Ça fait des heures que j'attends. Croyez-moi, y fait point chaud dans la bourbe.

Jenna put seulement émettre un petit cri aigu. Elle semblait avoir perdu l'usage de la parole.

– C'est quoi, Jen ? demanda Nicko.

Assis derrière 412, il s'assurait que celui-ci ne pouvait voir la créature et ne risquait pas de commettre une folie.

– Ce... cette chose, articula Jenna en désignant la créature qui parut se vexer.

– Moi, Boggart ? Une chose ?

– Je n'ai pas dit ça, bredouilla Jenna.

– Moi, si. Boggart, c'est mon nom. Boggart le boggart. Joli, s'pas ?

– Très, acquiesça poliment Jenna.

Silas avait fini par les rattraper.

– Que se passe-t-il ? interrogea-t-il. Assez, Maxie. J'ai dit assez !

Maxie s'était mis à aboyer furieusement sitôt qu'il avait aperçu le boggart. Ce dernier l'avait à peine regardé avant de replonger sous l'eau. Depuis les grandes battues durant lesquelles les ancêtres de Maxie s'étaient tristement distingués, il y avait de ça des lustres, le boggart des marais de Marram était devenu une espèce rare... Et il avait une excellente mémoire.

La tête brune réapparut à une bonne distance du canoë et jeta un regard noir à Maxie :

– Vous avez amené ça ? A m'avait pas prévenu !

– Je ne rêve pas, j'ai bien entendu un boggart ? reprit Silas.

– Mouaaais...

– Le boggart de Zelda ?

– Mouaaais...

146

– C'est elle qui t'envoie à notre rencontre ?

– Mouaaais...

– Bien ! dit Silas, infiniment soulagé. Dans ce cas, montre-nous le chemin.

– Mouaaais...

Le boggart s'éloigna à la nage et tourna dans le second chenal qu'il rencontra.

Celui-ci, plus étroit que la passe de Deppen, serpentait longuement à travers les marais enneigés et baignés par le clair de lune. La neige tombait de façon ininterrompue, dans un silence troublé uniquement par les borborygmes et les clapotements du boggart qui nageait devant eux. De temps à autre, sa tête émergeait de l'eau noire et il leur lançait :

– Ça suit ?

– Je ne vois pas ce qu'on pourrait faire d'autre, remarqua Jenna alors qu'ils pagayaient le long d'un passage de plus en plus resserré. Où veut-il que nous allions ?

Mais le boggart prenait sa mission très à cœur, et il renouvela plusieurs fois sa question avant qu'ils atteignent un petit étang d'où partaient plusieurs chenaux.

– Vaut mieux attendre les autres, dit-il. Faudrait pas les perdre.

En se retournant, Jenna vit que Marcia et Silas avaient pris beaucoup de retard. Silas était maintenant seul à ramer. Marcia avait renoncé et tenait ses mains fermement plaquées sur ses cheveux. Derrière elle, le long museau pointu du chien-loup d'Abyssinie dominait la situation et lâchait parfois un filet de salive luisante... juste sur sa tête.

Ayant amené le canoë jusqu'à l'étang, Silas reposa sa pagaie d'un air las.

– Je ne resterai pas une seconde de plus assise près de cet animal, déclara Marcia au même moment. J'ai de la bave plein les cheveux. C'est dégoûtant. Je descends. Je finirai à pied.

– Pas d' ça, Vot' Majesté !

La voix du boggart provenait de l'eau, juste contre le flanc du canoë. Il levait vers Marcia ses yeux noirs qui clignotaient au milieu de sa fourrure brune, fasciné par le scintillement de sa ceinture de magicienne extraordinaire. S'il vivait dans la boue, le boggart raffolait de tout ce qui brillait. Et il n'avait jamais rien vu d'aussi éblouissant que la ceinture en or et platine de Marcia.

– Fait pas bon traîner par ici, Vot' Majesté, reprit-il avec respect. En suivant les furoles, vous auriez tôt fait de vous encrotter dans les fagnes. Beaucoup ont suivi les furoles ; pas un n'est revenu.

Un grondement caverneux jaillit de la gorge de Maxie. Ses poils se hérissèrent et soudain, obéissant à un instinct aussi immémorial qu'irrésistible, le chien-loup sauta dans l'eau pour attraper le boggart.

– Maxie, espèce d'idiot ! cria Silas.

L'étang était glacé. Maxie se mit à japper et à pédaler furieusement des quatre pattes pour rejoindre le canoë.

Marcia le repoussa.

– Il n'est pas question que ce chien remonte à bord, décréta-t-elle.

– Marcia, il va se geler !

– Je m'en fiche.

– Maxie ! appela Nicko. Par ici, mon vieux.

Il saisit le chien par son foulard et le hissa à bord avec l'aide de Jenna. Le canoë s'inclina dangereusement, mais 412, peu désireux de finir dans l'eau comme Maxie, le stabilisa en s'agrippant à une racine.

Maxie resta un moment immobile à grelotter, puis il fit ce que font tous les chiens mouillés : il s'ébroua.

– Maxie ! s'écrièrent Nicko et Jenna d'une seule voix.

412 ne dit rien. Il avait horreur des chiens. Les seuls qu'il avait jamais côtoyés étaient les dogues des custodes, des bêtes féroces et vicieuses. Même si Maxie ne leur ressemblait pas, il craignait toujours qu'il lui prenne la fantaisie de mordre. Aussi, quand Maxie posa son menton sur ses genoux avant de s'endormir, il y vit la confirmation qu'il vivait la journée la plus atroce de toute son existence. En revanche, Maxie nageait dans la félicité. La veste en mouton de 412 était chaude et confortable. Il passa la fin du voyage à rêver qu'il était à la maison, couché en rond devant le feu auprès du reste de la famille.

Le boggart, lui, avait disparu.

– Boggart ? Où êtes-vous, monsieur Boggart ? interrogea poliment Jenna.

Seul le silence lui répondit, le silence profond qui règne sur les marais quand la neige recouvre bourbiers et tourbières, étouffant le moindre clapotis et confinant dans sa retraite tout le petit peuple de la vase.

– À cause de ton stupide animal, nous avons perdu ce gentil boggart, lança Marcia à Silas d'un ton accusateur. Aussi, qu'est-ce qui t'a pris de le faire venir ?

Silas soupira. Même dans ses pires cauchemars, il n'avait jamais imaginé qu'il partagerait un jour un canoë avec Marcia Overstrand. Mais si cette idée lui avait traversé l'esprit dans une seconde d'égarement, c'est tout à fait ainsi qu'il se serait représenté la scène.

Il scruta l'horizon, espérant apercevoir la demeure de tante Zelda. Le cottage de la gardienne se trouvait sur l'île de Draggen, une des nombreuses îles que comptait la région, même si elles ne méritaient vraiment ce nom qu'au moment où le marais était inondé. Mais aussi loin que portait sa vue, il ne distinguait de tous côtés qu'une immense plaine enneigée. Pour tout arranger, la brume s'était levée et commençait à s'étendre sur les eaux. Sous peu, ils n'auraient plus la moindre chance de trouver le cottage, si près soit-il.

Il se rappela tout à coup que le cottage était **enchanté**. Par conséquent, personne n'aurait pu le découvrir.

Plus que jamais, ils auraient eu grand besoin du boggart.

– Je vois de la lumière ! s'exclama Jenna. Ce doit être tante Zelda qui vient nous chercher. Par là !

Tous regardèrent dans la direction qu'elle indiquait.

Une lueur tremblotante sautillait dans le lointain, comme si elle se déplaçait par bonds d'une touffe d'herbe à l'autre.

– Elle se rapproche !

– Pas du tout, dit Nicko. Elle s'éloigne.

– On devrait peut-être aller à sa rencontre, suggéra Silas.

– Qui vous dit qu'il s'agit de Zelda ? demanda Marcia. Ça pourrait être n'importe qui... ou n'importe quoi.

Personne ne répondit. Chacun imaginait avec effroi une chose marchant vers eux avec une lumière.

– C'est bien Zelda, déclara enfin Silas. Je la vois.

– Tu te trompes. C'est une furole, comme l'a dit ce boggart si intelligent.

– Quand même, je sais reconnaître Zelda ! C'est bien elle. Elle porte une lanterne. Elle a fait tout ce chemin pour venir nous chercher et nous, nous restons les bras croisés. Je pars à sa rencontre.

– On dit que les imbéciles voient ce qu'ils veulent voir dans une furole, répliqua Marcia d'une manière acerbe. Tu viens encore de prouver la justesse de ce dicton.

Comme Silas s'apprêtait à descendre du canoë, elle le retint par le pan de son manteau.

– Assis ! lui dit-elle sur le ton qu'elle aurait employé avec Maxie.

Silas se dégagea comme en rêve. Il se sentait irrésistiblement attiré par la lumière tremblante et par la silhouette de tante Zelda qu'il distinguait par intervalles à travers la brume. Parfois, elle paraissait terriblement proche, sur le point de les trouver et de les conduire dans un endroit où les attendaient un bon feu et un lit douillet ; l'instant d'après, elle semblait s'évanouir et les invitait tristement à la suivre. Silas ne supportait plus d'être éloigné de cette lumière. Il descendit du canoë et se dirigea vers elle en vacillant.

– Papa ! cria Jenna. On peut venir avec toi ?

– Il n'en est pas question, rétorqua Marcia. Je vais devoir ramener ce vieil imbécile.

Elle s'apprêtait à proférer un **sort boomerang** quand Silas trébucha et tomba de tout son long. Tandis qu'il reprenait sa respiration, la vase se mit à remuer sous lui, à croire que toutes les créatures qui l'habitaient s'agitaient dans ses entrailles. Il tenta de se relever, sans succès. On eût dit qu'il était collé au sol. Hébété, il mit un moment à comprendre pourquoi il ne pouvait bouger. Quand il voulut soulever la tête pour voir ce qui se passait, l'horrible vérité se fit jour dans son esprit : quelque chose le tirait par les cheveux.

Il porta la main à sa tête et fut rempli d'effroi. Des petits doigts décharnés tortillaient ses longues mèches et les tiraillaient, l'entraînant peu à peu vers le fond du marécage. Il fit des efforts désespérés pour se libérer, mais plus il se débattait, plus les doigts resserraient leur étreinte. Lentement mais sûrement, Silas s'enfonçait dans la boue. Déjà, il en avait plein les yeux. Sous peu, il en aurait plein les narines.

Marcia avait tout vu, mais elle se garda bien de voler à son secours.

– Papa ! hurla Jenna en entreprenant de descendre du canoë. Je vais t'aider !

– Non ! s'écria Marcia. C'est ce qu'attend la furole. Vous vous engloutiriez dans la vase.

– Mais... On ne va pas laisser papa se noyer !

Soudain, une forme sombre et trapue se hissa sur la berge et s'approcha de Silas en sautant adroitement de touffe en touffe.

– Qu'est-ce que vous fabriquez là ? demanda le boggart avec une pointe de désapprobation.

– Heiiiin ?

Les oreilles pleines de boue, Silas n'entendait plus que les couinements et les vagissements des créatures qui s'activaient sous lui. Leurs doigts continuaient à le tirer tandis que leurs dents aussi tranchantes que des rasoirs lui cisaillaient le cuir chevelu, lui causant de vives douleurs. Il se débattait comme un beau diable, mais ses efforts ne faisaient que l'enfoncer davantage et déclencher de nouveaux piaillements.

Jenna et Nicko le regardaient se faire engloutir lentement avec des yeux épouvantés. Pourquoi le boggart ne faisait-il rien ? C'était maintenant qu'il fallait réagir, avant qu'il disparaisse à tout jamais. N'y tenant plus, Jenna sauta à terre, suivie par Nicko. 412, qui connaissait l'existence des furoles grâce à l'unique survivant d'une patrouille égarée dans les marais quelques années plus tôt, la saisit par le bras et tenta de la ramener à bord. Elle le repoussa avec colère.

Alerté par le mouvement, le boggart s'exclama :

– Bougez pas, mam'zelle !

412 la tira à nouveau par le pan de sa veste en mouton et elle tomba lourdement dans le fond du canoë. Maxie se mit à geindre.

L'inquiétude se lisait dans les yeux noirs et brillants du boggart. Il savait très bien à qui appartenaient les doigts fureteurs et obstinés, et cela ne lui disait rien qui vaille.

– Maudits bobelins ! grogna-t-il. Satanée engeance ! Vous allez tâter de l'haleine de Boggart, crapaudaille !

S'étant penché sur Silas, il prit une profonde inspiration et souffla longuement sur les doigts des bobelins. Un cri à faire grincer les dents (on eût dit que quelqu'un raclait un tableau noir avec ses ongles) monta des profondeurs du sol ; les doigts lâchèrent les cheveux de Silas et la vase trembla à nouveau tandis que les créatures déguerpissaient.

Silas était libre.

Le boggart l'aida à s'asseoir et frotta ses paupières pour enlever la boue.

– J' vous avais prévenu, le gronda-t-il. J' vous avé ben dit que les furoles vous entraîneraient dans les fagnes. C'est-y pas vrai ?

Silas ne répondit pas, assommé par l'odeur âcre de l'haleine du boggart qui s'accrochait à ses cheveux.

– Vous v'là sain et sauf. Mais c'était moins une, croyez-moi ! J'avais pas soufflé sur un bobelin depuis qu'y z'ont saccagé le cottage. Ah ! L'haleine de boggart, y a pas mieux ! Notez que tout l' monde apprécie pas. Ceux-là, j' leur dis : « Vous changeriez d'avis si vous aviez affaire aux bobelins des fagnes. »

– Oh ? Hum ! Merci, Boggart. Merci beaucoup, bredouilla Silas, étourdi.

Plein d'attentions, le boggart l'accompagna jusqu'au canoë.

– Vous feriez ben d' passer devant, Vot' Majesté, dit-il à Marcia. Il est pas en état de diriger cette barcasse.

Marcia l'aida à installer Silas à bord du canoë, puis le boggart se laissa glisser dans l'eau.

– J' vais vous conduire chez mam'zelle Zelda. Mais veillez à retenir vot' bestiau. (Il lança un regard noir à Maxie.) Y m'a collé une de ces frousses à grogner comme ça... J'en ai la chair de poulpe. Tenez !

Il montra son ventre rebondi à Marcia, l'invitant à le palper.

– C'est très aimable à vous, répondit Marcia d'une voix éteinte. Mais non merci, sans façon.

– Une aut' fois, alors ?

– Avec joie.

154

– Dans ce cas, en route.

Le boggart nagea en direction d'un chenal si étroit que nul ne l'avait remarqué jusque-là.

– Ça suit ? leur lança-t-il.

Ils devaient entendre cette question encore de nombreuses fois.

✠ 17 ✠
ALTHER DANS SES ŒUVRES

Pendant que le boggart et les canoës
suivaient un itinéraire long et compliqué à travers les marais, Alther empruntait le même chemin que son ancien
bateau, la *Molly*, pour regagner le
Château.

Il volait comme il aimait le faire,
très vite et au ras de l'eau, si bien
qu'il ne lui fallut pas longtemps
pour rejoindre la chaloupe.
Celle-ci offrait un spectacle affligeant. L'équipage ramait sans entrain et le
bateau peinait à remonter le cours de la rivière. Assis à la
poupe, la tête rentrée dans les épaules, le Chasseur grelottait et
méditait en silence sur son sort. À la proue, l'apprenti ne ces-
sait de s'agiter, donnant de temps à autre un coup de pied dans
le flanc du bateau, pour tromper l'ennui ou dégourdir ses
orteils transis de froid.

Alther survola le bateau sans être vu (il **n'apparaissait
qu'**aux personnes de son choix) et poursuivit sa route. De noirs
nuages s'amoncelaient au-dessus de lui. La lune avait disparu,
plongeant les berges enneigées dans l'obscurité. À l'approche

156

du Château, de gros flocons commencèrent à tomber paresseusement et juste comme il contournait le rocher du Corbeau, la neige devint plus dense et boucha complètement le ciel.

Alther ralentit aussitôt (même un fantôme a du mal à se diriger au cœur d'un blizzard) et obliqua prudemment vers le Château. Bientôt, il distingua un tas de braises rougeoyantes à travers l'épais rideau de neige : c'était tout ce qui restait de la taverne-salon de thé de Sally Mullin. Les flocons grésillaient en s'abattant sur le ponton calciné. Alther s'attarda un moment au-dessus des ruines de l'établissement qui faisait la joie et l'orgueil de Sally. Il se surprit à souhaiter que le Chasseur goûte longtemps les joies du blizzard, là-bas sur la rivière aux eaux glacées.

Il dépassa le dépotoir, la grille arrachée, et franchit le mur du Château en chandelle. Il fut surpris de constater combien tout était calme et paisible. Il s'attendait plus ou moins à trouver des traces des événements de la soirée, mais il était plus de minuit et une couche de neige fraîche recouvrait les cours désertes et les vieux bâtiments de pierre. Alther contourna le palais et emprunta l'avenue qui menait à la tour – la voie du Magicien, comme on l'appelait. Il sentait l'inquiétude le gagner. Qu'allait-il découvrir là-bas ?

En s'élevant le long du mur extérieur, il ne tarda pas à repérer en haut de la tour la petite fenêtre cintrée qu'il cherchait. Il la traversa et s'immobilisa devant la porte de Marcia – du moins était-ce encore la sienne quelques heures plus tôt. Il prit une profonde inspiration (ou ce qui en tenait lieu chez les fantômes) afin de se calmer. Puis il se **dématérialisa** juste assez pour passer au travers des planches en bois massif et des gonds en argent de la porte. Il se **rematérialisa** aussitôt après. Excellent. Il se trouvait à présent dans les appartements de Marcia... En compagnie du **Ténébreux** Magicien, le **nécromancien**, DomDaniel.

DomDaniel dormait sur le sofa. Il était couché sur le dos, soigneusement drapé dans sa longue robe noire, son chapeau conique ramené sur les yeux, la nuque calée sur les oreillers de 412. Il ronflait bruyamment, la bouche grande ouverte. Le spectacle n'avait rien d'agréable.

Alther resta un moment à contempler son ancien maître. Cela lui faisait drôle de le revoir dans ces lieux où ils avaient longtemps vécu côte à côte. Ce passé n'éveillait en lui aucune nostalgie, même s'il lui avait appris tout ce qu'il souhaitait savoir (et au-delà) sur la **Magyk**. En tant que magicien, DomDaniel était extraordinairement arrogant et déplaisant. Il n'avait que faire du Château et de ses habitants. Seule comptait à ses yeux la quête du pouvoir absolu et de l'éternelle jeunesse – ou plutôt de l'éternelle cinquantaine, car il lui avait fallu de longues années pour parvenir à ses fins.

À première vue, le DomDaniel qui ronflait devant lui ressemblait beaucoup à celui dont il gardait le souvenir. Mais en y regardant de plus près, Alther remarqua quelques différences. Le teint plombé du **nécromancien** témoignait des nombreuses années qu'il avait passées sous terre parmi les **ombres** et les **spectres**. Et l'aura maléfique qui l'entourait répandait une puissante odeur de moisi et de terre mouillée dans toute la pièce. Tandis qu'Alther l'observait, un filet de salive apparut à l'angle de sa bouche et coula lentement sur son menton pour finir par goutter sur sa cape noire.

Alther promena son regard autour de lui en prêtant une oreille distraite aux ronflements de DomDaniel. À son grand étonnement, rien n'avait changé. Pour un peu, il se serait attendu à voir Marcia entrer, s'asseoir et lui raconter sa journée comme elle avait l'habitude de le faire. Puis il aperçut la trace de brûlure à l'endroit où se tenait l'Exécutrice quand l'**éclair foudroyant** l'avait frappée. Le précieux tapis de soie de Marcia comportait à présent un trou dont les bords noircis dessinaient une silhouette humaine.

Ces événements avaient bien eu lieu.

Le fantôme d'Alther se laissa flotter jusqu'à la trappe du vide-ordures qui était restée ouverte et scruta l'obscurité glaciale du conduit. Il frissonna en songeant à l'épreuve qu'avaient traversée ses amis. Et comme il désirait faire quelque chose – même une toute petite chose –, il franchit la frontière qui séparait le monde des vivants de celui des morts.

Il **agit sur la réalité** en refermant la trappe à toute volée.

BANG !

Réveillé en sursaut, DomDaniel se dressa sur son séant et regarda autour de lui. Pendant un court instant, il se demanda où il était. Puis la mémoire lui revint et il poussa un petit soupir satisfait. Il était de retour chez lui, dans les appartements du magicien extraordinaire, au dernier étage de la tour. Et il était résolu à se venger. Soudain, il s'avisa de l'absence de son apprenti. Il aurait dû être rentré depuis longtemps pour lui annoncer la disparition de la princesse, de l'épouvantable Marcia Overstrand et d'un ou deux membres de la famille Heap pour faire bonne mesure. Moins il en resterait, mieux cela vaudrait. La pièce était froide. Agacé, il fit claquer ses doigts pour rallumer le feu. Les flammes s'élevèrent dans l'âtre. Pouf ! Alther les souffla comme une bougie, puis il chassa la fumée vers DomDaniel qui se mit à tousser.

Le vieux nécromancien est de retour, songea Alther, *et il n'est pas en mon pouvoir de lui barrer la route. En revanche, je ferai mon possible pour lui pourrir l'existence.*

L'apprenti ne rentra qu'aux premières lueurs du jour (entre-temps, DomDaniel était monté se coucher, mais il avait très mal dormi car les draps du lit semblaient vouloir l'étrangler). Le jeune garçon avait les traits tirés par la fatigue et le froid, et sa robe verte était raidie par la neige. Le garde qui l'avait escorté jusqu'à la porte se dépêcha de filer, le laissant seul et tremblant face à son maître.

Il trouva ce dernier de fort méchante humeur quand la porte s'ouvrit devant lui.

– J'espère que tu apportes des nouvelles intéressantes ?

Alther tourna autour du garçon, tellement épuisé qu'il était presque incapable de parler. Par compassion – ce n'était pas sa faute s'il était l'apprenti de DomDaniel –, il souffla sur le feu pour qu'il redémarre. Voyant les flammes bondir dans l'âtre, le garçon fit mine de s'approcher.

– Où vas-tu ? tonna DomDaniel.

– Je... j'ai froid, maître.

– Tu ne t'approcheras pas de ce feu tant que tu ne m'auras pas dit ce qui s'est passé. Ont-ils été éliminés ?

– Je lui avais bien dit que c'était une **projection**...

160

– De quoi parles-tu, mon garçon ? Qu'est-ce qui était une **projection** ?

– Leur bateau.

– Bon, j'imagine que tu as fait le nécessaire. C'est un jeu d'enfant. Mais sont-ils morts, OUI OU NON ?

DomDaniel avait haussé le ton, exaspéré. Il avait déjà deviné la réponse, mais il tenait à l'entendre de la bouche de l'apprenti.

– Non, murmura ce dernier, l'air terrifié.

Sa robe trempée s'égouttait sur le sol car la maigre chaleur dégagée par le feu d'Alther avait commencé à faire fondre la neige.

DomDaniel le regarda avec un profond mépris.

– Tu me décevras toujours. Quand je pense au mal que je me suis donné pour te soustraire à ta famille de dégénérés et t'offrir une éducation qui ferait rêver la plupart des garçons de ton âge... Et toi, tu te conduis comme un parfait crétin ! C'est à n'y rien comprendre. Tu aurais dû mettre la main sur cette racaille en un rien de temps. Au lieu de ça, tu viens me rebattre les oreilles d'une stupide affaire de **projection**... En plus, tu dégoulines sur mon tapis !

DomDaniel décida qu'il n'y avait aucune raison pour que le custode suprême dorme quand lui-même était réveillé. Quant au Chasseur, il était curieux d'entendre ce qu'il avait à dire pour sa défense. Il sortit de la pièce à grandes enjambées, claqua la porte derrière lui et entreprit de descendre l'escalier d'argent désormais statique. L'écho de ses pas se répercutait dans les innombrables étages que les magiciens ordinaires avaient vidés et fuis dans la soirée.

161

Sans **Magyk**, la tour semblait froide et lugubre. La bise glacée s'engouffrait dans la cage d'escalier en gémissant comme dans une immense cheminée. Tout en descendant (ces révolutions perpétuelles commençaient à lui donner le tournis), DomDaniel notait les changements avec satisfaction. C'est à cela que devait ressembler la tour. Finis, les gesticulations et les sorts pathétiques de ces casse-pieds de magiciens ordinaires. Terminés, les effluves douceâtres de l'encens, les clochettes tintinnabulantes et surtout, la débauche de lumières et de couleurs frivoles. Sa **Magyk** à lui servait un but autrement plus grandiose. Néanmoins, il se promit de réparer l'escalier.

Enfin, il émergea dans le hall sombre et silencieux. Les portes en argent étaient restées ouvertes, comme si on avait abandonné la tour. La neige avait pénétré à l'intérieur et recouvert le sol en pierre qui était maintenant d'un gris terne et sans vie. Il franchit les portes, traversa la cour et emprunta la voie du Magicien pour se rendre au palais.

Ses pieds s'enfonçaient dans la neige, ce qui gênait sa progression et augmentait sa mauvaise humeur. Il regretta d'être sorti aussi précipitamment, en chemise de nuit et pantoufles, sans prendre le temps de se changer. Quand il atteignit le palais, il était tellement trempé et peu présentable que le garde en faction devant la porte refusa de le laisser passer.

DomDaniel le **foudroya** et entra. Quelques minutes plus tard, le custode suprême était tiré du lit en plein sommeil pour la deuxième nuit consécutive.

Resté seul à la tour, l'apprenti s'était effondré sur le sofa et endormi aussitôt, transi de froid et de chagrin. Pris de pitié,

Alther laissa brûler le feu dans la cheminée. Puis il profita du sommeil du garçon pour **procéder** à quelques aménagements. Il détendit les liens qui maintenaient le dais au-dessus du lit afin qu'il se décroche à la première occasion, ôta la mèche de toutes les bougies, donna une teinte verdâtre à l'eau de la citerne et installa une colonie de cancrelats particulièrement agressifs dans la cuisine. Il lâcha un rat irascible sous les lattes du parquet et desserra les vis des fauteuils les plus confortables. À la réflexion, il échangea également le chapeau conique que DomDaniel avait abandonné sur le lit contre un autre un tantinet plus large.

Au point du jour, Alther quitta l'apprenti endormi et se dirigea vers la Forêt, où il suivit le sentier qu'il avait emprunté avec Silas afin de rendre visite à Sarah et à Galen, bien des années auparavant.

✢ 18 ✢
LE COTTAGE DE LA GARDIENNE

Ce fut le silence qui tira Jenna du sommeil. Durant dix ans, elle avait été réveillée chaque matin par la rumeur de l'Enchevêtre, sans parler des bagarres et du vacarme des six garçons Heap. Après cela, le silence lui paraissait assourdissant. Elle ouvrit les yeux et pendant quelques secondes, elle crut qu'elle rêvait encore. Où était-elle ? Pourquoi ne se trouvait-elle pas à la maison, dans son lit-armoire ? Pourquoi ne voyait-elle que Jo-Jo et Nicko ? Où étaient passés ses autres frères ?

Puis la mémoire lui revint.

Elle s'assit doucement pour ne pas déranger les garçons étendus à ses côtés devant les braises rougeoyantes, au rez-de-chaussée du cottage de tante Zelda. Elle s'enveloppa dans son édredon car l'air était frais et humide en dépit du feu. Puis elle porta une main hésitante à son front.

Elle n'avait pas rêvé. Le cercle d'or était toujours en place. Elle était bien une princesse. Cela n'avait rien à voir avec son anniversaire.

164

La veille, Jenna avait éprouvé le même sentiment d'irréalité qu'à chacun de ses anniversaires. Elle avait alors l'impression d'être projetée dans un autre monde, un autre temps, et que tout ce qui pouvait arriver ce jour-là n'existait pas vraiment. Si elle avait pu affronter les événements extraordinaires qui avaient marqué son dixième anniversaire, c'est parce qu'elle était persuadée que quoi qu'il advienne, tout rentrerait dans l'ordre le lendemain. Aussi, rien ne portait à conséquence.

Mais ce n'était pas le cas.

Elle resserra l'édredon autour d'elle pour avoir chaud et examina la situation. Donc, elle était une princesse.

Jenna et sa meilleure amie, Bo, avaient imaginé qu'elles étaient deux princesses, des sœurs séparées à la naissance que le destin avait réunies en les plaçant à la même table de la classe numéro 6 de la Troisième École du quartier Nord. Jenna avait presque réussi à s'en convaincre. Pourtant, chaque fois qu'elle allait jouer chez Bo, elle voyait mal comment son amie aurait pu venir d'une autre famille que la sienne. Bo avait les mêmes cheveux d'un roux ardent et la même quantité de tâches de rousseur que sa mère. Il ne faisait aucun doute qu'elle était sa fille. Mais Bo s'était fâchée quand Jenna lui en avait fait la remarque, et elle n'avait plus jamais osé aborder la question.

En revanche, elle n'avait cessé de se demander pourquoi elle-même ressemblait si peu à sa mère, à son père ainsi qu'à ses frères. Pourquoi était-elle la seule à avoir les cheveux bruns ? Pourquoi ses yeux à elle n'étaient-ils pas verts ? Jenna aurait donné n'importe quoi pour avoir les yeux verts. En fait, jusqu'à la veille, elle espérait qu'ils finiraient par le devenir.

Elle espérait de tout son cœur que Sarah lui dirait un jour, comme elle l'avait fait à chacun des garçons : « Il me semble que tes yeux sont en train de changer. Mais oui, j'aperçois un peu de vert dedans. » Ou bien : « Qu'est-ce que tu grandis vite ! Tes yeux sont déjà presque aussi verts que ceux de ton père. »

Mais quand elle l'interrogeait et voulait savoir pourquoi ses yeux n'étaient pas comme ceux de ses frères, Sarah lui répondait : « Parce que tu es notre petite fille, Jenna. Cela te rend différente. Et puis, tu as des yeux magnifiques. »

Jenna n'était pas dupe. Elle savait que les filles aussi pouvaient avoir les yeux verts. Comme Miranda Bott qui vivait au bout du corridor et dont le grand-père tenait une boutique d'articles de **Magyk** d'occasion. Miranda avait les yeux verts et pourtant, son grand-père était le seul magicien de la famille. Alors, pourquoi pas elle ?

Le fait d'évoquer Sarah avait attristé Jenna. Quand la reverrait-elle ? Sarah accepterait-elle de rester sa mère maintenant que tout avait changé ?

S'étant ressaisie, elle se leva, toujours enroulée dans son édredon, et enjamba les deux garçons endormis. Elle jeta un coup d'œil à 412 au passage. Comment avait-elle pu le confondre avec Jo-Jo ? Elle avait dû être victime d'une illusion.

Hormis la faible lueur que répandait le feu, il faisait encore sombre à l'intérieur du cottage. Quand Jenna fut habituée à la pénombre, elle partit à la découverte de sa nouvelle demeure, en balayant le sol avec son édredon.

Le cottage n'était pas grand. Le rez-de-chaussée comprenait une unique pièce avec une large cheminée sur l'un des côtés. Un tas de bûches se consumait lentement dans l'âtre en pierre.

166

Nicko et 412 dormaient à poings fermés sur le tapis devant le foyer, douillettement enveloppés dans deux des édredons en patchwork de tante Zelda. Le centre de la salle était occupé par un escalier étroit avec un placard en dessous. Sur la porte (fermée à clé) de ce dernier, on pouvait lire POTIONS INSTABLES ET POISONS PARTIKULIERS en lettres cursives dorées. Jenna se garda bien d'insister. Elle tenta d'apercevoir le sommet de l'escalier qui menait à la vaste chambre où couchaient tante Zelda, Marcia et Silas – sans oublier Maxie, dont les soupirs et les ronflements parvenaient jusqu'au rez-de-chaussée. Ou était-ce Silas qui ronflait et Maxie qui soupirait ? Quand ils dormaient, nul ne pouvait distinguer à l'oreille le maître du chien.

Le plafond de la pièce où elle se trouvait était bas et laissait voir les poutres à peine dégrossies avec lesquelles on avait construit la maison. Toutes sortes d'objets étaient accrochés à ces poutres, pagaies, chapeaux, sacs remplis de coquillages ou de pommes de terre, bêche, binette, chaussures, rubans, balais, gerbes de roseaux ou d'osiers, ainsi que des centaines de sachets d'herbes que tante Zelda cultivait elle-même ou achetait à la Grande Foire de **Magyk** qui se tenait au Port tous les un an et un jour. En tant que sorcière blanche, tante Zelda se servait des herbes pour confectionner des charmes et des remèdes, un domaine qu'elle connaissait sur le bout des doigts.

Jenna examinait tout ce qui l'entourait, savourant le fait d'être seule réveillée et de pouvoir circuler à sa guise pendant encore un moment. Elle trouvait étrange d'habiter un endroit dont aucun des quatre murs n'était mitoyen avec la maison de quelqu'un d'autre. Même si c'était très différent du tohu-bohu de l'Enchevêtre, elle se sentait déjà chez elle. Elle poussa son exploration plus loin. Les chaises étaient confortables malgré l'usure, la table récurée ne donnait pas l'impression de vouloir se renverser et rendre l'âme. Encore plus surprenant, le sol en pierre avait été balayé récemment et il n'y avait rien dessus, à part quelques tapis élimés et une paire de bottes près de la porte.

Elle jeta un coup d'œil à la minuscule cuisine, son grand évier, sa petite table, ses poêles et ses casseroles propres et bien rangées, mais elle était beaucoup trop froide pour qu'elle s'y attarde. Puis ses pas l'entraînèrent vers le coin de la pièce principale qui lui rappelait le plus son ancienne maison. Là, les murs étaient revêtus d'étagères pleines de bocaux et de fioles. Elle en connaissait certains pour avoir vu Sarah les utiliser. Entre autres, les noms **Teinture de Tarentule**, **Mixtion Mystérieuse** et **Brouet Basique** lui évoquaient des souvenirs. Et tout comme à la maison, le petit bureau recouvert de crayons, de feuilles de papier et de cahiers était cerné de piles de livres de **Magyk** qui montaient jusqu'au plafond et menaçaient de s'écrouler. Il y en avait tant que le mur disparaissait derrière, mais à la différence de chez eux, aucun ne traînait par terre.

Les premières lueurs du jour filtraient à travers les vitres couvertes de givre. Tout à coup, Jenna eut envie d'aller voir dehors. Sur la pointe des pieds, elle s'approcha de la porte en bois massif et tira doucement le verrou bien huilé. Puis elle ouvrit le battant avec d'infinies précautions, en priant pour qu'il ne grince pas. Il n'en fit rien. Comme toutes ses semblables, tante Zelda prenait un soin maniaque des gonds et des charnières. Une porte qui grinçait dans la maison d'une sorcière blanche passait pour un mauvais présage et une preuve d'incompétence en matière de sortilèges et de **Magyk**.

Jenna se glissa dehors sans faire de bruit et s'assit sur le seuil, emmitouflée dans son édredon. Son haleine tiède se condensait en petits nuages blancs dans le froid de l'aube. Une brume épaisse collait au sol, formait des tourbillons au ras de l'eau et autour du pont de bois enjambant le chenal qui séparait la maison du marais. Ce chenal entourait l'île de tante Zelda comme un fossé – c'était d'ailleurs le nom qu'on lui donnait. La surface en était sombre et si immobile qu'on aurait dit une fine membrane tendue entre les deux berges. Pourtant, en regardant attentivement, on voyait que le niveau montait peu à peu. Déjà, l'eau débordait et empiétait sur l'île.

Pendant des années, Jenna avait observé le mouvement des marées. Elle savait que celle de ce matin était une marée de syzygie : la lune était pleine la veille. Elle savait aussi que l'eau allait bientôt refluer, comme la rivière au-dessous de la petite fenêtre de son lit, déposant sur la berge un mélange de boue et de sable que les oiseaux aquatiques fouilleraient de leur long bec recourbé.

Le disque pâle du soleil s'élevait lentement derrière l'épais voile de brume. La nature s'éveillait autour de Jenna, et la rumeur de l'aube remplaçait peu à peu le silence. Un concert de caquètements la fit sursauter. En se retournant, elle eut la surprise de voir un bateau de pêche surgir du brouillard.

Au cours des dernières vingt-quatre heures, elle avait vu plus de choses nouvelles et étranges qu'elle n'avait jamais rêvé d'en voir. Cela explique que le spectacle d'un bateau manœuvré par des poules ne l'étonna pas autant qu'elle l'eût cru.

Assise sur le seuil, elle attendit tranquillement qu'il soit passé. Au bout de quelques minutes, comme il n'avait pas bougé, elle se demanda s'il ne s'était pas échoué sur l'île. Mais quand la brume commença à se dissiper, elle constata que le bateau de pêche était en réalité un poulailler. Une douzaine de volatiles descendirent la passerelle avec précaution et se mirent au travail, grattant et picorant, grattant et picorant...

Décidément, les apparences étaient parfois trompeuses.

Un cri aigu d'oiseau perça le brouillard et des clapotements assourdis montèrent de l'eau. Jenna décida qu'ils provenaient de petits animaux à fourrure. L'idée qu'il pouvait s'agir d'anguilles ou de serpents d'eau lui traversa l'esprit, mais elle la repoussa fermement. Elle s'adossa au chambranle de la porte et respira à pleins poumons l'air frais et légèrement salin du marais. Tout était paisible et silencieux... Parfait !

– Bouh ! fit la voix de Nicko. Je t'ai bien eue, Jen !

– Nicko, protesta Jenna. Qu'est-ce que tu peux être bruyant !

Nicko s'assit près d'elle sur le seuil et tira un coin de l'édredon de Jenna pour s'envelopper dedans.

– « S'il te plaît », lui dit-elle sur un ton de reproche.

– Quoi ?

– « S'il te plaît, Jenna, tu voudrais partager ton édredon avec moi ? Mais bien sûr, Nicko. Oh ! Merci beaucoup, Jenna. C'est très gentil de ta part. Bah ! Ce n'est rien, Nicko. »

– C'est bon, laisse tomber. Je suppose que je vais devoir te faire la révérence, maintenant que tu es une altesse ?

Jenna pouffa :

– Les garçons ne font pas la révérence, ils saluent en inclinant le buste.

Nicko se releva d'un bond et se courba jusqu'à terre après avoir ôté un chapeau imaginaire avec un ample mouvement du bras. Jenna applaudit.

– Excellent. Désormais, tu en feras autant chaque matin.

– Votre Majesté est trop bonne, dit Nicko d'un air solennel en faisant mine de se recoiffer.

– Où peut bien être le boggart ? demanda Jenna d'une voix ensommeillée.

Nicko bâilla :

– Sans doute au fond d'une flaque de boue. Ça m'étonnerait qu'il dorme dans un lit.

– Il détesterait ça ! Des draps secs et propres... Pouah !

– Eh bien moi, je retourne me coucher. Je ne sais pas pour toi, mais je n'ai pas eu mon compte de sommeil.

Il s'extirpa de l'édredon de Jenna et alla retrouver le sien, qu'il avait laissé en tas près du feu. Jenna prit conscience de sa propre fatigue. Ses paupières la picotaient, ce qui voulait dire qu'elle n'avait pas assez dormi, et elle commençait à se refroidir. Elle se leva, s'enroula dans l'édredon puis se glissa à l'intérieur de la maison encore plongée dans la pénombre, refermant doucement la porte derrière elle.

⊹⊹ 19 ⊹⊹
TANTE ZELDA

– Bonjour tout le monde !

Le salut joyeux de tante Zelda s'adressait aux édredons entassés près de la cheminée et à leurs occupants.

412 se réveilla en sursaut, prêt à sauter de son grabat en trente secondes précises et à se ruer dehors pour se mettre en rang et répondre à l'appel. Il leva un regard effaré vers tante Zelda. Elle ne ressemblait pas du tout à son tortionnaire matinal habituel, un élève officier au crâne rasé qui prenait un plaisir sadique à balancer des seaux d'eau glacée sur les garçons qui ne bondissaient pas de leur lit à son entrée. La dernière fois que ça lui était arrivé, 412 avait dû dormir plusieurs nuits d'affilée sur une paillasse trempée. Il se dressa avec une

expression terrifiée, puis il se détendit un peu en voyant que Zelda n'avait pas de seau à la main. Au contraire, elle apportait des tasses de lait chaud et une montagne de toasts grillés et beurrés sur un plateau.

– Pas d'affolement, jeune homme, lui dit-elle. Recouche-toi et bois ton lait tant qu'il est chaud.

Elle tendit une tasse ainsi que la plus grosse tartine à 412, jugeant qu'il avait grand besoin de se remplumer.

412 se rassit, s'enveloppa dans son édredon et attaqua son déjeuner du bout des dents. Entre deux bouchées et deux gorgées de lait, il lançait autour de lui des regards pleins d'appréhension.

Tante Zelda prit place sur une chaise près de la cheminée et jeta quelques bûchettes sur les braises. Le bois ne tarda pas à s'enflammer. Satisfaite, elle tendit les mains vers les flammes pour les réchauffer. 412 l'examinait à la dérobée, pensant qu'elle ne le remarquait pas. Bien sûr, elle le remarquait. Mais elle avait l'habitude de s'occuper des créatures blessées et craintives, et elle ne voyait aucune différence entre 412 et les divers animaux du marais qu'il lui arrivait de soigner. En particulier, il lui rappelait un petit lapin apeuré qu'elle avait tiré des griffes d'un lynx des marais peu de temps auparavant. Cela faisait un bon moment que le lynx tourmentait le pauvre lapin, lui mordillait les oreilles et le jetait en l'air, savourant sa terreur avant de lui briser le cou, quand il l'avait lancé sur le chemin de Zelda par excès d'enthousiasme. La brave femme avait ramassé le lapin et l'avait fourré dans le grand sac qui la suivait partout avant de rentrer tout droit chez elle. Le lynx avait erré pendant des heures dans les environs, cherchant sa proie disparue.

Le lapin était resté plusieurs jours assis près de la cheminée, à l'observer comme le faisait à présent 412. Pourtant, songea-t-elle en activant le feu et en ayant soin de ne pas fixer le garçon pour ne pas l'effaroucher, il avait fini par se remettre. Elle était certaine que 412 en ferait autant.

De son côté, 412 la détaillait sans en avoir l'air : des cheveux gris et crêpelés, des joues roses, un sourire chaleureux, des yeux d'un bleu éclatant (des yeux de sorcière) à l'expression amicale... Il dut s'y reprendre à plusieurs fois pour bien voir sa robe en patchwork. Il n'aurait su dire quelle était sa taille, d'autant qu'elle était assise. Elle donnait l'impression de s'être glissée sous un chapiteau en patchwork et d'avoir sorti la tête par le haut pour regarder dehors. À cette idée, les coins de sa bouche se retroussèrent dans une esquisse de sourire.

Ce demi-sourire n'avait pas échappé à tante Zelda, qui en fut ravie. De toute sa vie, elle n'avait jamais vu un visage aussi émacié et effrayé chez un enfant. Son cœur se serrait quand elle tentait d'imaginer ce qu'il avait dû endurer. Elle avait entendu des rumeurs à propos de la Jeune Garde lors de ses visites occasionnelles au Port, mais elles étaient si affreuses qu'elle avait toujours hésité à y ajouter foi. Qui aurait pu traiter des enfants aussi mal ? À présent, elle commençait à soupçonner que ces histoires étaient plus proches de la réalité qu'elle ne l'avait cru.

Tante Zelda sourit à 412, puis elle se souleva de sa chaise avec un grognement d'aise et sortit en trottinant afin d'aller chercher plus de lait chaud.

Pendant son absence, Nicko et Jenna se réveillèrent. 412 s'éloigna un peu, car il gardait un cruel souvenir de son empoignade de la veille avec Jenna. Mais la petite fille se contenta de lui sourire et demanda d'une voix ensommeillée :

– Tu as bien dormi ?

412 fit oui de la tête et baissa le nez vers sa tasse presque vide.

Nicko se redressa, grommela un vague bonjour dans la direction de Jenna et de 412, saisit une tartine et découvrit avec surprise qu'il était affamé. Tante Zelda revint et s'approcha de la cheminée, portant une cruche de lait chaud.

– Nicko ! s'écria-t-elle avec un sourire. On peut dire que tu as changé depuis la dernière fois où je t'ai vu. Tu n'étais encore qu'un bébé à l'époque où je rendais visite à ton papa et ta maman, à l'Enchevêtre. Ah ! C'était le bon temps...

Elle soupira et fit passer son lait à Nicko.

– Et voici notre Jenna, reprit-elle en souriant de plus belle. J'aurais tant aimé venir te voir. Mais les choses sont devenues difficiles après... certains événements. En tout cas, Silas a rattrapé le temps perdu et m'a *tout* dit sur toi.

La petite fille sourit d'un air timide, heureuse que Zelda l'ait appelée « notre » Jenna. Elle prit la tasse de lait chaud que la brave femme lui tendait et s'abîma dans la contemplation du feu.

Un silence satisfait s'installa, seulement troublé par les ronflements de Silas et de Maxie à l'étage et les bruits de mastication en bas. Au bout d'un moment, Jenna, qui s'était adossée au mur, crut percevoir un faible miaulement à l'intérieur de celui-ci. Comme c'était impossible, elle en conclut qu'elle se trompait et l'ignora. Mais les miaulements continuèrent, de plus en plus véhéments, lui sembla-t-il. Elle colla l'oreille contre la pierre. Pas de doute, il y avait bien un chat en colère dedans.

– Il y a un chat dans le mur, dit-elle.

– Ah ! Ah ! Elle est bien bonne, celle-là, s'esclaffa Nicko.

– Ce n'est pas une blague. Il y a vraiment un chat dans le mur. Je l'entends miauler.

Tante Zelda sauta sur ses pieds :

– Juste ciel ! J'avais complètement oublié Bert. Jenna, mon chou, pourrais-tu lui ouvrir, je te prie ?

Devant l'air perplexe de Jenna, elle désigna du doigt une minuscule porte au pied du mur. Jenna tira le volet de bois et un canard furieux entra en se dandinant.

– Bert chérie, je suis désolée, s'excusa Zelda. Il y avait longtemps que tu attendais ?

Bert escalada la pile d'édredons d'une démarche mal assurée et s'installa près de l'âtre, tournant délibérément le dos à sa maîtresse pour montrer son mécontentement. Puis elle ébouriffa ses plumes. Zelda se pencha afin de la caresser.

– Je vous présente ma chatte, Bert.

Six yeux remplis d'étonnement se posèrent sur Zelda. Nicko avala son lait de travers et toussa. 412 fut déçu : il commençait à s'attacher à Zelda, et voilà qu'elle était aussi folle que les autres.

– Mais Bert est un canard, remarqua Jenna.

Il lui paraissait nécessaire de mettre les choses au point avant que l'un d'eux s'avise de rentrer dans le jeu de tante Zelda.

176

– Oui, en ce moment. Cela fait même un bon bout de temps qu'elle en est un. Pas vrai, Bert ?

Bert miaula.

– Voyez-vous, le fait de savoir voler et nager représente un avantage dans les marécages. Je n'ai encore rencontré aucun chat qui aime avoir les pattes mouillées, et Bert ne fait pas exception à la règle. Aussi a-t-elle décidé de devenir un canard afin de goûter aux joies de l'eau. Et c'est ce qui s'est passé. Hein, Bert ?

Bert ne répondit pas. En vraie chatte, elle s'était endormie devant le feu.

Jenna caressa ses plumes d'une main hésitante, curieuse de savoir si elles avaient gardé les propriétés d'une fourrure de chat. Mais elles étaient aussi lisses que des plumes de canard.

– Bonjour, Bert, murmura-t-elle.

Nicko et 412 ne dirent rien. Ni l'un ni l'autre n'allait s'abaisser à parler à un canard.

– Pauvre Bert, reprit tante Zelda. Elle reste souvent coincée dehors. Mais depuis que les bobelins des fagnes sont entrés par la chatière, je m'efforce de la maintenir fermée par un **sort de verrouillage**. Vous n'avez pas idée du choc que j'ai éprouvé quand je suis descendue ce matin-là. La pièce grouillait de ces sales petits monstres, comme si un torrent de boue l'avait envahie. Ils grimpaient aux murs, fourraient leurs longs doigts partout et me regardaient avec leurs petits yeux rouges. Ils ont dévoré tout ce qui pouvait l'être et cochonné le reste. Et bien sûr, dès qu'ils m'ont vue, ils se sont mis à pousser des hurlements stridents... (Elle frissonna.) Aujourd'hui encore, il me suffit d'y repenser pour avoir les dents agacées. Je ne sais pas

177

ce que j'aurais fait sans Boggart. Il m'a fallu des semaines pour sauver mes livres de la boue, sans compter que j'ai dû refaire toutes mes potions. En parlant de boue, ça vous dirait de faire trempette dans la source chaude ?

Jenna et Nicko se sentirent beaucoup plus propres après que tante Zelda leur eut montré la source chaude qui jaillissait dans la petite cabane de bains derrière la maison. 412 avait refusé de les accompagner. Il s'était blotti près du feu, son bonnet rouge enfoncé sur la tête, chaudement emmitouflé dans sa veste de marin en mouton retourné. Le froid auquel il avait été exposé la veille l'avait pénétré jusqu'aux os et il lui semblait qu'il n'arriverait jamais à se réchauffer. Tante Zelda le laissa tranquille, mais quand Jenna et Nicko décidèrent de partir en exploration, elle le poussa dehors avec eux.

– Tiens, prends ça, dit-elle en tendant une lanterne à Nicko.

Nicko lui lança un regard perplexe. Qu'avaient-ils besoin d'une lanterne en plein jour ?

– C'est à cause du haar, expliqua tante Zelda.

– Le quoi ?

– Le haar, un brouillard de mer très fréquent dans la région. Il est partout autour de nous. (Zelda dessina un large cercle avec son bras.) Par temps clair, on aperçoit le Port d'ici. Aujourd'hui, le haar reste au ras du sol, de sorte que nous nous trouvons au-dessus de lui. Mais s'il lui prend l'envie de s'élever, il nous engloutira. Alors, croyez-moi, vous aurez bien besoin de cette lanterne.

Nicko prit la lanterne et ils se mirent en route à travers le haar qui s'étendait sur les marais comme un voile blanc et onduleux, laissant les adultes débattre de choses sérieuses au coin du feu.

Jenna marchait en tête, suivie de près par Nicko alors que 412 traînait en arrière. De temps en temps, un frisson s'emparait de lui et il regrettait de n'être pas resté près de la cheminée. Le climat doux et humide du marais avait eu raison de la neige, si bien que le sol était détrempé. Jenna avait emprunté un chemin qui les mena au fossé. À présent que la marée s'était retirée, celui-ci était presque à sec. Les flaques de boue qui tapissaient son lit étaient couvertes d'empreintes de pattes d'oiseaux et de quelques traînées sinueuses laissées par des serpents d'eau.

L'île de Draggen était longue d'environ quatre cents mètres. Vue d'en haut, elle avait l'aspect d'un gros œuf vert qu'on aurait coupé en deux et posé à la surface du marécage. Un sentier permettait d'en faire le tour en côtoyant le fossé. Jenna entreprit de le suivre, respirant à pleins poumons l'air frais et salin qui accompagnait le brouillard. Jenna aimait le haar qui les enveloppait. Grâce à lui, elle se sentait enfin en sécurité. Nul ne viendrait les chercher ici.

En plus des poules au pied marin que Jenna et Nicko avaient aperçues au lever du jour, ils découvrirent une chèvre attachée à un piquet parmi les hautes herbes ainsi qu'une colonie de lapins qui avaient creusé leurs terriers dans un talus. Zelda avait dressé une clôture tout autour pour les empêcher d'accéder à ses choux.

En longeant le sentier maintes fois battu, ils dépassèrent les terriers, traversèrent le carré de choux et firent plusieurs détours avant d'atteindre une mare boueuse qui s'étalait dans

179

une dépression, entourée d'herbes d'un vert étonnamment vif. Jenna ralentit le pas.

– Tu crois qu'il y a des bobelins dedans ? murmura-t-elle à Nicko.

Quelques bulles crevèrent la surface de la flaque et il y eut un bruit de succion, comme si quelqu'un tentait d'arracher une chaussure de la boue. Jenna fit un bond en arrière, effrayée. La vase se soulevait avec de gros bouillons.

– Y f'rait beau voir !

La grosse tête brune du boggart apparut à la surface. Il battit plusieurs fois des paupières pour chasser la boue de ses yeux ronds et noirs et fixa les enfants d'un regard vague.

– B'jour, grogna-t-il.

– Bonjour, monsieur Boggart.

– Boggart suffit.

– Vous vivez ici ? reprit Jenna d'un ton poli. On ne vous dérange pas, au moins ?

– Ben, si. Je dors le jour. (Il cligna à nouveau les paupières et s'enfonça un peu dans la vase.) Mais pardi, vous pouviez pas l' savoir. Évitez juste de parler de ces maudits bobelins : leur nom suffit à me réveiller.

– Je suis désolée. Nous allons nous éloigner et vous laisser tranquille.

– Mouaaais...

Le boggart replongea dans la mare et disparut. Jenna, Nicko et 412 rebroussèrent chemin sur la pointe des pieds.

– Il était de mauvaise humeur, remarqua Jenna.

– Pas du tout, répondit Nicko. Je pense qu'il est toujours comme ça.

– Je l'espère.

Ils poursuivirent leur tour de l'île et parvinrent bientôt au « gros bout » de l'œuf vert, un monticule herbeux où de petits buissons épineux poussaient çà et là. Ils l'escaladèrent et firent halte pour observer le haar qui tournoyait au-dessous d'eux.

Jenna et Nicko avaient gardé le silence jusque-là pour ne pas réveiller à nouveau le boggart. Mais une fois au sommet de la butte, la petite fille demanda :

– Tu ne sens pas un truc bizarre sous tes pieds ?

– Maintenant que tu le fais remarquer, je ne suis pas très à l'aise dans mes bottes. Elles doivent être encore mouillées.

– Je parlais du sol. On dirait qu'il est...

– Creux, compléta Nicko.

– En effet.

Jenna tapa du pied. Le sol paraissait solide, même s'il avait quelque chose d'étrange.

– C'est sans doute à cause de toutes ces galeries de lapins, hasarda Nicko.

Ils descendirent du monticule sans se presser et se dirigèrent vers une grande mare au bord de laquelle se dressait un abri en bois pour les canards. Quelques volatiles les aperçurent et s'approchèrent d'une démarche dandinante, pour le cas où ils auraient apporté du pain.

– Hé ! s'écria soudain Jenna en cherchant 412 du regard. Où est-il passé ?

– Il est certainement rentré au cottage. Je ne crois pas qu'il apprécie beaucoup notre compagnie.

– Moi non plus, mais est-ce qu'on ne devait pas veiller sur lui ? Il a pu tomber dans la mare du boggart, à moins qu'un bobelin ne l'ait attrapé...

– Chut ! Tu vas encore réveiller le boggart.

– N'empêche qu'un bobelin pourrait l'avoir attrapé. On ferait bien de le retrouver.

– J'imagine que tante Zelda serait fâchée si on le perdait, fit Nicko d'un air peu convaincu.

– Moi aussi, je le serais.

– Ne me dis pas que tu l'aimes ? Je te rappelle que ce petit crétin a failli nous faire tuer.

– À présent, je sais qu'il ne l'a pas fait exprès. Il avait aussi peur que nous. Et puis, dis-toi qu'il a passé toute sa vie dans la Jeune Garde. Il n'a sans doute pas eu de papa et de maman comme nous... Je veux dire, comme toi.

– Idiote, la gronda Nicko. Tu as eu un papa et une maman, et tu les as toujours. Mais puisque tu y tiens, on va chercher ce morveux.

Jenna regardait autour d'elle, se demandant par où commencer, quand elle constata qu'elle ne distinguait plus le cottage. En réalité, elle ne distinguait plus rien à part Nicko, et encore était-ce parce que sa lanterne émettait une faible clarté rougeâtre.

Le haar s'était levé.

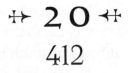

412

412 était tombé dans un trou. Il ne l'avait pas fait exprès et ignorait comment c'était arrivé. Toujours est-il qu'il se trouvait maintenant au fond d'un trou.

Juste avant sa chute, il en avait plus qu'assez de marcher à la traîne de la princesse et du jeune magicien. Ils semblaient l'avoir emmené à contrecœur, il était transi et s'ennuyait ferme. Aussi avait-il décidé de leur fausser compagnie et de rentrer au cottage, dans l'espoir d'avoir un moment tante Zelda tout à lui.

C'est alors que le haar s'était levé.

À tout le moins, la Jeune Garde l'avait préparé à ce genre de situation. Plus d'une fois, on les avait conduits dans la Forêt, lui et sa section, afin qu'ils retrouvent leur chemin dans la nuit et le brouillard. Tous n'y arrivaient pas, bien sûr. Il y avait toujours un malheureux pour tomber entre les griffes d'un glouton affamé ou dans un piège tendu par une sorcière de Wendron. Mais 412 avait de la chance et il savait se diriger dans l'obscurité sans se faire remarquer. Aussi silencieux que le haar, il était revenu sur ses pas afin de regagner la maison. À un moment, il était passé si près de Nicko et Jenna qu'il n'aurait eu qu'à tendre le bras pour les toucher, mais il s'était éloigné sans un bruit, heureux de se sentir enfin libre et indépendant.

Un peu plus tard, il atteignit le monticule herbeux au bout de l'île. Il fut décontenancé, car il était certain de l'avoir déjà escaladé. Logiquement, il aurait dû se trouver à proximité de la maison. Peut-être s'agissait-il d'un autre monticule ? Peut-être en existait-il un à chaque bout de l'île ? Il commença à se dire qu'il s'était égaré. Il lui vint à l'esprit qu'il aurait très bien pu marcher sans fin autour de l'île sans jamais parvenir au cottage. Dans sa préoccupation, il perdit son équilibre et tomba de tout son long sur un petit buisson hérissé d'épines. C'est alors qu'il sentit le buisson céder sous son poids. L'instant d'après, il tombait dans le vide.

L'épaisseur du brouillard étouffa son cri de surprise et il atterrit lourdement sur le dos, le souffle coupé. Il resta un moment immobile, se demandant s'il s'était cassé quelque chose, puis il s'assit lentement. La douleur était supportable. Il avait eu la chance de tomber sur un sol mou – du sable ? – qui avait amorti sa chute. Mais en se relevant, il se cogna la tête à un rocher. Ça, ça faisait mal !

Une main plaquée sur le sommet de sa tête, il étendit le bras et explora les bords du trou qui lui avait livré passage. La paroi rocheuse s'élevait en pente douce, aussi froide et lisse que de la glace, n'offrant aucun indice ni aucune prise.

Avec ça, il faisait noir comme dans un four. 412 n'apercevait pas la moindre lueur au-dessus de lui et il scrutait en vain l'obscurité, espérant que ses yeux finiraient par s'y accoutumer. Mais il aurait aussi bien pu être aveugle.

Il se laissa tomber à quatre pattes et tâta le sable autour de lui. Une idée folle avait germé dans son cerveau – creuser un tunnel pour s'échapper –, mais en grattant le sol, il rencontra presque aussitôt un socle rocheux tellement froid et poli qu'il songea à du marbre. Il avait vu du marbre les quelques fois où il avait monté la garde devant le palais, mais il doutait qu'on en trouve aussi facilement dans les marais de Marram, au milieu de nulle part.

Assis par terre, il ratissait nerveusement le sable avec ses doigts, tentant d'élaborer un plan. Il était parvenu à la conclusion que la chance l'avait abandonné quand sa main effleura un objet métallique. Il reprit courage, pensant avoir trouvé ce qu'il cherchait – une serrure ou une poignée cachée –, mais quand ses doigts se refermèrent sur l'objet, son cœur se serra. Ce n'était qu'un anneau. Il le prit dans le creux de sa main et baissa les yeux vers lui, même s'il ne pouvait le voir.

– Si seulement j'avais un briquet, marmonna-t-il.

Il écarquillait les yeux, s'efforçant de distinguer l'anneau, comme si cela allait changer quelque chose à sa situation. Au bout d'une éternité qu'il passa seul, assis sur le sol glacé du sombre réduit souterrain, l'anneau finit par se réchauffer au contact de la petite main humaine qui le tenait pour la première fois depuis qu'on l'avait perdu, il y avait de cela des lustres.

412 se détendit. Il s'avisa qu'il ne craignait pas l'obscurité et qu'il était en sécurité, bien plus qu'il ne l'avait été depuis des années. Il se trouvait à des lieues de ses tortionnaires de la Jeune Garde et ceux-ci ne risquaient pas de le trouver ici. Il

sourit et s'adossa contre la paroi. Il allait découvrir une issue, cela ne faisait aucun doute.

Il décida tout à coup d'essayer l'anneau. Comme il était trop large pour la plupart de ses doigts, il le passa à l'index de sa main droite, le moins maigre des dix. Il le fit tourner autour de son doigt, goûtant la chaleur qu'il dégageait. Très vite, il éprouva une sensation bizarre. On eût dit que l'anneau était devenu vivant, qu'il rétrécissait pour épouser son index. En plus, il émanait de lui une faible lueur dorée.

412 le contemplait avec ravissement. Enfin, il pouvait examiner sa trouvaille. Il ne ressemblait à aucun des anneaux qu'il avait vus jusque-là. Un dragon en or s'enroulait autour de son index, tenant sa queue serrée dans sa gueule. Ses yeux vert émeraude étincelaient, et 412 avait l'impression étrange qu'ils étaient fixés sur lui. Dans son enthousiasme, il se leva et tendit sa main droite devant lui. Son anneau, son dragon brillait à présent aussi fort qu'une lanterne.

412 regarda autour de lui à la clarté dorée de l'anneau et constata qu'il se trouvait à l'entrée d'un tunnel. Un passage étroit, découpé proprement dans la roche, s'enfonçait encore plus profond dans le sol devant lui. Il leva la main au-dessus de sa tête et scruta le puits sombre par où il avait atterri. À première vue, il n'y avait aucun moyen de remonter par là. L'orifice était trop loin pour qu'il puisse l'atteindre. Malgré ses réticences, il n'avait pas d'autre choix que de suivre le tunnel en espérant qu'il le mènerait à une autre issue.

Il se mit en route, tenant l'anneau devant lui. Le tunnel au sol sableux descendait en pente douce. Il décrivait des zigzags, débouchait parfois sur des culs-de-sac ou obligeait 412 à tourner en rond, lui faisant perdre ses repères et semant la confusion dans son esprit. Celui qui avait construit ce tunnel semblait prendre un malin plaisir à l'égarer.

Cela explique sans doute qu'il ait raté la marche.

Étendu au pied de l'escalier, 412 retenait son souffle. Il tenta de se convaincre qu'il n'avait rien. Il n'était pas tombé de très haut. Mais il lui manquait quelque chose. *L'anneau avait disparu.* Pour la première fois depuis qu'il s'était engagé dans le tunnel, la peur s'empara de lui. L'anneau ne faisait pas que l'éclairer ; il lui tenait compagnie. Il le protégeait aussi du froid, songea-t-il en frissonnant. Il se mit à tâtonner autour de lui, les yeux grands ouverts, cherchant désespérément à apercevoir une faible lueur dorée dans le noir complet.

Rien !

Il ne voyait rien. Le désespoir l'envahit, aussi fort que le jour où son meilleur ami, 409, était tombé à l'eau au cours d'un raid de nuit et qu'on ne les avait pas autorisés à s'arrêter pour le repêcher. Il prit sa tête dans ses mains, prêt à renoncer.

C'est alors qu'il entendit chanter.

Une mélodie douce et harmonieuse s'éleva et parvint à ses oreilles, l'invitant à la suivre. À quatre pattes (il n'avait pas envie de dégringoler d'un autre escalier – pas maintenant), il se déplaça vers la source du chant, centimètre par centimètre, en explorant le marbre froid. À mesure qu'il se rapprochait, l'appel se faisait moins pressant et le chant perdait de sa puissance. Soudain, il n'entendit plus qu'un murmure bizarrement assourdi et comprit qu'il venait de mettre la main sur l'anneau.

Il l'avait retrouvé. Ou plutôt, c'était l'anneau qui l'avait retrouvé. Avec un sourire joyeux, il glissa le dragon à son doigt et les ténèbres se dissipèrent autour de lui.

Après, ce fut un jeu d'enfant. L'anneau le guida le long du tunnel. Celui-ci était maintenant plus large, tout droit, et ses murs de marbre blanc ornés de centaines d'images rudimentaires peintes dans différentes nuances de bleu, de jaune et de vert. Mais 412 ne leur prêta guère attention. Tout ce qu'il désirait à présent, c'était atteindre au plus vite la sortie. Aussi avança-t-il jusqu'à trouver enfin ce qu'il attendait : un escalier qui montait. Rassuré, il gravit les marches, puis une pente raide et sablonneuse qui menait à un cul-de-sac.

À la clarté de l'anneau, il aperçut l'issue tant espérée. Une vieille échelle était appuyée contre un mur, juste au-dessous d'une trappe. Il monta à l'échelle, leva le bras et poussa la trappe. À son grand soulagement, elle bougea. Il poussa un peu plus fort, entrebâillant le volet de bois. Il faisait aussi sombre dehors, mais la différence de température lui indiqua qu'il avait regagné la surface. Comme il tentait de se repérer, il distingua un mince trait de lumière au ras du sol et poussa un soupir de soulagement. Il savait où il se trouvait : dans le placard à Potions Instables et Poisons Partikuliers de tante Zelda. Sans faire de bruit, il se hissa à travers l'ouverture, rabattit la trappe et remit en place le tapis qui la dissimulait. Puis il ouvrit la porte du placard avec précaution et risqua un œil à l'extérieur.

Tante Zelda confectionnait une nouvelle potion dans la cuisine. Elle leva les yeux de son travail quand il passa à pas de loup devant la porte, mais elle semblait préoccupée et ne dit rien. 412 se dirigea vers la cheminée, brusquement très fatigué. Il ôta l'anneau de son doigt et le glissa dans la poche qu'il avait découverte à l'intérieur de son bonnet rouge. Il s'étendit sur le tapis à côté de Bert et sombra presque aussitôt dans le sommeil.

Il dormait si profondément qu'il n'entendit pas quand Marcia descendit l'escalier et **ordonna** à la plus haute et la plus branlante des piles de livres de tante Zelda de décoller du sol. Il n'entendit pas davantage quand *L'Art de vaincre la Ténèbre*, un gros ouvrage très ancien, se dégagea de dessous la pile et vola jusqu'au fauteuil le plus confortable, près de la cheminée, ni le froissement du papier quand le livre s'ouvrit docilement à la page que Marcia désirait consulter.

Il n'entendit pas non plus le cri de Marcia quand, voulant gagner le fauteuil, elle faillit marcher sur lui, recula et posa le pied sur Bert. Mais il fit alors un rêve étrange, dans lequel une troupe de chats et de canards furieux le pourchassaient le long d'un tunnel puis l'enlevaient dans les airs pour lui apprendre à voler.

Perdu dans son rêve, 412 sourit. Il était libre.

⊹ 21 ⊹
RATTUS RATTUS

– Comment as-tu fait pour rentrer aussi vite ?

Il avait fallu tout l'après-midi à Nicko et à Jenna pour retrouver leur chemin à travers le haar. Alors que Nicko avait passé tout ce temps à établir mentalement le classement des dix meilleurs bateaux sur lesquels il avait jamais navigué puis, la faim devenant plus pressante, à dresser le menu de son dîner idéal, Jenna s'était inquiétée de 412 et avait résolu d'être beaucoup plus gentille avec lui à l'avenir, à supposer qu'il ne se soit pas déjà noyé dans le fossé.

Aussi, quand elle avait fini par regagner le cottage, transie de froid dans ses vêtements imprégnés de brouillard, et avait trouvé 412 sur le sofa à côté de tante Zelda, l'air presque guilleret et content de lui, elle n'avait pas été aussi irritée que Nicko. Ce dernier avait grommelé quelque chose avant d'aller prendre un bain chaud. Jenna avait laissé tante Zelda lui frotter la tête pour la sécher, puis elle s'était assise près de 412 et l'avait interrogé.

Comme le garçon la regardait sans répondre, la mine contrite, elle fit une nouvelle tentative :

– J'avais peur que tu sois tombé dans le fossé.

La surprise se peignit sur le visage de 412. Il ne s'attendait pas à ce que la petite princesse se soucie de savoir s'il était tombé dans le fossé, ou même au fond d'un trou.

– Je suis contente de te voir sain et sauf. Nous deux, il nous a fallu des heures pour rentrer. On s'est perdus à plusieurs reprises.

412 sourit. Il avait presque envie de raconter à Jenna ses propres aventures et de lui montrer l'anneau, mais toutes ces années de dissimulation forcée lui avaient enseigné la prudence. La seule personne avec qui il avait jamais partagé un secret était 409, et même si quelque chose chez Jenna lui rappelait son ami disparu, elle n'en restait pas moins une princesse et pire encore, une fille. Aussi préféra-t-il se taire.

Jenna remarqua son sourire et en fut ravie. Elle allait poser une nouvelle question quand tante Zelda s'exclama, d'une voix qui fit trembler ses flacons de potions :

– Un rat coursier !

Marcia, qui avait pris possession du bureau de Zelda, bondit sur ses pieds, saisit la main de Jenna et l'arracha au sofa.

– Hé ! protesta Jenna, choquée.

Sans plus y prendre garde, Marcia monta l'escalier deux à deux, la traînant derrière elle. À mi-chemin, elles se heurtèrent à Silas et à Maxie, qui descendaient en hâte pour accueillir le rat coursier.

– L'étage devrait être interdit à ce chien, pesta Marcia en s'aplatissant contre le mur pour éviter les traînées de bave sur sa cape.

Dans son excitation, Maxie donna un grand coup de langue sur sa main et se précipita à la suite de son maître, non sans avoir écrasé le pied de Marcia avec sa grosse patte. Maxie ne prêtait guère attention à la magicienne. Il ne prenait pas la peine de s'écarter de son chemin et ne tenait aucun compte de ce qu'elle disait car dans sa vision du monde, Silas était le chef de la meute alors que Marcia se situait tout en bas de l'échelle.

Heureusement pour elle, Marcia n'avait pas conscience des subtilités du raisonnement du chien-loup. Le poussant de côté, elle gravit les dernières marches, tirant toujours Jenna par la main pour l'éloigner du rat coursier.

– Pour... pourquoi faites-vous ça ? balbutia Jenna quand elles furent dans la chambre mansardée de tante Zelda.

– Le coursier, répondit Marcia, elle-même un peu essoufflée. Rien ne permet d'affirmer qu'il s'agit d'un rat assermenté.

– Un quoi ?

Marcia prit place sur le lit étroit de Zelda, recouvert d'un assortiment de couvertures en patchwork, fruit de quantité de soirées solitaires au coin de la cheminée. Elle tapota l'édredon, invitant Jenna à s'asseoir près d'elle.

– Savez-vous ce qu'est un rat coursier ?

– Je crois, répondit Jenna d'un ton hésitant. Mais on n'en a jamais reçu à la maison. Je pensais qu'il fallait être quelqu'un de très important pour ça.

– Non. N'importe qui peut recevoir ou engager un rat coursier.

– C'est peut-être maman qui l'a envoyé, dit Jenna avec une note d'espoir dans la voix.

– Peut-être... ou peut-être pas. Nous devons nous assurer qu'il est bien assermenté avant de lui faire confiance. Un rat assermenté dit toujours la vérité et ne dévoile jamais les secrets qu'on lui confie. En outre, ses services sont extrêmement coûteux.

Dans ce cas, songea Jenna avec tristesse, il n'y avait aucune chance pour que Sarah leur ait envoyé celui-ci.

– C'est pourquoi vous et moi allons attendre ici, pour le cas où ce rat serait un espion venu s'enquérir de la cachette de la princesse et de la magicienne extraordinaire.

Jenna acquiesça lentement de la tête. Ce mot, princesse... Il la laissait toujours sans voix. Elle avait encore du mal à admettre qu'il la désignait. Sagement assise près de Marcia, elle promena son regard autour de la chambre.

Celle-ci était étonnamment vaste et claire. La petite fenêtre aménagée dans la pente du plafond offrait une vue étendue sur les marais enneigés. Le toit était soutenu par de grosses poutres robustes auxquelles était accroché un assortiment de ce que Jenna prit d'abord pour des tentes en patchwork, avant d'identifier les robes de tante Zelda. La pièce comportait trois lits. Jenna devina aux couvertures en patchwork qu'elles étaient assises sur celui de tante Zelda, alors que le lit tapissé de poils dans l'alcôve près de l'escalier devait appartenir à Silas. Le troisième, plus large, logeait dans une niche. Cette vision lui serra le cœur, car il lui rappelait son propre petit lit clos. Il était facile de deviner qui avait dormi dedans : *L'Art de vaincre la Ténèbre* était posé par terre à proximité, de même

193

qu'un magnifique porte-plume en onyx et des feuilles de vélin extra-fin couvertes de symboles et de signes magiques.

Marcia surprit son regard :

– Vous pouvez essayer mon porte-plume. Il va vous plaire. Il écrit de la couleur que vous lui demandez – enfin, quand il est de bonne humeur.

Tandis que Jenna essayait le porte-plume de Marcia (lequel, d'un naturel contrariant, s'obstinait à tracer une lettre sur deux en vert criard), au rez-de-chaussée, Silas tentait de réfréner l'excitation qui s'était emparée de Maxie à la vue du rat coursier. Avisant son fils qui revenait de la cabane de bains, les cheveux encore humides, il lui lança, affolé :

– Nicko, tu veux bien retenir Maxie et l'éloigner de ce rat ?

Nicko et Maxie se ruèrent vers le sofa, provoquant le départ précipité de 412.

– Bon, où est passé le coursier ? demanda Silas.

Assis sur le rebord extérieur de la fenêtre, un gros rongeur brun frappait doucement au carreau. Après que tante Zelda lui eut ouvert, il sauta à l'intérieur et promena son regard vif et perçant autour de lui.

– Perlé, Rat ! ordonna Silas en langage magique.

Le rat semblait s'impatienter.

– **Parley, Rat !**

Le rat croisa les bras et considéra Silas avec un profond mépris.

– Hum ! Désolé. Cela fait une éternité qu'on ne m'a pas envoyé de rat coursier, dit Silas pour s'excuser. Ah ! Ça me revient... **Parley, Rattus Rattus !**

– Eh ben, c'est pas trop tôt, soupira le rat. Avant toute chose, reprit-il en se dressant sur ses pattes arrière, l'un de vous porte-t-il le nom de Silas Heap ? (Ce disant, il regardait Silas avec insistance.)

– Oui, moi.

– Je l'aurais parié. Vous répondez trait pour trait à la description.

Il toussa d'un air important, se redressa un peu plus et mit ses pattes avant derrière son dos :

– On m'a chargé de transmettre un message à Silas Heap. Il m'a été remis ce matin à huit heures par une certaine Sarah Heap, résidant à la maison de Galen. En voici le texte :

Silas, mon chéri (et Jenna, ma grenouille, et aussi Nicko, mon ange),

J'espère que le rat que je vous envoie vous trouvera sains et saufs chez Zelda. Depuis que Sally nous a dit que le Chasseur vous traquait, cette idée n'a cessé de me trotter par la tête, si bien que je n'ai pas fermé l'œil de la nuit. Au matin, j'étais désespérée, pensant que vous aviez tous été capturés (même si Galen m'avait assurée du contraire), mais ce cher Alther est venu nous voir dès l'aube pour nous faire part d'une merveilleuse nouvelle : vous aviez réussi à fuir. Il a dit que la dernière fois qu'il vous avait vus, c'était à l'entrée des marais de Marram. Il regrettait de n'avoir pu vous accompagner. Silas, il s'est produit un grand malheur. Simon a disparu en route. Nous marchions sur le sentier qui longe la rivière pour nous rendre dans la partie de la Forêt où habite Galen quand j'ai constaté son absence. Je n'ai pas la moindre idée de ce qui a pu lui arriver. Nous n'avons pas

rencontré de garde, et aucun de nous ne l'a vu ni entendu partir.
J'ai très peur qu'il soit tombé dans un piège tendu par une de ces
horribles sorcières. Nous allons le rechercher aujourd'hui.
Les gardes ont incendié l'établissement de Sally, mais elle est
parvenue à échapper aux flammes. Elle ignore comment, mais
elle nous a rejoints ce matin et m'a chargée de remercier
*Marcia pour le **talisman**. En fait, nous lui sommes tous très*
reconnaissants de sa générosité. Silas, merci de me renvoyer le
rat afin qu'il me donne de vos nouvelles.
Nous vous aimons tous beaucoup et pensons bien à vous.

Ta Sarah.

Fin du message !

Épuisé, le rat se tassa sur le rebord de la fenêtre.

– Mon royaume pour une tasse de thé, gémit-il.

– Il faut que je retourne auprès de Sarah et que je l'aide à retrouver Simon, déclara Silas, en proie à une vive agitation. Qui sait ce qui a pu lui arriver ?

Tante Zelda s'efforça de le calmer. Elle apporta deux tasses de thé chaud et sucré, une pour le rat et une pour Silas. Le rat vida sa tasse d'un seul trait alors que Silas, la mine lugubre, toucha à peine à la sienne.

– Simon n'est pas une mauviette, papa, dit Nicko. Il s'en sortira. Il a dû s'égarer. Je suis sûr qu'il est déjà rentré à l'heure qu'il est.

Silas ne parut pas convaincu.

Tante Zelda jugea opportun d'annoncer le dîner. En général, les repas qu'elle mitonnait avaient le pouvoir de distraire les convives de leurs soucis. D'un naturel hospitalier, elle aimait réunir autour de sa table autant d'invités qu'elle pouvait en accueillir. Si ceux-ci appréciaient toujours sa conversation, les plats qu'elle leur servait mettaient leur imagination à rude épreuve. L'adjectif qu'ils employaient le plus couramment pour les décrire était « original » : « Cette tourte aux choux était tout à fait... originale. Je n'en aurais jamais eu l'idée. » Ou encore : « Ma foi, c'est original de servir les anguilles avec de la confiture de fraises. »

Afin de lui changer les idées, elle chargea Silas de mettre la table et invita le rat coursier à se joindre à eux.

Ce soir-là, tante Zelda leur servit une gibelotte de lapin et de grenouille accompagnée de pieds de navets deux fois bouillis et suivie d'un délice aux cerises et aux carottes sauvages. 412 fit honneur au repas (un véritable festin comparé à l'ordinaire de la Jeune Garde) et reprit deux fois de chaque plat, pour le plus grand bonheur de leur hôtesse. Elle n'avait pas l'habitude de voir ses invités se resservir, à plus forte raison une seconde fois.

Nicko était ravi de voir 412 manger avec autant d'appétit. De ce fait, tante Zelda ne remarqua pas que lui-même avait aligné des morceaux de grenouille sous son couteau – ou si elle le remarqua, elle ne s'en formalisa pas. Soulagé, il en profita pour refiler à Maxie l'oreille de lapin qu'il avait pêchée entière dans son assiette, à la grande satisfaction du chien.

Marcia avait prévenu que ni elle ni Jenna ne paraîtraient à table, prenant prétexte de la présence du rat coursier. Silas trouvait l'excuse un peu faible et la soupçonnait de concocter en douce quelques bons petits plats à l'aide d'un sortilège.

Malgré, ou peut-être grâce à l'absence de Marcia, le dîner se passa fort agréablement. Le rat coursier savait captiver un auditoire. Silas n'ayant pas pris la peine de défaire le sort qu'il lui avait jeté (« **Parley, Rattus Rattus** »), il se montrait intarissable sur les sujets qui lui tenaient à cœur, depuis le manque de savoir-vivre de la jeune génération de rats jusqu'au scandale qui avait suivi la découverte de saucisses de rat à la cantine de la garde du palais, suscitant l'émoi de toute la communauté des rongeurs, sans parler des gardes eux-mêmes.

Vers la fin du repas, Zelda demanda à Silas s'il avait l'intention de renvoyer le rat à Sarah ce soir-là.

Cette perspective semblait inquiéter le rat. Même s'il était un grand garçon capable de se « débrouiller tout seul », comme il aimait à le claironner, il ne tenait pas particulièrement à traîner dans les marais de Marram en pleine nuit. Les ventouses d'une nixe pouvaient être fatales à un rat de son espèce, et ni les bobelins ni les boggarts ne figuraient parmi ses compagnons de prédilection. Les bobelins étaient capables d'entraîner un rat dans les fagnes rien que pour s'amuser, et un boggart affamé aurait été trop heureux de servir un ragoût de rat à ses enfants – des petits monstres voraces, de l'avis du rat coursier.

(Bien entendu, le boggart ne s'était pas joint à eux pour dîner. Ce n'était pas dans ses habitudes. Il préférait déguster les sandwichs au chou bouilli que lui préparait tante Zelda dans la quiétude de sa flaque de boue. Pour sa part, cela faisait une éternité qu'il n'avait pas mangé de rat. Il n'en appréciait guère le goût, et les minuscules os restaient coincés entre ses dents.)

198

– J'étais justement en train de me dire qu'il vaudrait mieux le renvoyer demain matin, déclara Silas. Il a fait un long voyage et souhaite certainement se reposer.

Le rat parut soulagé :

– Une sage décision, monseigneur. Plus d'un message s'est perdu faute de repos et d'un bon dîner. Je dois dire que celui-ci était fort... original, chère madame.

D'un signe de la tête, il remercia tante Zelda qui lui sourit :

– Tout le plaisir était pour moi.

– *Ce rat est-il assermenté ?* interrogea la poivrière avec la voix de Marcia.

Tout le monde sursauta.

– Tu pourrais prévenir avant de projeter ta voix, protesta Silas. J'ai failli avaler une carotte de travers.

– *Est-ce qu'il l'est ?* insista la poivrière.

– Es-tu assermenté, oui ou non ? demanda Silas au rat qui, pour une fois, restait sans voix.

Ne sachant s'il devait répondre à Silas ou à la poivrière, le rat opta pour cette dernière :

– Tout à fait, mademoiselle Poivrière. Je suis un rat long-courrier assermenté, pour vous servir.

– Dans ce cas, j'arrive.

Marcia dévala l'escalier, son livre à la main, et traversa la pièce telle une tornade, balayant le sol de sa cape et renversant plusieurs fioles de potions au passage. Jenna trottinait derrière elle, impatiente de voir enfin un rat coursier.

– Qu'est-ce que c'est petit ici ! se plaignit Marcia en frottant sa cape pour effacer les traces multicolores laissées par les

Mélanges Miroitants de Zelda. Comment peut-on vivre dans un endroit pareil ?

– J'y arrivais très bien avant que tu débarques, grommela Zelda entre ses dents pendant que Marcia prenait place à côté du rat coursier.

Celui-ci devint tout pâle sous sa fourrure. Même dans ses rêves les plus fous, il n'avait jamais imaginé s'asseoir un jour auprès de la magicienne extraordinaire. Il s'inclina très bas, si bas qu'il perdit l'équilibre et tomba dans le reste de délice aux cerises et aux carottes sauvages.

– Silas, je veux que tu raccompagnes ce rat, annonça Marcia.

– Quoi ? Maintenant ?

– Je ne suis pas habilité à transporter des passagers, Votre Honneur, objecta le rat d'un ton hésitant. En fait, Votre Grâce, et ce malgré l'immense respect que je...

– **Silentium, Rattus Rattus !**

Le rat ouvrit et referma plusieurs fois la bouche avant de comprendre qu'il n'en sortait aucun son. Il se rassit alors et lécha sans enthousiasme les miettes de dessert sur ses pattes. Il était forcé de patienter. En effet, un rat coursier ne pouvait s'en retourner sans une réponse ou un refus de répondre. N'ayant reçu ni l'un ni l'autre, en bon professionnel qu'il était, il se prépara à attendre et songea avec amertume à la réaction de sa femme ce matin-là, quand il lui avait annoncé qu'il partait délivrer un message à un magicien.

– Stanley, lui avait dit Dawnie, à ta place, j'éviterais ces gens-là comme la mort-aux-rats. Rappelle-toi le mari d'Elli : une petite grosse à la tour lui a jeté un sort et il s'est retrouvé dans une marmite, baignant dans la sauce d'un ragoût. Il n'est rentré que deux semaines plus tard, et dans quel état ! Stanley, par pitié, n'y va pas.

Mais Stanley était secrètement flatté que le Bureau l'ait chargé d'une commission en dehors du Château, surtout pour un magicien. Cela le changeait de la routine. Il venait de passer une semaine à jouer les intermédiaires entre deux sœurs qu'une querelle opposait. Au fil des jours, leurs messages étaient devenus de plus en plus laconiques et injurieux. La veille, son travail avait consisté à courir d'une sœur à l'autre sans dire un mot, chacune souhaitant faire savoir à l'autre qu'elle ne voulait plus lui parler. Il avait été fortement soulagé quand la mère des deux filles, horrifiée par le montant de la facture que lui avait adressée le Bureau, avait subitement résilié son contrat.

Aussi était-ce d'un cœur léger que Stanley avait répondu à son épouse que le devoir l'obligeait à partir.

– Après tout, avait-il ajouté, je suis un des rares rats long-courriers assermentés du Château.

– Et aussi un des plus bêtes, lui avait-elle rétorqué.

Assis sur la table parmi les restes du repas le plus étrange qu'il avait jamais mangé, Stanley écoutait à présent la magicienne extraordinaire (il ne l'imaginait pas aussi revêche) donner des ordres au magicien ordinaire. Elle jeta le livre sur la table avec une telle force que les assiettes s'entrechoquèrent.

– J'ai parcouru *L'Art de vaincre la Ténèbre,* un ouvrage inestimable. Je regrette de ne pas en avoir un exemplaire à la tour.

Ce disant, elle tapotait la couverture du grimoire d'un air approbateur. Se méprenant sur ses intentions, celui-ci fila comme une flèche pour reprendre sa place dans la pile de livres de Zelda, ce qui n'arrangea pas l'humeur de Marcia.

– Silas, je veux que tu ailles récupérer mon **talisman** auprès de Sally. Nous en avons besoin ici.

– D'accord.

– Silas, tu dois y aller *maintenant*. Notre sécurité en dépend. Sans lui, j'ai moins de pouvoir que je le croyais.

– J'ai dit d'accord, Marcia, fit Silas, absorbé dans ses pensées au sujet de Simon.

– En tant que magicienne extraordinaire, je t'ordonne d'y aller, insista Marcia.

– Ça va, ça va ! J'ai compris. De toute façon, je n'avais pas l'intention de rester. Simon a disparu. Je pars à sa recherche.

– Bien ! (Comme d'habitude, Marcia n'avait pas écouté un traître mot de ce qu'avait dit Silas.) À présent, où est ce rat ?

Le rat, toujours muet, leva la patte.

– Ton message est ce magicien. Retour à l'expéditeur. Compris ?

Stanley hocha la tête d'un air hésitant. Il aurait aimé dire à la magicienne extraordinaire que sa requête allait à l'encontre du règlement. Les rats coursiers n'acheminaient pas de paquets, qu'ils soient humains ou non. Il soupira. Que n'avait-il écouté son épouse !

– Tu t'assureras que ce magicien arrive sain et sauf à destination en employant les moyens idoines. Compris ?

Stanley acquiesça de mauvaise grâce. « Les moyens idoines » ? En clair, cela voulait dire qu'il ne fallait pas compter que Silas remonte la rivière à la nage ou fasse un bout de la route dans la sacoche d'un colporteur. Quelle déveine !

Le magicien vint au secours du rat :

– Inutile de me traiter comme un vulgaire colis. Je prendrai un des canoës. Le rat montera avec moi et m'indiquera le chemin.

– À ton aise. Mais je veux qu'il me confirme que la commande a bien été enregistrée. **Parley, Rattus Rattus.**

– Votre commande a bien été enregistrée, dit Stanley d'une voix à peine audible.

Silas et le rat coursier partirent le lendemain au lever du jour, à bord de la *Muriel 1*. Le haar s'était dissipé pendant la nuit et des ombres immenses s'étendaient sur les marais dans la clarté grise de l'aube.

Jenna, Nicko et Maxie s'étaient levés tôt pour dire au revoir à Silas et lui confier des messages destinés à Sarah et aux garçons. L'air glacial transformait leur haleine en petits nuages blancs. Silas s'enveloppa dans son épais manteau de laine bleue et releva sa capuche. Debout à ses côtés, le rat coursier était secoué de légers frissons, et pas seulement à cause du froid : il entendait juste derrière lui le souffle rauque de Maxie que Nicko retenait fermement par son foulard et, comme si cela ne suffisait pas, il venait d'apercevoir le boggart.

– Ah ! Boggart, s'exclama tante Zelda, tout sourire. Tu es bien aimable d'avoir veillé aussi tard. Voici des sandwichs pour te sustenter. Je les dépose dans le canoë. J'en ai également préparé pour le rat et toi, Silas.

– Oh ! Merci, Zelda. Qu'as-tu mis dedans, au juste ?

– De l'excellent chou bouilli.

– Ah ! C'est très... gentil de ta part.

Silas se réjouissait d'avoir glissé un peu de pain et de fromage dans sa manche.

Le boggart flottait à la surface du fossé, la mine renfrognée. L'allusion aux sandwichs n'avait pas suffi à l'amadouer. Il détestait sortir le jour, même en plein hiver. Ses yeux myopes supportaient mal la lumière et il risquait un coup de soleil sur les oreilles s'il n'y prenait garde.

Le rat coursier se faisait tout petit sur la berge, coincé entre l'haleine du chien et celle du boggart.

– Monte, lui dit Silas. J'imagine que tu voudras t'asseoir devant. C'est la place préférée de Maxie.

– Je ne suis pas un chien, répliqua Stanley d'un air pincé. Et je n'ai pas pour habitude de voyager avec des boggarts.

– Celui-ci est inoffensif, lui assura tante Zelda.

– Il n'existe pas de boggart inoffensif, marmonna Stanley.

Apercevant Marcia qui sortait de la maison pour saluer Silas, il se tut et jugea plus sage de sauter dans le canoë pour se cacher sous le banc.

– Sois prudent, papa, dit Jenna en serrant Silas dans ses bras.

Nicko l'étreignit à son tour :

– Retrouve Simon, papa. Et n'oublie pas : quand tu remonteras la rivière, serre la berge au plus près. Le courant est toujours plus fort au milieu.

– Je n'y manquerai pas. Quant à vous deux, prenez bien soin l'un de l'autre. Et de Maxie.

– Au revoir, papa !

204

Maxie se mit à geindre et à japper quand il comprit, à son grand désespoir, que Silas avait bien l'intention de le laisser.

– Au revoir !

Silas agitait la main tout en guidant tant bien que mal le canoë, tandis que le boggart lançait sa sempiternelle question : « Ça suit ? »

Le canoë s'éloigna lentement, suivant les méandres du fossé, avant de se perdre dans l'immensité des marais de Marram. Nicko et Jenna l'accompagnèrent du regard tant qu'ils purent distinguer la capuche bleue de Silas.

– J'espère que papa s'en sortira, murmura la petite fille. Il n'a aucun sens de l'orientation.

– Le rat coursier veillera à ce qu'il arrive à bon port, affirma Nicko. Il sait que dans le cas contraire, il devrait rendre des comptes à Marcia.

Assis dans le canoë au cœur des marais de Marram, le rat coursier ne quittait pas des yeux le premier paquet qu'on lui avait jamais confié. Il avait décidé de ne pas en parler à Dawnie ni à ses supérieurs du Bureau. *Tout cela n'est pas très régulier*, pensa-t-il en soupirant intérieurement.

Mais au bout d'un moment, alors que le canoë progressait lentement à travers le dédale de canaux qui formaient le marais, il commença à entrevoir le bon côté de la situation. Il avait un moyen de transport assuré jusqu'à destination et n'aurait qu'à raconter des histoires et profiter de la balade pendant que Silas ferait tout le travail.

Il était résolu à s'en tenir à ce plan quand Silas dit au revoir au boggart au bout de la passe de Deppen et entreprit de remonter la rivière pour rejoindre la Forêt.

✛ 22 ✛
MAGYK

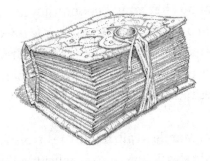

Ce soir-là, le vent d'est soufflait fort sur les marais.

Tante Zelda ferma les volets de bois et lança un **sort de verrouillage** à la chatière à l'aide d'un sort après s'être assurée que Bert était à l'intérieur. Puis elle fit le tour de la maison, allumant les lampes et plaçant des lanternes-tempête sur les rebords des fenêtres pour tenir le vent à distance. Elle comptait passer la soirée tranquillement assise à son bureau, à mettre à jour sa liste de potions.

Mais Marcia l'avait devancée. Elle était occupée à feuilleter de petits livres de **Magyk** et à prendre des notes. De temps à autre, elle essayait un sort pour voir s'il fonctionnait encore. On entendait alors un bruit sec, comme un bouchon qui saute, accompagné d'une bouffée de fumée à l'odeur bizarre. Tante Zelda n'était pas très contente non plus des transformations que Marcia avait apportées à son bureau. La magicienne extraordinaire avait doté ce dernier de pattes de canard pour

207

l'empêcher de branler et d'une paire de bras qui l'aidaient à mettre de l'ordre dans ses papiers.

– Quand vous aurez terminé, j'aimerais bien récupérer mon bureau, dit-elle d'un ton irrité.

– Faites comme chez vous, répondit joyeusement Marcia.

Elle emporta un petit livre carré pour le lire au coin du feu, laissant le dessus du bureau dans un désordre épouvantable. Zelda balaya ses paperasses du revers de la main avant que les bras aient pu les rattraper et se laissa tomber sur sa chaise avec un soupir.

Entre-temps, Marcia avait rejoint les trois enfants près de la cheminée. Elle s'assit avec eux et ouvrit le livre, dont Jenna parvint à déchiffrer le titre :

Sors de protection
et carmes de conjuration
à l'usage des débutants
et des simples d'esprit
Recueil garanti par la Ligue d'assurance mutuelle des magiciens.

– Les simples d'esprit ? s'exclama Jenna. Ce n'est pas très gentil !

– Ne faites pas attention. La formule est un peu désuète, mais ces vieux ouvrages sont souvent les meilleurs. Tout allait beaucoup mieux quand les magiciens n'essayaient pas de passer à la postérité en tripatouillant des sorts déjà existants. C'est comme ça que les ennuis arrivent. Une fois, j'ai trouvé un **sort de télékinésie** qui paraissait assez facile. La toute dernière édition, avec une collection de **charmes** qui n'avaient

208

jamais servi. Ça aurait dû me mettre la puce à l'oreille. Quand j'ai voulu l'utiliser pour qu'il m'**apporte** mes bottines en python, il m'a **apporté** le serpent avec. On peut rêver mieux pour commencer la journée.

Tout en parlant, Marcia tournait rapidement les pages du livre.

– Hier, je suis tombée sur une **formule d'invisibilité simplifiée**. Elle devrait être quelque part par là... Ah ! La voici.

Jenna jeta un coup d'œil au livre jauni par-dessus l'épaule de Marcia. Comme dans tous les manuels de **Magyk**, chaque page était consacrée à un sort ou à une incantation différente. Dans les ouvrages les plus anciens, celles-ci étaient soigneusement tracées à la main avec des encres aux teintes étranges et variées. Le bas de la page était plié, formant une pochette dans laquelle on glissait les **charmes** qui constituaient l'empreinte magique des sorts. S'ils étaient le plus souvent rédigés sur un bout de parchemin, ils pouvaient prendre n'importe quelle forme. Marcia avait vu des **charmes** écrits sur de la soie, du bois, des coquillages et même sur un toast, mais ce dernier n'avait pas fonctionné car les souris en avaient grignoté une partie.

C'est ainsi que fonctionnaient les livres de **Magyk** : l'inventeur d'un sort notait la formule et les instructions sur le premier objet qui lui tombait sous la main. En effet, mieux valait ne pas perdre de temps car les magiciens étaient réputés pour leur distraction et la **Magyk** s'évaporait quand on tardait à la recueillir. Si l'inspiration lui venait alors qu'il prenait son petit déjeuner, il pouvait très bien utiliser un toast (de préférence non beurré). Le nombre de **charmes** correspondait au nombre de fois où le magicien avait recopié la formule, ou à celui des toasts qu'il avait prévu de manger.

Dès qu'un magicien avait réuni suffisamment de sorts, il en faisait un recueil, même si la plupart des livres de **Magyk** étaient des compilations d'ouvrages antérieurs qui avaient fini par tomber en morceaux et qu'on avait mêlés pour en créer de nouveaux. Un livre de **Magyk** complet avec tous ses **charmes** encore dans leurs pochettes était un trésor rare. Il était beaucoup plus courant de trouver un livre presque vide, avec à peine quelques exemplaires des **charmes** les moins usités.

Certains magiciens se limitaient à un ou deux **charmes**, même pour les sorts les plus compliqués. Il était alors très difficile de s'en procurer des copies, même si la plupart des **charmes** se trouvaient à la bibliothèque de la Pyramide. De toutes les commodités offertes par la tour du Magicien, c'était la bibliothèque que Marcia regrettait le plus. Toutefois, elle avait été heureusement surprise par la collection de livres de Zelda.

– Tenez, choisissez un **charme**, dit-elle en tendant le livre à Jenna.

Jenna prit le livre. Il était lourd pour sa taille. La page qu'elle avait sous les yeux portait de nombreuses traces de doigts. Le titre de la formule, tracé d'une main ferme à l'encre violet pâle, était facile à déchiffrer :

Comment devenir invisible ?
Un sors précieux et fort esmé
des personnes qui veulent échapper aux malveillants
pour leur propre sécurité ou celle d'un tiers

Ces mots suscitèrent un malaise chez Jenna. (Elle préférait ne pas penser aux gens qui pouvaient lui vouloir du mal.) Elle glissa la main à l'intérieur de la pochette en papier épais qui contenait les **charmes**. Ils étaient plats et lisses. Ses doigts se refermèrent sur l'un d'eux et sortirent un jeton ovale en ébène poli.

– Bien ! fit Marcia d'un air approbateur. Aussi noir que la nuit. Pouvez-vous lire ce qui est écrit dessus ?

Jenna plissa les yeux, s'efforçant de décrypter les pattes de mouche tracées dans une écriture vieillotte sur le palet d'ébène. Marcia attrapa une grande loupe qui pendait à sa ceinture, la déplia et la lui tendit :

– Ceci devrait vous aider.

Jenna promena lentement la loupe au-dessus des lettres dorées et lut à voix haute :

> Que je disparaisse aux regarts
> En ruinant tous les espoirs
> Des meschants aux noirs desseings
> Qui me chercheront en vein

– Simple et de bon goût, commenta Marcia. Les mots doivent surgir d'eux-mêmes en cas de besoin. Certaines formules font beaucoup d'effet sur le papier, mais essayez un peu de vous en souvenir dans le feu de l'action ! À présent, nous allons passer à la phase dite d'**imprégnation**.

– Quoi ?

– Vous allez réciter l'incantation en serrant le **charme** dans votre main. Vous devez la répéter mot pour mot. En même temps, vous allez imaginer que le sort agit. C'est le point le plus important.

C'était plus facile à dire qu'à faire, surtout avec Nicko et 412 qui ne la quittaient pas des yeux. Si elle se concentrait sur la formule, elle oubliait de se représenter sa **disparition**. Et si elle se concentrait sur sa **disparition**, la formule lui échappait. À sa dernière tentative, elle avait tout juste, hormis un seul petit mot. Il y avait de quoi devenir folle !

– Essayez encore, lui dit Marcia pour l'encourager. Les gens croient que la **Magyk** est un jeu d'enfant, mais ils ont tort. Vous y étiez presque.

Jenna respira profondément.

– Arrêtez de me dévisager, dit-elle à Nicko et à 412.

Elle devinait toujours quand on l'observait. Les garçons sourirent et regardèrent ostensiblement Bert qui s'agita dans son sommeil.

C'est ainsi que Nicko et 412 manquèrent la première **disparition** de Jenna.

– Vous avez réussi ! s'écria Marcia en battant des mains.

– C'est vrai ? fit la voix de Jenna.

– Hé ! Où es-tu passée ? s'esclaffa Nicko.

– La première fois que l'on tente un sort, son effet se dissipe très rapidement, expliqua Marcia, les yeux fixés sur sa montre. Vous devriez **réapparaître** d'ici une ou deux minutes. Par la suite, cela durera aussi longtemps que vous le souhaiterez.

412 vit la silhouette nébuleuse de Jenna se **détacher** lentement des ombres que projetaient les chandelles de tante Zelda. Il resta bouche bée, brûlant d'en faire autant

– À ton tour, Nicko.

412 se traita intérieurement d'idiot. Comment avait-il pu croire que Marcia s'adresserait à lui ? Il n'appartenait pas à leur monde. Il n'était qu'un griveton de la Jeune Garde, de la vulgaire chair à canon.

– Merci, mais j'ai déjà mon propre **sort d'invisibilité**, répondit Nicko. Je ne voudrais pas qu'il se mélange avec celui-ci.

À sa manière, Nicko était un tâcheron de la **Magyk**. Il ne voyait aucun intérêt à maîtriser plus d'un sort de chaque catégorie. Pourquoi s'encombrer inutilement l'esprit ? Il était persuadé de connaître toutes les formules dont il pouvait avoir besoin et préférait faire de la place dans sa tête pour les informations vraiment indispensables, comme les heures des marées et la technique des nœuds marins.

– Très bien. (Marcia savait qu'elle aurait gaspillé son temps et sa salive à tenter de le faire changer d'avis.) Mais rappelle-toi que seuls les magiciens utilisant la même formule peuvent se voir les uns les autres. Si tu emploies un autre **sort d'invisibilité** que tes compagnons, ceux-ci ne pourront te retrouver, quand bien même ils seraient également **invisibles**. C'est compris ?

Nicko acquiesça mollement de la tête. Il ne voyait pas où était le problème.

– Maintenant, à toi, reprit Marcia en se tournant vers 412.

412 rosit et fixa le bout de ses chaussures. *Elle s'était adressée à lui...* Il mourait d'envie d'essayer le sort, mais il n'aimait pas la façon dont les autres le regardaient et craignait de se ridiculiser.

– Tu devrais essayer, insista Marcia. Je tiens à ce que vous soyez tous capables de **disparaître**.

213

412 releva la tête, surpris. Voulait-elle dire par là qu'elle lui accordait la même importance qu'aux deux autres, ceux qui appartenaient à son monde ?

– Bien sûr qu'il va essayer, fit Zelda à l'autre bout de la pièce.

412 se leva maladroitement et récita tout bas la formule, en veillant à n'estropier aucun mot.

Marcia puisa un nouveau **charme** dans le livre et le lui tendit :

– Et maintenant, l'**imprégnation**.

Quand 412 referma les doigts sur le **charme**, les cheveux qui commençaient à repousser sous son bonnet rouge se dressèrent sur sa nuque et un fourmillement parcourut sa main au passage de la **Magyk**.

– Il n'est plus là ! s'exclama Jenna.

Nicko siffla d'un air admiratif :

– Un vrai courant d'air !

412 fut fâché. Il n'aimait pas qu'on se moque de lui. Et pourquoi Marcia le regardait-elle avec un drôle d'air ? Avait-il fait quelque chose de mal ?

– Reviens ici tout de suite, dit-elle d'un ton qui effraya un peu 412.

Que se passait-il ?

Soudain, une pensée étrange germa dans son esprit. Sur la pointe des pieds, il enjamba Bert, dépassa Jenna en évitant de la frôler et gagna le milieu de la pièce. Aucun regard ne l'avait suivi. Ils avaient tous les yeux fixés sur l'endroit où il se trouvait précédemment.

Un frisson l'envahit. Il avait réussi ! Il était capable de faire de la **Magyk**. Il s'était évaporé ! Personne ne pouvait le voir... Il était libre !

Il sautilla de joie. Personne ne le remarqua. Il leva les bras et les agita au-dessus de sa tête. Aucune réaction. Il tira la langue. Nul ne broncha. À pas de loup, il s'approcha d'une lanterne-tempête dans l'intention de la souffler, mais il se prit les pieds dans le tapis et s'étala de tout son long.

– Te voilà enfin ! dit Marcia d'un air mécontent.

En effet : assis par terre, occupé à frotter son genou endolori, il **réapparaissait** peu à peu devant son public médusé.

– Tu es doué, dit Jenna. Comment as-tu réussi aussi facilement ?

412 secoua la tête. Il n'en avait aucune idée. Ça s'était fait malgré lui. Mais quelle sensation merveilleuse !

Quelque chose semblait perturber Marcia. 412 s'attendait à ce qu'elle le félicite mais apparemment, c'était raté :

– L'**imprégnation** était beaucoup trop rapide. Ça aurait pu mal tourner. Tu risquais de ne plus pouvoir revenir.

Ce que Marcia ne disait pas, c'est qu'elle n'avait jamais vu un novice maîtriser un sort dès son premier essai. Son trouble grandit encore quand 412 lui rendit le **charme** et qu'elle perçut comme une décharge électrique au contact de sa main.

– Non, garde-le, dit-elle en lui redonnant le jeton. Vous aussi, Jenna. Il est préférable que les débutants conservent les **charmes** dont ils pourraient avoir besoin.

412 glissa le **charme** dans la poche de son pantalon. Il n'y comprenait rien. Il se sentait comme ivre de **Magyk** et savait qu'il avait parfaitement réussi le sort. Pourquoi Marcia était-elle fâchée contre lui ? Peut-être la Jeune Garde avait-elle raison en définitive : la magicienne extraordinaire n'était qu'une vieille folle. Au fait, quelles étaient les paroles de la chanson

qu'ils entonnaient chaque matin avant de se rendre à la tour pour espionner les allées et venues des magiciens et de la première d'entre eux ?

> *Aussi folle qu'une écrevisse*
> *Et aussi teigneuse qu'un rat*
> *On en f'ra de la saucisse*
> *Et le chat la bouffera !*

Mais ce couplet ne le faisait plus autant rire. La vraie Marcia n'était pas comme ça. En fait, plus il y réfléchissait et plus il commençait à entrevoir la vérité :

C'était les officiers de la Jeune Garde qui étaient fous.

Marcia, elle, incarnait la **Magyk**.

✢ 23 ✢
LES AILES D'ARGENT

Personne ne dormit beaucoup cette nuit-là.

Le vent d'est agitait les volets, faisait trembler les portes et secouait toute la maison. De temps à autre, un mugissement retentissait dans la cheminée et une violente rafale rabattait la fumée à l'intérieur de la pièce commune, provoquant des quintes de toux chez les trois occupants de la pile d'édredons.

À l'étage, Maxie avait refusé de quitter le lit de son maître et ronflait plus fort que jamais, au grand dam de ses voisines de chambre qui ne pouvaient fermer l'œil.

Tante Zelda se leva en silence et s'approcha de la fenêtre pour regarder dehors, comme toutes les nuits de tempête. Cela avait commencé quand son jeune frère Theo (un changeforme, tout comme leur aîné, Benjamin Heap), fatigué de ramper sur cette terre, avait décidé de s'élever vers le soleil et de demeurer pour toujours en plein ciel, au-delà des nuages. Un soir d'hiver, il s'était présenté chez Zelda pour lui faire ses adieux. À l'aube du jour suivant, assise au bord du fossé, elle l'avait vu **revêtir** sa forme définitive, celle d'un pétrel aux ailes puissantes, puis s'éloigner en direction de la mer au-dessus des marais de Marram. Elle l'avait suivi du regard, sachant qu'elle avait peu de chances de le retrouver un jour. Les pétrels passaient leur existence à survoler les océans et regagnaient rarement le rivage, à moins d'y être poussés par la tempête... Tante Zelda soupira et retourna se coucher sur la pointe des pieds.

Marcia avait fourré sa tête sous son oreiller de duvet dans l'espoir d'échapper aux ronflements du chien et à la plainte stridente du vent. On eût dit que celui-ci, furieux de buter contre le cottage, tentait de le balayer avant de poursuivre son chemin à travers les marais. Mais ce n'était pas seulement le bruit qui la tenait éveillée. Les pensées se bousculaient dans son esprit. Ce soir-là, elle avait vu quelque chose qui laissait présager un avenir radieux, dans un Château enfin délivré de la **Ténèbre**. Les yeux grands ouverts, elle échafaudait des plans.

Au rez-de-chaussée, 412 ne dormait pas non plus. Depuis qu'il avait essayé le sort, il se sentait dans un état bizarre, comme si un essaim d'abeilles tournoyait dans sa tête. Sans doute des petits bouts de **Magyk** étaient-ils restés coincés en lui. Il se demanda comment Jenna pouvait dormir à poings fermés. Elle n'entendait donc pas leur bourdonnement ? Il glissa l'anneau à son doigt et une clarté dorée se répandit dans la pièce. Il eut une inspiration : tout venait de là, le vacarme dans sa tête, les dispositions qu'il avait montrées... Il avait trouvé un anneau magique.

Il repensa à ce qui s'était passé après sa **réapparition**. Lui et Jenna feuilletaient le livre, assis côte à côte, quand Marcia leur avait donné l'ordre de le poser, disant que ce n'était pas un jeu. Plus tard, profitant d'un moment où ils étaient seuls, elle l'avait attiré dans un coin et lui avait murmuré qu'elle souhaitait lui parler le lendemain. En privé. Cela n'annonçait rien de bon.

Il se sentait triste et inquiet. Pour y voir plus clair, il décida alors de dresser une liste selon la méthode de la Jeune Garde. Jusque-là, cela avait toujours marché.

Fait numéro un : il n'était plus obligé de répondre à l'appel le matin : BON.

Fait numéro deux : la nourriture était meilleure : BON.

Fait numéro trois : la gentillesse de tante Zelda : BON.

Fait numéro quatre : l'attitude amicale de la princesse : BON.

Fait numéro cinq : l'anneau magique : BON.

Fait numéro six : la magicienne extraordinaire était fâchée : MAUVAIS.

Il fut étonné. Jamais encore il n'avait obtenu plus de « BONS » points que de « MAUVAIS ». D'un autre côté, le « MAUVAIS » point n'en était que plus effrayant. Pour la première fois de sa vie, 412 avait le sentiment qu'il pouvait perdre quelque chose. Il finit par sombrer dans un sommeil agité et se réveilla très tôt.

Le vent d'est était tombé et toute la maisonnée semblait vivre dans l'espoir.

Tante Zelda était sortie dès l'aube pour voir si la tempête avait poussé des pétrels vers la côte. Ce n'était pas le cas. Elle s'y attendait, même si elle espérait toujours.

Jenna, Nicko et Marcia espéraient un message de Silas.

Maxie espérait le petit déjeuner.

412 n'espérait rien de bon.

– Tu ne manges pas tes grumeaux de porridge ? s'étonna tante Zelda. Hier, tu en as repris deux fois et aujourd'hui, tu y as à peine touché.

412 secoua la tête.

L'inquiétude se peignit sur le visage de Tante Zelda.

– Je te trouve une petite mine. Tu es sûr que ça va ?

412 acquiesça, même si c'était faux.

Après le déjeuner, il pliait son édredon avec autant de soin qu'il le faisait avec sa couverture, tous les matins à la caserne, quand Jenna vint lui demander s'il souhaitait faire un tour à bord de la *Muriel 2*. Nicko et elle avaient l'intention de s'avancer à la rencontre du rat coursier. Elle ne fut pas surprise de son refus, sachant qu'il n'aimait pas les bateaux.

– À plus tard, lui lança-t-elle d'un air joyeux avant de courir rejoindre Nicko.

412 regarda le canoë s'éloigner le long du fossé et s'enfoncer dans le marais. Celui-ci lui parut particulièrement morne et désolé, comme si la tempête de la nuit précédente l'avait nettoyé jusqu'à l'os. Il se réjouit de rester au chaud près de la cheminée.

– Ah ! te voilà, fit la voix de Marcia derrière lui.

412 sursauta.

220

– J'ai deux mots à te dire.

Cette fois, ça y est, pensa 412 le cœur serré. *Elle va me renvoyer à la caserne. J'aurais dû me douter que c'était trop beau pour durer.*

– Tu te sens bien ? interrogea Marcia, le voyant brusquement pâlir. C'est peut-être la tourte aux pieds de cochons d'hier soir. Moi-même, j'ai eu un peu de mal à la digérer. Je n'ai presque pas fermé l'œil, surtout avec cet affreux vent d'est. En parlant de vent, j'estime que ce chien répugnant devrait coucher ailleurs.

412 sourit. Pour sa part, il était content que Maxie dorme à l'étage.

– Je me disais que tu pourrais me faire visiter l'île. J'imagine qu'elle n'a plus de secrets pour toi.

412 leva vers Marcia un regard plein d'angoisse. Avait-elle des soupçons ? Savait-elle qu'il avait découvert le tunnel ?

– Allons, je ne vais pas te manger ! fit Marcia d'un ton enjoué. Tiens, conduis-moi à la mare du boggart. J'ignore comment vivent ces créatures.

Renonçant à regret à la douce chaleur du cottage, 412 se mit en route, guidant Marcia.

À n'en pas douter, ils faisaient une drôle de paire. Lui, l'ex-recrue de la Jeune Garde, semblait toujours aussi chétif malgré son ample veste en mouton et son large pantalon de marin au bas retroussé. Et on le repérait de loin à son bonnet rouge vif qu'il refusait d'ôter, même pour tante Zelda. L'imposante Marcia Overstrand, la magicienne extraordinaire, marchait à ses côtés d'un pas si rapide que par moments, il était presque obligé de courir pour la rattraper. L'or et le platine de sa ceinture étincelaient au soleil d'hiver et sa lourde cape de soie bordée de fourrure ondoyait derrière elle telle une oriflamme pourpre.

Ils atteignirent bientôt la flaque du boggart.

– C'est là ? s'exclama Marcia, un peu choquée qu'on puisse habiter un endroit aussi froid et bourbeux.

412 opina, tout fier d'avoir montré à Marcia quelque chose qu'elle ignorait.

– Eh bien, on en apprend tous les jours. À ce propos, j'ai appris hier quelque chose de très intéressant.

Marcia planta son regard dans celui de 412 sans lui laisser le temps de se dérober. Intimidé, le garçon se balança d'un pied sur l'autre. Cette entrée en matière n'annonçait rien de bon.

– J'ai appris, reprit Marcia en baissant la voix, que tu avais un talent inné pour la **Magyk**. À te voir, on aurait pu croire que tu t'étais entraîné pendant des années. Et pourtant, c'était la première fois que tu tentais un sort, pas vrai ?

412 hocha la tête en fixant le sol. Il avait toujours l'impression d'avoir fait une bêtise.

– C'est bien ce que je pensais. J'imagine que tu n'as connu que la caserne depuis l'âge de, quoi... deux ans et demi ? Pour un peu, la Jeune Garde cueillerait les enfants au berceau.

412 ignorait à quel âge il avait été recruté. Mais comme il ne gardait aucun souvenir d'une vie antérieure, il supposa que Marcia avait raison. Il acquiesça à nouveau.

– C'était bien le dernier endroit où tu risquais de t'initier à la **Magyk** ! Cependant, tu possèdes ta propre énergie magique. Cela m'a fait un choc quand tu m'as tendu le **charme**.

Marcia prit un petit objet brillant dans une poche de sa ceinture et le plaça dans la main de 412. Le garçon baissa les yeux et découvrit une minuscule paire d'ailes en argent, posée sur sa paume crasseuse. Les ailes miroitaient au soleil et on eût dit qu'elles allaient s'envoler d'une seconde à l'autre. En les examinant, il distingua des lettres gravées et damasquinées à l'or fin sur chacune d'elles. Il comprit ce que cela signifiait. Il tenait un **charme** dans sa main. Mais cette fois, c'était un bijou précieux, et non un vulgaire jeton en bois.

– Les **charmes** destinés aux formes supérieures de **Magyk** sont parfois très beaux, expliqua Marcia. On ne trouve pas que des morceaux de toast détrempés. Je me rappelle la première fois où Alther m'a montré celui-ci. Il m'a semblé que je n'avais jamais vu de **charme** à la fois aussi simple et magnifique. Je n'ai pas changé d'avis depuis.

412 ne pouvait détacher son regard des ailes. Sur l'une, on pouvait lire « Envole-toi », et sur l'autre « Avec moi ».

Envole-toi avec moi, répéta-t-il intérieurement. Il aima la façon dont les mots résonnaient dans son esprit. Et soudain...

C'était plus fort que lui.

Il l'avait fait sans même s'en rendre compte.

Il avait prononcé la formule dans sa tête, s'était rêvé en train de voler et...

– Je savais que tu y arriverais ! s'écria Marcia. Je le savais !

412 ignorait de quoi elle parlait. Puis il s'aperçut qu'il se trouvait maintenant à la même hauteur qu'elle. En fait, il la dépassait... Il flottait au-dessus d'elle. Il la regarda, décontenancé, s'attendant à ce qu'elle lui ordonne d'arrêter et de redescendre IMMÉDIATEMENT, comme la veille. Mais à son grand étonnement, elle arborait un sourire radieux et ses yeux verts étincelaient.

– Stupéfiant !

Elle mit sa main en visière et leva les yeux vers 412, suspendu dans les airs au-dessus de la flaque du boggart.

– C'est un sort pour magicien confirmé. Il faut des années d'étude avant de le maîtriser. Je n'y crois pas...

Ce n'était pas la meilleure chose à dire, car 412 n'y croyait pas non plus – pas vraiment.

Il atterrit au milieu de la mare.

– Hèèè ! Vous pouvez pas fiche la paix à un pôv' boggart ?

Deux yeux noirs à l'expression indignée lancèrent un regard de reproche au garçon à demi suffoqué.

– Aaah...

412 chercha sa respiration et se raccrocha au boggart pour se maintenir à la surface.

– J'ai pas dormi tout d'hier, se plaignit le boggart en tirant le garçon vers le bord. J'ai nagé jusqu'à la rivière, avec le soleil dans les yeux et ce rat qu'arrêtait pas de pigner... (Il hissa 412 sur la terre ferme.) Tout ce que j' demande à cette heure, c'est qu'on me laisse dormir. Pas de visites aujourd'hui. Juste roupiller. Compris ? Ça va-t'y, mon gars ?

412 fit oui de la tête sans cesser de tousser et de cracher.

Marcia s'était agenouillée près de lui pour lui essuyer le visage avec un délicat mouchoir en soie zinzolin. Le boggart, aussi myope qu'une taupe, perdit contenance quand il l'aperçut.

– Oh ! Bien le bonjour, Vot' Majesté, dit-il d'un ton plein de respect. J' vous avais point vue.

– Bonjour, Boggart. Désolée de vous avoir dérangé. Merci beaucoup de votre aide. Nous allons partir et vous laisser tranquille.

– Y'a pas d' mal. Tout le plaisir est pour moi.

224

Sur ces paroles, le boggart replongea au fond de la mare, ne laissant que quelques bulles à la surface.

Marcia et 412 reprirent la direction de la maison. Marcia ne prêtait pas attention au fait que le garçon était couvert de boue de la tête aux pieds. Elle avait quelque chose à lui demander. Maintenant qu'elle avait pris sa décision, cela ne pouvait plus attendre :

– Accepterais-tu de devenir mon apprenti ?

412 s'arrêta net et se tourna vers elle. La boue qui maculait son visage faisait ressortir le blanc de ses yeux. Qu'est-ce qu'elle venait de dire ?

– Tu serais le premier. Avant toi, je n'avais jamais rencontré personne qui en soit digne.

412 la regardait d'un air incrédule.

– Je veux dire que je n'avais trouvé personne qui possède l'étincelle magique, expliqua-t-elle. Toi, tu l'as. J'ignore pourquoi ou comment, mais tu l'as. En conjuguant nos pouvoirs, je pense que nous arriverions à conjurer le **Côté Obscur – l'Autre Côté –**, peut-être pour toujours. Qu'en dis-tu ? Tu veux bien être mon apprenti ?

412 était abasourdi. Il ne rêvait pas : la magicienne extraordinaire sollicitait son aide ! Mais elle faisait erreur. Il n'était qu'un imposteur. Son pouvoir lui venait de l'anneau dragon. Même s'il brûlait de dire oui, il ne le pouvait pas.

Il secoua la tête.

– C'est non ? fit Marcia, choquée.

412 acquiesça lentement.

– Non...

Pour une fois, Marcia restait sans voix. Elle n'avait pas envisagé cette éventualité. Nul n'avait encore jamais refusé de devenir l'apprenti d'un magicien extraordinaire – à part cet imbécile de Silas, bien entendu.

– Te rends-tu compte de ce que tu fais ?

412 n'en menait pas large. Il avait réussi à l'indisposer un peu plus.

– Je te demande d'y réfléchir, reprit Marcia d'une voix radoucie. (Elle avait remarqué l'expression terrifiée de 412.) C'est une décision lourde de conséquences pour nous deux... et pour le Château. J'espère que tu changeras d'avis.

Ne voyant pas comment il aurait pu changer d'avis, 412 tendit le **charme** à Marcia afin qu'elle le reprenne. L'éclat des ailes contrastait avec la saleté de sa paume encroûtée. Cette fois, ce fut Marcia qui secoua la tête :

– Il te témoignera que mon offre est toujours valable. Alther me l'a donné quand il m'a proposé de devenir son apprentie. J'ai accepté sans hésiter, mais je comprends que la situation soit différente. Tu as besoin de réfléchir. D'ici là, je souhaiterais que tu gardes le **charme**. Dis-moi, as-tu déjà capturé des insectes ? demanda-t-elle, sautant du coq à l'âne.

412 était très doué pour capturer les insectes. Il en avait élevé plusieurs dans le passé. Lucky le lucane, Milly le mille-pattes et Percy, un gros perce-oreille, figuraient parmi ses favoris. Un temps, il avait même pris soin d'une grosse araignée noire et velue baptisée Joe-la-patte-folle. Cette dernière logeait dans une fissure du mur juste au-dessus de son lit. Puis un jour, il l'avait soupçonnée d'avoir dévoré Percy ainsi que toute sa famille. À la suite de cette malheureuse affaire, il avait exilé

Joe sous le lit de l'élève officier qui avait une peur bleue des araignées.

En un rien de temps, leur tableau de chasse s'éleva à cinquante-sept insectes d'espèces diverses. C'était à la fois plus qu'il n'en fallait et autant que 412 pouvait en transporter.

– Sitôt rentrés, dit Marcia d'un air satisfait, nous sortirons la bassine et les pots.

412 déglutit. C'était donc ça... Elle avait l'intention de préparer des confitures d'insectes !

Il lui emboîta le pas, espérant que ce n'était pas une bestiole pleine de pattes qui le chatouillait en courant le long de son bras.

✣ 24 ✣
LES SENTINELLES VOLANTES

Une odeur atroce de rat bouilli et de poisson pourri s'échappait du cottage tandis que la *Muriel 2* progressait le long du fossé. Jenna et Nicko avaient passé toute la journée sur le marais sans voir la moindre trace du rat coursier.

– Tu imagines s'il était arrivé avant nous et que tante Zelda l'avait fait cuire pour le dîner ? dit Nicko en riant.

Ils avaient accosté et hésitaient à s'aventurer plus loin.

– Oh ! Nicko... J'aimais bien ce rat. J'espère que papa ne tardera pas à le renvoyer.

En se bouchant le nez, ils remontèrent le chemin qui conduisait à la maison. Jenna poussa la porte, pleine d'appréhension.

– Pouah !

La puanteur était encore pire à l'intérieur. Une note subtile de crotte de chat moisie se mêlait à présent aux effluves capiteux de rat bouilli et de poisson pourri.

– Entrez, mes chéris. Nous sommes en pleins préparatifs.

La voix de tante Zelda venait de la cuisine – tout comme l'odeur horrible, s'avisa tout à coup Jenna.

Si c'est ça le dîner, songea Nicko, *j'aime encore mieux manger mes chaussettes !*

– Vous arrivez à point, reprit Zelda d'un ton joyeux.

– Ah bon ?

Nicko se demandait si tante Zelda était naturellement dépourvue d'odorat ou si elle l'avait perdu à force de faire bouillir des choux.

Les deux enfants s'approchèrent à contrecœur. Qu'est-ce qu'elle pouvait mitonner pour que ça sente aussi mauvais ?

Ils furent surpris et soulagés de constater que le dîner n'était pas en cause. En plus, ce n'était pas tante Zelda qui officiait devant le fourneau, mais 412.

412 avait une drôle d'allure dans un costume composé d'un chandail en patchwork trop grand pour lui et d'un bermuda informe en tricot. Son bonnet rouge vissé sur sa tête séchait doucement à la chaleur de la cuisine tandis que le reste de ses vêtements était étendu devant la cheminée.

Il se sentait si mal à l'aise à son retour, le corps entièrement recouvert d'une couche de boue noirâtre et gluante, qu'il avait fini par céder aux injonctions de tante Zelda et pris le chemin de la cabane de bains. En revanche, il avait refusé d'ôter son bonnet, privant ainsi Zelda d'une victoire complète.

229

Toutefois, la brave femme se réjouissait d'avoir enfin pu laver ses vêtements et le trouvait très mignon dans le chandail qu'elle avait confectionné pour Silas lorsqu'il était enfant. 412, lui, se sentait parfaitement ridicule et il détourna la tête pour ne pas croiser le regard de Jenna quand elle entra.

Tante Zelda était assise à la table de la cuisine devant une pile de pots de confiture vides. Elle dévissait les couvercles avant de passer les pots à Marcia. Assise en face d'elle, celle-ci piochait des **charmes** dans un énorme livre intitulé : *Conserves de sentinelles volantes − 500 charmes garantis identiques et efficaces à 100 %. Idéal pour le magicien moderne soucieux de sa sécurité.*

− Venez vous asseoir, dit tante Zelda en leur faisant de la place autour de la table. Nous préparons des **conserves**. Marcia se charge des **charmes**. Si vous voulez, vous pouvez vous occuper des insectes.

Jenna et Nicko s'assirent en faisant attention à respirer par la bouche. Ils s'avisèrent tout à coup que l'odeur émanait de la casserole pleine d'une substance verte et visqueuse que 412 touillait avec beaucoup de soin et de concentration.

− Les voici.

Tante Zelda poussa un grand bol vers les deux enfants. Jenna y jeta un coup d'œil. Il grouillait d'insectes de toutes sortes et de toutes tailles.

− Berk ! fit-elle en frissonnant.

Jenna avait horreur de toutes les bestioles. Nicko n'était guère plus enthousiasmé. Depuis que Fred et Erik avaient glissé un mille-pattes dans son col quand il était petit, il fuyait comme la peste tout ce qui rampait et gigotait. Mais tante Zelda ne voulut rien savoir :

– Ta ta ta ! Ce sont juste des petites bêtes pleines de pattes. Et dites-vous bien qu'elles sont bien plus effrayées que vous. À présent, Marcia va faire circuler un **charme** autour de la table. Nous allons tous le tenir afin que l'insecte s'**imprègne** de notre essence et nous reconnaisse lorsqu'il retrouvera sa liberté. Ensuite, elle le placera dans un pot. Vous deux, vous y déposerez un insecte et le passerez à... 412 qui le remplira de **gelée**. Après quoi, je mettrai le couvercle en place et le visserai bien à fond. À nous tous, nous aurons bientôt terminé.

Ils firent comme elle avait dit, à part que Jenna se retrouva chargée de visser les couvercles : le premier insecte qu'elle tenta d'attraper grimpa le long de son bras et elle se mit à piailler en sautant en tous sens pour le déloger.

Ils virent arriver le dernier pot avec soulagement. Tante Zelda dévissa le couvercle et tendit le bocal à Marcia qui tourna une nouvelle page du livre et en tira un **charme** en forme de minuscule bouclier. Après l'avoir fait circuler de sorte que chacun l'ait une fois en main, elle le lâcha à l'intérieur du pot qu'elle passa à Nicko. Le jeune garçon redoutait cet instant. Le dernier insecte blotti au fond du bol était un gros mille-pattes rougeâtre, identique à celui qui avait rampé le long de son cou des années auparavant. Il tournait en rond, affolé, cherchant une cachette. S'il ne lui avait pas inspiré un tel dégoût, Nicko aurait eu pitié de lui. Mais tout ce qu'il voyait, c'était qu'il allait devoir l'attraper. Marcia avait déjà placé le **charme** dans le bocal. 412 avait puisé une dernière louche de **gelée** visqueuse et répugnante au fond de la casserole. Tout le monde attendait.

Nicko prit une profonde inspiration, ferma les yeux et plongea la main dans le bol. À son approche, le mille-pattes prit la fuite. Nicko le chercha à tâtons, mais la bestiole, plus rapide que lui, courait en tous sens. Ayant fini par repérer un abri – la manche pendante de Nicko –, elle fila dans cette direction.

– Tu l'as eu ! s'exclama Marcia. Il est sur ta manche. Vite, dans le bocal !

N'osant regarder, Nicko secoua frénétiquement sa manche au-dessus du bocal et le renversa. Le **charme** ricocha sur la table, tomba et s'**évanouit** en touchant le sol.

– Fais attention, dit Marcia. Ces **charmes** sont instables.

Elle en puisa un autre qu'elle jeta dans le bocal, oubliant la phase d'**imprégnation**. Le mille-pattes se cramponnait toujours à la manche de Nicko comme à une bouée.

– Dépêche-toi. La **gelée** sera bientôt éventée. Vite !

Elle se pencha vers Nicko et d'une pichenette, elle expédia le mille-pattes directement dans le bocal. 412 se dépêcha de le recouvrir de **gelée** verdâtre. Quand Jenna eut vissé le couvercle à fond, elle posa le bocal sur la table d'un air solennel et chacun put assister à la métamorphose.

Le mille-pattes gisait au fond du pot, traumatisé. Il dormait sous sa pierre préférée quand une chose énorme avec une tête toute rouge l'avait découvert et soulevé dans les airs. Le pire était encore à venir : on l'avait jeté (lui, un solitaire !) parmi un tas d'insectes sales, bruyants et dénués de savoir-vivre qui n'arrêtaient pas de le pousser, le bousculer, quand ils n'essayaient pas de lui mordre les pattes. S'il y avait bien une chose dont il avait horreur, c'était qu'on touche à ses pattes. Il en avait beaucoup et devait veiller à ce qu'elles soient toutes en parfait état de marche, sous peine de gros ennuis. Une seule patte abîmée et on n'était plus bon qu'à tourner en rond, éternellement. Il s'était alors frayé un chemin à travers ce ramassis de vauriens pour bouder dans son coin. Soudain, il s'était avisé que les autres insectes avaient tous disparu et qu'il n'avait nulle part où se cacher. Pour un mille-pattes, l'absence de cachette est synonyme d'une mort certaine. Son sort était scellé : il flottait à présent dans une épaisse substance verte et quelque chose de terrible était en train de lui arriver. L'une après l'autre, ses pattes se détachaient !

Et ce n'était pas tout : son long corps admirablement profilé devenait plus court, plus ramassé. Il avait maintenant la forme d'un triangle, avec une petite tête pointue. Son dos s'ornait d'une paire d'ailes vertes aussi solides qu'une carapace et son abdomen était recouvert d'écailles également vertes. Plus grave : il n'avait plus que QUATRE pattes... Quatre pattes vertes et robustes. *Si toutefois on pouvait appeler ça des pattes*, songea-t-il. Ce n'était pas ainsi qu'il voyait la chose. Il y en avait deux en haut et deux en bas. Celles du haut étaient terminées par cinq pointes qu'il pouvait remuer et l'une d'elles tenait une minuscule pique en métal. Celles du bas reposaient sur deux supports plats et évasés, eux-mêmes garnis de pointes. Un véritable désastre. Quel genre de créature pouvait bien vivre avec seulement quatre pattes munies d'extrémités pointues ?

Cette créature avait un nom, même si le mille-pattes l'ignorait. C'était une sentinelle volante.

Sa transformation achevée, l'ex-mille-pattes était toujours englué dans l'épaisse **gelée** verte. Mais il bougeait lentement, comme pour tester ses nouvelles caractéristiques. Il ouvrait des yeux étonnés sur le monde qu'il distinguait à travers un halo verdâtre, attendant le moment où il recouvrerait sa liberté.

– La parfaite sentinelle volante, déclara fièrement Marcia en levant le bocal vers la lumière afin d'admirer son contenu. C'est notre plus beau spécimen. Bravo à tous.

En un rien de temps, les cinquante-sept pots de confiture furent installés sur les rebords des différentes fenêtres du cottage pour en défendre l'accès. On ne pouvait retenir un frisson à la vue de ces créatures d'un vert éclatant qui nageaient rêveusement dans leur gelée, plongées dans une léthargie qui prendrait fin à l'instant où une main dévisserait le couvercle de leur bocal pour les libérer. Jenna demanda à Marcia ce qui se passerait alors ; elle lui répondit que les sentinelles se précipiteraient dehors pour les défendre jusqu'à leur dernier souffle, à moins que quelqu'un ne parvienne à les attraper et à les faire rentrer dans leur bocal, ce qui était peu probable. Une fois relâchée, une sentinelle volante était prête à tout pour ne plus jamais se trouver enfermée.

Assise près de la porte, Jenna écoutait les bruits provenant de la cuisine où tante Zelda et Marcia étaient occupées à nettoyer les pots et les casseroles. À la tombée de la nuit, cinquante-sept flaques de lumière verte phosphorescente se reflétèrent sur les dalles claires du sol, chacune contenant une ombre minuscule qui se mouvait avec lenteur, attendant l'heure de la délivrance.

✠ 25 ✠
LA SORCIÈRE DE WENDRON

À minuit, toute la maisonnée était endormie, sauf Marcia.

Le vent d'est s'était à nouveau levé, apportant cette fois de la neige. Sur les rebords des fenêtres, les pots faisaient entendre des tintements plaintifs : leurs occupants s'agitaient, gênés par la tempête qui soufflait à l'extérieur.

Assise devant le bureau de Zelda, Marcia lisait à la lueur tremblotante d'une toute petite bougie pour ne pas réveiller les enfants qui dormaient près de la cheminée. L'ouvrage qui l'absorbait était *L'Art de vaincre la Ténèbre*.

Dehors, les yeux au ras de l'eau pour éviter d'être aveuglé par la neige, le boggart veillait sur le cottage depuis le fossé, seul dans la nuit.

Loin de là, au cœur de la Forêt, Silas veillait également dans la nuit et la solitude. La neige était maintenant assez lourde pour s'infiltrer dans l'enchevêtrement des branches dénudées. Debout sous un orme grand et robuste, le corps secoué de légers frissons, il attendait Morwenna Mould.

Morwenna Mould et Silas étaient de vieilles connaissances. Du temps de son apprentissage, une nuit où Alther l'avait chargé d'une course dans la Forêt, il avait entendu des hurlements à faire dresser les cheveux sur la tête. Une meute de gloutons avait dû acculer une proie et s'apprêtait à la mettre à mort. Silas n'imaginait que trop la terreur de la pauvre bête encerclée par des dizaines d'yeux jaunes étincelants. Il s'était trouvé un jour dans cette situation et n'était pas près de l'oublier. Mais il avait eu de la chance : il avait jeté à ses agresseurs un **sort pétrifiant** avant de fuir à toutes jambes.

Cette fameuse nuit, cependant, une voix faible avait retenti dans sa tête : « Au secours... »

Alther lui avait appris à tenir compte de ce genre de signes, aussi s'était-il laissé guider par la voix. Celle-ci l'avait conduit à la meute de gloutons. À l'intérieur du cercle se tenait une jeune sorcière, aussi immobile qu'une statue.

Silas avait d'abord cru qu'elle était simplement paralysée par la peur. Elle avait les yeux écarquillés, les cheveux emmêlés d'avoir couru à travers bois pour échapper à ses poursuivants et sa lourde cape noire l'enveloppait étroitement.

Il lui avait fallu quelques secondes pour comprendre que dans l'affolement, la sorcière novice s'était **pétrifiée** elle-même. Une aubaine pour les gloutons, qui n'avaient pas connu de proie aussi facile depuis le dernier exercice d'orientation de la Jeune Garde. Soudain, il les avait vus se mettre en mouvement, alléchés par la perspective d'un savoureux dîner. Lentement mais sûrement, le cercle se resserrait autour de la malheureuse. Silas attendit de les avoir tous dans son champ de vision pour **pétrifier** la meute entière. Ne sachant comment **annuler** la formule de la sorcière, il avait ensuite soulevé celle-ci (par chance, elle était particulièrement menue et légère) et l'avait conduite en sécurité. Puis il avait attendu à ses côtés que le sort se dissipe avec le lever du jour.

Morwenna Mould n'avait jamais oublié ce que Silas avait fait pour elle. Depuis lors, chaque fois qu'il s'aventurait dans la Forêt, il savait qu'il n'avait rien à craindre des sorcières de Wendron. Il savait aussi que Morwenna Mould lui viendrait toujours en aide en cas de besoin. Pour cela, il n'aurait qu'à rester posté près de son arbre à minuit, comme il s'était décidé à le faire après toutes ces années.

– Eh bien, n'est-ce pas mon magicien préféré que j'aperçois ? Silas Heap, qu'est-ce qui t'amène ici, précisément la nuit du solstice d'hiver ?

Une voix un peu sourde, aussi ténue que le bruissement des feuilles sur les branches des arbres, avait jailli de l'obscurité. Troublé, Silas se redressa et regarda autour de lui.

– C'est toi, Morwenna ?

– Et qui voudrais-tu que ce soit ?

Morwenna surgit de la nuit au milieu d'une rafale de neige. Sa cape de fourrure noire était saupoudrée de blanc, de même que ses longs cheveux sombres, maintenus en place par le traditionnel bandeau de cuir vert des sorcières de Wendron. Ses yeux bleus étincelaient dans l'ombre, comme ceux de toutes les sorcières. Elle avait longuement observé Silas sous son orme avant de juger que la voie était libre.

– Bonsoir, Morwenna, dit Silas, brusquement intimidé. Tu n'as pas changé.

237

Ce n'était pas tout à fait exact. Morwenna avait pris des formes depuis leur dernière rencontre. À présent, Silas aurait eu le plus grand mal à la soulever et à la soustraire à une meute de gloutons salivant de convoitise.

– Toi non plus, Silas Heap. Tu as gardé tes cheveux blonds en bataille et tes adorables yeux verts. Que puis-je pour toi ? Il y a longtemps que j'attends l'occasion de m'acquitter de ma dette. Une sorcière n'oublie jamais.

Silas était mal à l'aise. Il ne savait pas pourquoi, mais il se sentait quelque peu écrasé par la haute silhouette de Morwenna. Il se demanda s'il avait bien fait de lui donner rendez-vous.

– Euh... Tu te souviens de mon fils Simon ?

– Oui, Silas. Je me rappelle que tu avais un petit garçon portant ce nom. Tu m'as parlé de lui pendant que je me **dépétrifiais**. Il avait des soucis avec ses dents et ton sommeil en pâtissait. Comment vont ses dents ?

– Ses dents ? Bien. Enfin, je crois. Il a dix-huit ans, et cela fait deux nuits qu'il a disparu dans la Forêt.

– Ah ! C'est ennuyeux. Il y a des **choses** qui rôdent dans la Forêt... Des **choses** qu'on n'avait jamais vues par ici. Cela vient du Château. Il n'est pas bon qu'un jeune garçon les rencontre, surtout s'il est magicien, Silas Heap.

Morwenna posa une main sur le bras de Silas qui sursauta.

– Les sorcières sentent ces **choses**, ajouta-t-elle dans un murmure rauque.

Silas émit un couinement pour toute réponse. Morwenna était réellement irrésistible. Il avait oublié combien une sorcière de Wendron en pleine maturité pouvait être **puissante**.

– Nous savons qu'une **Ténèbre** redoutable s'est levée au cœur même du Château. Dans la tour du Magicien, rien de moins. C'est peut-être elle qui a **capturé** ton fils.

– J'espérais que tu l'aurais aperçu, dit Silas, dépité.

– Non. Mais je le chercherai. Et si je le retrouve, je te le rendrai sain et sauf. Tu n'as aucune crainte à avoir.

– Merci, Morwenna.

– Ce n'est rien auprès de ce que tu as fait pour moi, Silas. Je serai trop heureuse de t'aider, si toutefois je le puis.

– Si... si tu apprends quelque chose, tu nous trouveras chez Galen – tu sais, l'arbre-maison ? C'est là que je séjourne avec Sarah et les garçons.

– Tu as d'autres garçons ?

– Oui. Cinq de plus. Nous en avons eu sept en tout, mais...

– Sept fils. Un don du ciel. Le septième du septième... Quoi de plus magique ?

– Il est mort.

– Oh ! Désolée. C'est une grande perte. Pour nous tous. Nous aurions bien besoin de lui aujourd'hui.

– Assurément.

– Je dois te laisser à présent. Je vais placer l'arbre-maison et tous ses occupants sous notre protection, pour autant qu'elle puisse contrer l'avancée de la **Ténèbre**. Et je vous invite tous à vous joindre à nous pour la fête du solstice d'hiver, demain.

– Merci beaucoup, Morwenna, dit Silas, sincèrement ému. C'est très aimable à toi.

– D'ici à ce que nous nous revoyions, je te souhaite bonne route et un joyeux solstice d'hiver, Silas.

239

Sur ces paroles, la sorcière de Wendron s'enfonça à nouveau dans la Forêt, laissant Silas seul sous le grand orme.

– Au revoir, Morwenna, murmura-t-il dans la nuit, puis il s'éloigna en toute hâte à travers la neige et regagna l'arbre-maison où Sarah et Galen attendaient son compte rendu.

Le lendemain matin, il était parvenu à la même conclusion que Morwenna : Simon avait dû être **capturé** et conduit au Château. Quelque chose lui disait qu'il se trouvait là-bas.

Sarah n'était pas convaincue.

– Tu fais beaucoup trop de cas de l'avis de cette... sorcière. Rien ne prouve qu'elle a raison. Imagine que Simon soit quelque part dans la Forêt et que tu te fasses **prendre**. Hein ?

Mais Silas se montra inflexible. Après avoir **échangé** sa robe contre la tunique grise à capuchon d'un ouvrier, il fit ses adieux à Sarah et aux garçons et descendit le long du tronc de l'arbre-maison. Les odeurs de cuisine de la fête du solstice d'hiver des sorcières de Wendron faillirent le dissuader de partir, mais c'est d'un pas décidé qu'il se mit en route afin de rechercher Simon.

– Silas ! appela Sally comme il venait de poser le pied sur le sol de la Forêt. Attrape !

Elle lui jeta le **talisman** que Marcia lui avait confié et Silas le rattrapa au vol.

– Merci, Sally, cria-t-il en levant la tête.

Sarah le vit rabattre son capuchon sur ses yeux et prendre le chemin du Château après leur avoir lancé par-dessus son épaule :

– Ne vous inquiétez pas. Je serai bientôt de retour. Avec Simon.

Il avait beau dire, elle s'inquiétait. Et il n'était pas encore rentré.

✠ 26 ✠
LA FÊTE DU SOLSTICE D'HIVER

– **M**erci beaucoup, Galen, mais je n'irai pas au banquet des sorcières, annonça Sarah peu après le départ de Silas. Chez les magiciens, on ne fête pas le solstice d'hiver.

– Eh bien, moi, j'y vais, lui rétorqua Galen. Et je crois que nous devrions tous en faire autant. On ne décline pas inconsidérément l'invitation d'une sorcière de Wendron, Sarah. C'est un grand honneur qu'elles nous font là. Je n'en reviens pas que Silas ait réussi à nous faire tous inviter.

– Peuh ! bougonna Sarah.

Mais au fil des heures, comme un délicat fumet de glouton rôti se répandait dans la Forêt et montait vers l'arbre-maison,

241

les garçons devinrent de plus en plus difficiles à contenir. En effet, Galen se nourrissait exclusivement de légumes, de racines et de noix – un régime adapté à des lapins, comme l'avait remarqué bien fort Erik à l'issue du premier repas qu'ils avaient pris en commun.

Il neigeait dru quand Galen ouvrit la trappe de l'arbre-maison. En s'aidant d'un ingénieux système de poulies conçu par elle-même, elle descendit la longue échelle de bois jusqu'à ce qu'elle repose sur la neige qui recouvrait à présent le sol. La maison s'élevait sur une suite de plates-formes reliant trois chênes très anciens. Elle faisait partie intégrante des arbres depuis qu'ils avaient atteint leur taille définitive, plusieurs siècles auparavant. Au fil du temps, des cabanes avaient poussé de façon anarchique sur les plates-formes. Grâce à leur manteau de lierre, elles se fondaient dans le feuillage au point d'être invisibles depuis le sol.

Sam, Fred, Erik et Jo-Jo partageaient la cabane d'amis au faîte de l'arbre du milieu. Une corde leur permettait de gagner la Forêt par leurs propres moyens. Tandis qu'ils se disputaient le droit de descendre en premier, Galen, Sarah et Sally sortaient plus tranquillement par la grande échelle.

Galen s'était mise en grande toilette pour la fête du solstice d'hiver. Elle savait quel événement c'était pour y avoir déjà pris part, des lustres auparavant, après qu'elle eut guéri l'enfant d'une sorcière. Galen était une petite femme au visage tanné par la vie au grand air de la Forêt. Ses cheveux roux ébouriffés étaient coupés ras et ses yeux gris riaient en permanence. Elle portait le plus souvent une tunique verte très simple avec des jambières et une grande cape. Mais pour l'occasion, elle avait revêtu une robe tout à fait spéciale.

– Ma parole, Galen, tu t'es mise sur ton trente et un, avait remarqué Sarah avec une pointe de désapprobation. Je n'avais encore jamais vu cette robe. C'est quelque chose !

Galen ne sortait pas souvent mais alors, elle prenait un soin particulier de sa tenue. Sa robe donnait l'impression d'une multitude de feuilles de toutes les couleurs cousues ensemble. Elle était serrée à la taille par une large ceinture d'un vert éclatant.

– Merci, répondit Galen. Je l'ai faite moi-même.

– C'est bien ce que je pensais, ajouta Sarah.

Une fois que Sally Mullin eut remonté l'échelle à travers la trappe, le petit groupe se mit en route, guidé par la délicieuse odeur de glouton rôti.

Galen leur fit prendre des sentiers tapissés d'une épaisse couche de neige fraîche où s'entrecroisaient des empreintes d'animaux de tailles et de formes diverses. Après avoir longtemps cheminé à travers un dédale de layons, de fossés et de ravines, ils parvinrent à une carrière d'ardoise autrefois exploitée par le Château qui servait à présent de lieu de rassemblement aux sorcières de Wendron.

Trente-neuf sorcières en habits de fête écarlates faisaient cercle autour d'un grand feu au centre de la carrière. Le sol était jonché de feuillage fraîchement coupé et saupoudré de blanc par la neige qui tombait mollement autour d'eux. La plupart des flocons fondaient en produisant un léger grésillement à la chaleur du brasier. Un fumet entêtant flottait dans l'air : des gloutons rôtissaient à la broche, des lapins mijotaient dans des chaudrons bouillonnants et des écureuils cuisaient dans des fours creusés dans la terre. Une longue table offrait aux regards des monceaux de friandises sucrées ou épicées. Les sorcières avaient pratiqué le troc avec des marchands du Nord, constituant peu à peu des réserves en vue de cette fête, la plus importante de l'année. La stupeur écarquillait les yeux des garçons. Jamais ils n'avaient vu autant de nourriture dans un même endroit. Sarah elle-même s'avoua impressionnée.

Tandis qu'ils hésitaient à l'entrée de la carrière, Morwenna Mould les repéra et s'approcha d'une démarche majestueuse en relevant sa robe en fourrure de couleur fauve.

– Soyez les bienvenus. Je vous en prie, venez vous joindre à nous.

Les sorcières s'écartèrent avec respect devant Morwenna, leur Grande Mère, qui escorta ses invités intimidés jusqu'aux meilleures places, près du brasier.

– Je suis heureuse de te rencontrer enfin, Sarah, reprit-elle. Il me semble te connaître depuis longtemps. Silas m'a dit beaucoup de bien de toi la nuit où il m'a sauvée.

– C'est vrai ?

– Oh ! oui. Il n'a pas arrêté de parler de toi et du bébé.

– C'est vrai ?

Morwenna passa un bras autour des épaules de Sarah.

– Nous cherchons toutes ton garçon. Je suis certaine que tout va bien, pour lui comme pour les trois autres.

– Les trois autres ?

– Tes petits qui sont loin de toi à présent.

Sarah se livra à un rapide calcul. Parfois, elle ne savait plus elle-même combien elle avait d'enfants.

– Deux, rectifia-t-elle. Ils ne sont que deux.

La fête du solstice d'hiver se prolongea très tard dans la nuit. Sarah fit honneur à la bière que les sorcières brassaient dans leurs chaudrons (leur « brouet », comme elles l'appelaient) et finit par oublier ses inquiétudes au sujet de Silas et de Simon. Malheureusement, elles revinrent en force le lendemain matin, accompagnées par une sévère migraine.

De son côté, Silas avait passé une soirée nettement moins festive.

Il avait longé la rivière en bordure de la Forêt avant de contourner le mur d'enceinte du Château. Poussé par des rafales de neige glaciales, il s'était ensuite dirigé vers la porte Nord. Il aspirait à se retrouver dans un environnement familier avant de prendre quelque décision que ce soit. Rabattant son capuchon sur ses yeux verts de magicien, il avait traversé le pont-levis qui menait à la porte.

Gringe était de service cette nuit-là et son humeur s'en ressentait. Tout n'allait pas pour le mieux sous son toit et il avait passé la matinée à ressasser ses problèmes domestiques.

– Toi, là-bas, grogna-t-il en battant la semelle dans la neige. Magne-toi. Tu es en retard pour le nettoyage forcé des rues.

Silas pressa le pas.

– Pas si vite ! aboya Gringe. Pour toi, ça fera un liard.

Silas chercha à tâtons dans sa poche et en tira un liard tout poisseux (il avait été en contact avec un morceau du délice aux cerises et carottes sauvages de tante Zelda que Silas avait prestement fait disparaître pour éviter de le manger). Gringe prit le liard, le renifla d'un air soupçonneux puis le frotta sur son justaucorps avant de le mettre de côté –Mme Gringe avait l'insigne honneur de laver les pièces douteuses chaque soir. Il fit signe à Silas de passer.

– Hé ! On ne s'est pas déjà vus quelque part ? demanda-t-il soudain.

Silas secoua la tête.

– Au bal, chez Morris ?

Silas secoua derechef la tête et continua à avancer.

– À la salle de lutte ?

– Non !

Silas s'enfonça dans la pénombre et disparut au détour d'une allée.

– Je jurerais l'avoir déjà vu, grommela Gringe entre ses dents. Et puis, on ne me fera pas croire qu'il est ouvrier : ses yeux verts luisaient dans le noir comme deux chenilles dans un tas de charbon. Bon sang, ajouta-t-il après quelques secondes de réflexion. C'était Silas Heap ! Il ne manque pas de culot d'être revenu. Il ne perd rien pour attendre.

Il ne lui fallut pas longtemps pour trouver un garde. Bientôt, le custode suprême fut informé du retour de Silas. Mais malgré ses efforts, il ne put mettre la main sur lui. Le **talisman** de Marcia remplissait bien son office. Le custode suprême s'enferma alors dans les vestiaires des dames afin de réfléchir. Et en un rien de temps, il avait élaboré un plan.

Cependant, Silas filait à toutes jambes dans les entrailles de l'Enchevêtre, heureux d'avoir échappé à la fois à Gringe et à la neige. Il suivait un but. Il ignorait pourquoi, mais il tenait à revoir son ancien domicile. C'est la raison pour laquelle il se glissait le long des couloirs sombres et familiers. Il était content de son déguisement, car nul ne prêtait attention à un

246

humble ouvrier. En revanche, il était frappé par le peu de respect qu'on lui témoignait. Au lieu de s'écarter devant lui, on le bousculait, on lui claquait les portes au nez et déjà deux personnes l'avaient apostrophé pour lui faire remarquer qu'il aurait dû être occupé à nettoyer les rues. Après tout, le sort des magiciens ordinaires n'était pas si désagréable.

La porte du logement des Heap bâillait tristement. Elle n'eut pas l'air de reconnaître Silas quand il pénétra sur la pointe des pieds dans la pièce où il avait vécu les vingt-cinq dernières années de sa vie. Il prit place sur sa chaise préférée (une chaise qu'il avait fabriquée lui-même) et promena un regard mélancolique autour de lui, perdu dans ses pensées. L'endroit semblait curieusement petit sans les enfants, le vacarme et Sarah pour surveiller les allées et venues quotidiennes de chacun. Il était également d'une saleté gênante, même pour Silas qui n'avait jamais été un maniaque de l'ordre.

– Un vrai taudis, hein ? fit une voix rude dans son dos. Tous des porcs, ces magiciens.

Silas sursauta et pivota sur sa chaise. Un homme de forte carrure se tenait sur le seuil. On apercevait derrière lui une charrette en bois garée dans le couloir.

– J' croyais pas qu'on m'enverrait de l'aide. C'est pas dommage. Tout seul, ça m'aurait pris la journée. La charrette attend dehors. Tout part au dépotoir. Les livres de **Magyk**, au feu. Vu ?

– Quoi ?

– C'est ben ma veine ! Y m'ont envoyé un berlaud. Ordures. Charrette. Dépotoir. C'est quand même pas de l'*alchémie*, non ? Maintenant, file-moi le bout de bois sur lequel t'as posé ton derrière et au boulot !

Silas se leva dans un état second et tendit la chaise au déménageur qui la jeta dans le fond de la charrette où elle se brisa en plusieurs morceaux. Elle fut recouverte en un rien de temps par un monceau d'objets disparates accumulés par les Heap au cours de leur vie. La charrette était prête à déborder.

– Je vais apporter ça au dépotoir avant qu'il ferme, annonça le déménageur. Pendant ce temps, tu vas sortir les livres. La brigade du feu les ramassera demain en faisant sa ronde. Tu vas aussi balayer les poils de chien et toutes les cochonneries, ajouta-t-il en tendant un grand balai à Silas. Après, tu pourras rentrer chez toi. T'as l'air flapi. T'as pas l'habitude du travail de force, hein ?

Avec un gros rire, l'homme donna une tape qui se voulait amicale dans le dos de Silas. Ce dernier faillit cracher ses poumons et esquissa un faible sourire.

– Oublie pas les livres, lui jeta l'autre en guise d'au revoir.

Traînant la charrette qui vacillait, il s'éloigna en direction du dépotoir communautaire de la rivière.

Hébété, Silas rassembla vingt-cinq années de poils de chien, poussière et saletés diverses en un petit tas bien net. Puis il regarda ses livres de **Magyk** avec regret.

– Je vais te donner un coup de main, fit la voix d'Alther à ses côtés.

Le fantôme passa son bras autour des épaules de Silas.

– Oh ! Salut, Alther. Quelle journée !

– Une bien triste journée, en vérité. Je suis désolé.

– Il n'y a plus rien, murmura Silas. Maintenant, c'est le tour des livres. On avait quelques belles pièces, avec des **charmes** rares. Dire que tout ça va partir en fumée...

– Pas forcément. Ils tiendront tous dans ta chambre, sous les combles. Si tu veux, je vais t'aider pour le **sort d'enlèvement**.

Le visage de Silas s'éclaira un peu.

– J'ai juste besoin que vous me rafraîchissiez la mémoire. Pour le reste, je devrais me débrouiller tout seul. Je m'en sens capable.

En effet, Silas exécuta parfaitement le **sort d'enlèvement**. D'eux-mêmes, les livres se mirent en rang, la trappe se souleva et les volumes la franchirent un par un avant de s'empiler dans l'ancienne chambre de Silas et Sarah. Un ou deux ouvrages plus contrariants s'échappèrent par la porte. Ils avaient déjà parcouru la moitié du couloir quand Silas prononça une **formule de rappel**. Bientôt, tous les livres de **Magyk** furent en sécurité sous les combles. Silas prit même le soin de **déguiser** la trappe afin de la rendre indécelable. Après quoi, il passa pour la dernière fois le seuil de son logis, laissant derrière lui une pièce nue et pleine d'échos, et s'éloigna le long du corridor 223, Alther flottant à ses côtés.

– Viens passer un moment avec nous au Trou-dans-le-Mur, proposa le vieux fantôme.

– Où ça ?

– Moi-même, je ne l'ai découvert que très récemment. Un Ancien me l'a fait connaître. C'est une vieille taverne située dans l'épaisseur des remparts. Une reine qui voulait interdire la bière a ordonné qu'on en mure l'entrée, il y a de ça de nombreuses années. L'ambiance y est excellente. Ça te changerait les idées.

– Je ne suis pas sûr d'en avoir envie. Merci quand même, Alther. Ce n'est pas là qu'une nonne a été emmurée vivante ?

– Sœur Bernadette ? Un vrai boute-en-train, qui ne refuse jamais une pinte de bière. Toujours pleine de vie – enfin, c'est une façon de parler. Au fait, j'ai des nouvelles de Simon qui devraient t'intéresser.

– Simon ! Est-ce qu'il va bien ? Où se trouve-t-il ?

– Ici même, Silas. À l'intérieur du Château. Accompagne-moi au Trou. Il y a là-bas quelqu'un que tu dois rencontrer.

Le Trou-dans-le-Mur était une véritable ruche.

Alther avait conduit Silas jusqu'à un tas de pierres et de gravats appuyé contre le rempart, non loin de la porte Nord, et lui avait fait voir une brèche à peine assez large pour qu'il se faufile à l'intérieur. Soudain, Silas s'était trouvé plongé dans un autre monde.

Comme l'avait expliqué Alther, la taverne était aménagée dans l'épaisseur des remparts. Le raccourci pour le quartier Nord qu'avait emprunté Marcia quelques jours plus tôt passait sur son toit, mais à aucun moment elle n'avait soupçonné qu'une troupe hétéroclite de revenants tuaient l'éternité en se racontant des histoires juste au-dessous d'elle.

Après la blancheur aveuglante de la neige, les yeux de Silas mirent quelques minutes à s'habituer à la lumière blafarde et tremblante des lampes alignées contre les murs. Il découvrit alors une assemblée des plus surprenantes. Les spectres se pressaient autour des longues tables à tréteaux, formaient de petits groupes devant la cheminée où brûlait un feu fantôme ou bien s'adonnaient à des méditations solitaires, assis dans un coin. Il y avait là tout un contingent de magiciens extraordinaires dont les capes et les robes pourpres reflétaient l'évolution de la mode au cours des siècles, des chevaliers en armure, des pages en livrées extravagantes, une femme coiffée d'une guimpe, de jeunes reines en robes de brocart et d'autres, plus âgées, toutes de noir vêtues. Tout ce joli monde fraternisait dans une atmosphère de franche convivialité.

Alther guida son ancien élève à travers la foule. Silas faisait de son mieux pour éviter les fantômes, mais à une ou deux reprises, un courant d'air glacé lui signala qu'il venait d'en traverser un. Toutefois, personne ne parut lui en tenir rigueur. Certains lui adressèrent un signe de tête, d'autres étaient trop occupés à poursuivre leurs causeries incessantes, mais Silas eut l'impression que les amis d'Alther étaient par avance les bienvenus au Trou-dans-le-Mur.

Il y avait longtemps que le tavernier fantôme avait renoncé à voltiger autour des tonneaux de bière : tous ses clients sirotaient toujours la chope qu'il leur avait servie à leur arrivée, et certains étaient là depuis déjà plusieurs siècles. Alther salua gaiement le bonhomme, en grande conversation avec trois magiciens extraordinaires et un vieux vagabond qui avait un jour roulé sous une table et ne s'était jamais relevé. Puis il entraîna Silas dans un coin tranquille où les attendait une femme replète en habit de religieuse.

– Je te présente sœur Bernadette. Sœur Bernadette, voici Silas Heap. Le père du garçon dont je vous ai parlé.

Malgré le sourire de sœur Bernadette, Silas eut un mauvais pressentiment. La nonne tourna vers lui un visage rond au regard pétillant de malice et lui dit d'une voix douce et mélodieuse :

– C'est un fameux gaillard que vous avez là ! Il sait ce qu'il veut et ne craint pas de prendre des risques pour l'obtenir.

– Oui, sans doute. S'il y a une chose dont je suis certain, c'est de sa vocation de magicien. Il voudrait entrer en apprentissage, mais par les temps qui courent...

– L'époque n'est guère favorable aux jeunes magiciens ambitieux, acquiesça la nonne. Mais ce n'est pas pour ça qu'il est revenu au Château.

– Ainsi, il est revenu. Quel soulagement ! J'avais peur qu'il ait été **capturé**. Ou... tué.

Alther posa une main sur l'épaule de Silas :

– Hélas, il a été **capturé** hier. Sœur Bernadette a tout vu.

Silas mit son visage dans ses mains et gémit.

– Comment ? Que s'est-il passé ?

– Apparemment, dit sœur Bernadette, il avait une bonne amie...

– Simon ?

– Oui. Lucy Gringe.

– Pas la fille du gardien de la porte, quand même ?

– C'est certainement une jeune fille charmante, Silas.

– Tout ce que je souhaite, c'est qu'elle ne ressemble pas à son père ! Lucy Gringe ? Bonté divine !

– Il semble que Simon soit revenu au Château pour voir Lucy et qu'ils se soient rendus à la chapelle afin de se marier. Comme c'est romantique ! (La nonne sourit d'un air rêveur.)

– Se marier ? Ma famille va s'allier à celle de l'horrible Gringe ? Dites-moi que je rêve !

Silas était devenu plus pâle que certains clients de la taverne.

– Calmez-vous, Silas. Malheureusement, le mariage n'a pas eu lieu.

– Malheureusement ?

– Gringe avait soudoyé les gardes du palais. Il n'avait pas plus envie de voir sa fille épouser un Heap que vous de voir votre Simon marié à une Gringe. Ils ont fait irruption dans la chapelle, renvoyé la pauvre Lucy tout affolée chez elle et **emmené** Simon. Quel sort cruel !

– Où l'ont-ils conduit ?

– Je me trouvais dans la chapelle à ce moment-là, poursuivit sœur Bernadette de sa voix mélodieuse. J'adore assister aux mariages. Un des gardes m'a traversée – Hop ! comme ça – et j'ai vu ce qu'il avait en tête. Il s'apprêtait à conduire votre fils au palais, devant le custode suprême, pas moins. Je regrette de vous l'apprendre.

La nonne posa sa main sur le bras de Silas, mais la douce chaleur qui s'en dégageait fut d'un faible réconfort pour le malheureux père.

Ses pires craintes étaient fondées. Simon se trouvait entre les griffes du custode suprême. Comment allait-il l'annoncer à Sarah ? Il passa le reste de la journée à attendre des nouvelles au Trou-dans-le-Mur. Alther avait lancé autant de spectres qu'il pouvait sur la piste de Simon, mais tous revinrent bredouilles.

Le jeune homme semblait avoir disparu sans laisser de traces.

✛ 27 ✛
LE VOYAGE DE STANLEY

Le matin de la fête du solstice d'hiver, la femme de Stanley le réveilla tôt car il avait reçu un appel urgent du Bureau :

– Ils pourraient au moins te laisser un jour de congé ! Il n'y a que ton travail qui compte pour toi. Nous avons besoin de vacances.

– Dawnie chérie, expliqua Stanley d'un ton patient, pour que nous puissions prendre des vacances, je dois d'abord faire mon travail. C'est aussi simple que ça. Est-ce qu'ils t'ont dit ce qu'ils me voulaient ?

– Je ne le leur ai pas demandé, ronchonna Dawnie. J'imagine qu'il s'agit encore de ces bons à rien de magiciens.

– Allons, ils ne sont pas si mauvais que ça. Même la magicienne extra... Oups !

– C'est donc *là* que tu es allé ?

– Non !

– Si ! Tu as beau être assermenté, tu ne peux rien me cacher. Laisse-moi te donner un bon conseil, Stanley...

– Un seul ?

– Ne te mêle pas des affaires des magiciens. Ces gens-là n'apportent que des ennuis. Crois-moi, je sais de quoi je parle. Cette femme, Marcia... Tu veux que je te dise ce qu'elle a fait ? Elle a enlevé la fille d'un couple de pauvres magiciens et s'est enfuie avec elle. Personne ne sait ce qui lui a pris. Depuis, la famille de la petite – comment s'appellent-ils, déjà ? Ah ! C'est ça, les Heap – n'a pas arrêté de la chercher. Le bon côté de la chose, c'est que nous avons un nouveau magicien extraordinaire. Mais le brave homme est tellement occupé à réparer les dégâts causés par sa devancière qu'on ne risque pas de le voir de sitôt. Et as-tu pensé à tous ces pauvres rats sans abri ?

– Quels rats sans abri ? demanda Stanley d'un air las. (L'envie le démangeait de planter là sa femme et de filer au Bureau pour s'informer de la mission qu'on lui avait confiée.)

– Ceux qui logeaient chez Sally Mullin. Rappelle-toi : la nuit où le nouveau magicien extraordinaire est entré en fonction, Sally Mullin a oublié un de ses affreux gâteaux à l'orge dans son four et toute la baraque est partie en fumée. Pas moins de trente familles de rats se sont retrouvées à la rue, et ce en plein hiver. C'est épouvantable.

– En effet. Il faut que j'y aille, mon petit cœur. À plus tard.

Stanley sortit en hâte et prit la direction du Bureau.

Le Bureau des rats se trouvait au sommet de la tour de guet de la porte Est. Stanley prit le raccourci qui longeait le rempart et passait au-dessus du Trou-dans-le-Mur (lui-même ignorait l'existence de la taverne). Il atteignit la tour en un rien de temps et s'engouffra dans le tuyau d'écoulement qui courait le long de la façade. Arrivé en haut, il ressortit à l'air libre, sauta sur le parapet et frappa à la porte d'une petite cabane signalée par un écriteau :

BUREAU DES RATS COURSIERS
ACCÈS RÉSERVÉ AUX EMPLOYÉS
LE GUICHET CLIENTÈLE SE TROUVE AU NIVEAU ZÉRO,
PRÈS DES BOÎTES À ORDURES.

– Entrez ! fit une voix inconnue.

Stanley pénétra dans le Bureau sur la pointe des pattes. Le son de cette voix ne lui disait rien qui vaille.

Son propriétaire ne lui fit pas meilleure impression. Un gros rat noir qu'il voyait pour la première fois trônait derrière le bureau. Tandis que Stanley le dévisageait, il agitait impatiemment sa longue queue rose enroulée sur le dessus de la table.

– Vous êtes l'assermenté que j'ai convoqué ? dit-il d'un ton coupant.

– Exact, répondit Silas avec hésitation.

– Exact, CHEF, le corrigea le rat noir.

– Oh ! fit Stanley, interloqué.

– Oh ! CHEF. Donc, rat 101...

– Rat 101 ?

– CHEF ! J'ai la ferme intention de rétablir le respect au sein de ce service, rat 101. Pour commencer, chaque coursier sera désigné exclusivement par son matricule. Là d'où je viens, matricule rime avec efficacité.

– Et vous venez d'où ?

– CHEF ! Ça ne vous regarde pas. J'ai un travail pour vous, 101.

Le rat noir tira une feuille du panier qu'il avait remonté du guichet clientèle à l'aide d'un treuil. C'était un ordre de mission. Stanley remarqua qu'il était rédigé sur du papier à entête du palais et signé de la main même du custode suprême.

Toutefois, pour une raison qui lui échappait, le message n'émanait pas de ce dernier mais de Silas Heap. Et il était destiné à Marcia Overstrand.

– Quelle guigne ! soupira-t-il, accablé.

Il espérait autre chose qu'une nouvelle expédition à travers les marais de Marram, à disputer une mortelle partie de cache-cache avec le python qui y demeurait.

– Quelle guigne, CHEF. Il ne vous est pas permis de refuser cette mission. Une dernière chose, 101 : vous n'avez plus le statut de rat assermenté.

– Quoi ? Vous ne pouvez pas faire une chose pareille !

– CHEF ! Bien sûr que si. À vrai dire, c'est déjà fait.

Un sourire plein de morgue retroussa les moustaches du rat noir.

– Mais j'ai passé tous les tests avec succès ! J'étais même premier de ma promo...

– Ma promotion, CHEF ! Dommage. Vous n'êtes plus assermenté, point final. Rompez !

– Mais... mais...

– FICHEZ-MOI LE CAMP ! grinça le rat noir en donnant des coups de queue rageurs.

Stanley obtempéra.

En redescendant, il s'arrêta au guichet clientèle comme le stipulait le règlement. L'employé examina soigneusement la feuille sur laquelle était rédigé le message et désigna le nom de Marcia de sa patte courte et replète.

– Vous savez où la trouver ? interrogea-t-il.

– Bien sûr, répondit Stanley.

– Voilà une réponse comme je les aime !

– Bizarre, marmonna Stanley.

Ses nouveaux supérieurs ne lui inspiraient aucune sympathie. Qu'étaient donc devenus les gentils vieux rats qui dirigeaient jusqu'alors le Bureau ?

Ce fut un long et périlleux voyage qu'entreprit Stanley en ce jour de solstice.

Il embarqua d'abord sur une barge qui transportait du bois jusqu'au Port. Malheureusement pour Stanley, le capitaine maintenait le chat du bord dans un état de sous-alimentation qui exacerbait son instinct de prédateur. Le rat passait le plus clair de son temps à tenter d'éviter l'animal, un énorme matou roux avec d'immenses canines jaunes et une haleine à assommer un bœuf. Les choses faillirent mal tourner juste avant la passe de Deppen : acculé à la fois par le chat et par un matelot balèze armé d'une planche, Stanley ne dut son salut qu'à un plongeon impromptu.

La rivière était glacée et le courant l'entraînait sans qu'il puisse lutter, malgré ses efforts désespérés pour garder la tête hors de l'eau. Ce n'est qu'au Port qu'il parvint enfin à gagner la berge et à se hisser sur un quai.

Il gisait au pied d'un escalier, aussi inerte qu'un chiffon détrempé et trop épuisé pour aller où que ce soit, quand des voix lui parvinrent :

– Regarde, maman ! Il y a un rat crevé sur les marches. Je pourrais le rapporter à la maison et le faire bouillir pour récupérer son squelette ?

– Sûrement pas, Pétunia.

– Mais, maman... Je n'ai pas de squelette de rat.

– Et il n'est pas question que tu en aies. Allez, viens.

Stanley se fit la réflexion que si Pétunia l'avait ramené chez elle, il n'aurait pas dit non à un bon bain dans une casserole d'eau bouillante.

Il se releva péniblement et gravit tant bien que mal les marches. Il devait à tout prix se réchauffer et se restaurer avant de poursuivre sa mission. Son flair le guida jusqu'à une boulangerie. Il se faufila dans le fournil et se blottit près du four, tout grelottant. Au bout d'un moment, il fut délogé par un cri strident de la boulangère accompagné d'un énergique coup de balai. Mais entre-temps, il avait dévoré presque tout un beignet à la confiture et grignoté au moins trois miches de pain ainsi qu'un flan.

Une fois revigoré, il se mit en quête d'un moyen de transport. Pas facile : si la plupart des gens du Port ne fêtaient pas le solstice d'hiver, beaucoup avaient profité de l'occasion pour festoyer et dormir une grande partie de l'après-midi. Les quais étaient déserts. La bise mordante et les rafales de neige n'incitaient guère à mettre le nez dehors, à moins d'y être obligé, et Stanley finit par se demander s'il trouverait quelqu'un d'assez toqué pour vouloir se rendre dans les marais par un temps pareil.

C'est alors qu'il vit apparaître Jack le toqué et sa carriole.

Jack le toqué habitait une masure en bordure du marais. Il gagnait sa vie en coupant des roseaux qui servaient de couverture aux maisons du Port. Il venait d'effectuer une ultime livraison et s'apprêtait à rentrer chez lui quand il aperçut Stanley qui frissonnait près d'une boîte à ordures. Son visage s'éclaira : il aimait beaucoup les rats et nourrissait l'espoir qu'un jour, quelqu'un lui enverrait un message par l'entremise de l'un d'eux. Mais en réalité, c'était moins le message que le rat qui lui faisait envie.

Il tira sur les guides de son âne et la carriole s'arrêta près des ordures.

– Eh, p'tit gars ! J' te dépose ? J' vais du côté des marais. Y fait bien chaud dans ma carriole.

Stanley crut à une hallucination. *Tu prends tes désirs pour la réalité,* se dit-il. *Ressaisis-toi, que diable !*

Jack le toqué se pencha légèrement sur son siège et lui adressa son plus beau sourire édenté :

– Sois pas timide ! Monte.

Stanley hésita à peine une demi-seconde avant de sauter dans la carriole.

– Viens donc t'asseoir près de moi, p'tit gars. Tiens, enroule-toi dans cette couverture. Ça empêchera que le froid te gèle les moustaches.

Jack le toqué enveloppa Stanley dans une couverture qui sentait fort l'âne et tira à nouveau sur les guides. L'âne coucha ses longues oreilles et recommença à avancer d'un pas lourd à travers les bourrasques de neige. Il connaissait par cœur le chemin de la baraque qu'il partageait avec son maître. Le temps d'arriver à destination, Stanley était complètement réchauffé et rempli de gratitude.

– Nous v'là rendus, lança Jack d'un ton joyeux.

Stanley resta dans la carriole pendant qu'il ôtait à l'âne son harnais et le conduisait à l'intérieur de la cahute. Il ne pouvait se résoudre à affronter de nouveau le froid, même s'il savait qu'il n'avait pas le choix.

– Si l' cœur t'en dit, tu peux entrer et te reposer un moment, lui proposa Jack. Les rats sont toujours les bienvenus chez moi. Un peu de compagnie, ça vous change la vie.

Stanley secoua la tête à regret. Il avait un message à délivrer et s'il n'était plus assermenté, il n'en était pas moins consciencieux.

– J' parie que t'en es ! (Jack le toqué baissa la voix et regarda autour de lui, comme pour s'assurer que personne ne les espionnait.) J' parie que t'es un rat coursier. J' connais plein de gens qui y croient pas mais moi, si. Content de t' rencontrer.

Jack le toqué tendit la main à Stanley qui ne put s'empêcher de tendre la patte en retour. Jack s'accroupit près de lui.

– J'ai pas raison ? T'es un rat coursier...

Stanley fit oui de la tête. Tout à coup, sa patte se retrouva prise comme dans un étau. Jack jeta la couverture de l'âne sur lui, l'enveloppa si étroitement qu'il ne pouvait même pas se débattre et l'emporta dans la maison.

Stanley entendit un grincement métallique et fut précipité à l'intérieur d'une cage. La porte se referma derrière lui. Jack le toqué gloussa, glissa la clé du cadenas dans sa poche et contempla son captif d'un air ravi.

Stanley griffait rageusement les barreaux de la cage. Sa fureur était moins dirigée contre Jack que contre lui-même. Comment avait-il pu se montrer aussi bête ? C'était pourtant le b.a.-ba du métier :

Un rat coursier en mission ne doit JAMAIS se faire repérer.

Il ne doit JAMAIS révéler qui il est à des inconnus.

– Tu verras, p'tit gars, reprit Jack. On va bien s'amuser tous les deux. On coupera les roseaux ensemble et quand le cirque passera par la ville, on ira voir les clowns. J'aime bien les clowns. Ce s'ra la belle vie, pour sûr !

Sans cesser de glousser, il alla chercher deux pommes toutes ridées dans un sac qui pendait du plafond. Il en donna une à l'âne, ouvrit son couteau de poche et coupa l'autre avec beaucoup de soin. Puis il tendit la plus grosse des deux parts à Stanley qui refusa d'y toucher.

– Tu finiras par la manger, p'tit gars, dit-il en envoyant des postillons mêlés de jus de pomme dans la direction de Stanley. T'auras rien d'autre tant qu'il aura pas cessé de neiger, et ça arrivera pas de sitôt. Le vent a viré au nord. C'est le début du Grand Gel. Ça tombe tous les ans pile à l'époque du solstice, aussi sûr qu'un œuf est un œuf ou qu'un rat est un rat.

Ayant bien ri de sa plaisanterie, il s'emmitoufla dans la couverture qui avait causé la perte de Stanley et s'endormit presque aussitôt.

Stanley donnait de grands coups dans les barreaux de sa cage, se demandant combien de temps allait s'écouler avant qu'il devienne assez maigre pour se faufiler entre eux.

Il soupira. Cette perspective n'était pas faite pour le réjouir.

✠ 28 ✠
LE GRAND GEL

Au cottage de la gardienne, les restes du repas de la fête du solstice (chou bouilli, têtes d'anguilles braisées et marinade d'oignons) jonchaient encore la table alors que tante Zelda s'employait à ranimer l'ardeur du maigre feu qui crachotait dans l'âtre. Le givre tapissait l'intérieur des fenêtres, la température ambiante était en chute libre et les soins de tante Zelda restaient sans effet. Ravalant sa fierté, Bert vint se blottir contre Maxie pour se réchauffer. Enveloppés dans leurs édredons, les autres occupants de la maison avaient les yeux fixés sur le feu récalcitrant.

– Et si vous me laissiez essayer, Zelda ? lança Marcia d'un ton acerbe. Je ne vois pas pourquoi nous devrions rester à nous geler quand je n'ai qu'à faire ça !

Marcia claqua des doigts et les flammes grandirent.

263

– Vous savez que je n'aime pas qu'on **joue** avec les éléments, rétorqua Zelda d'un ton tout aussi acerbe. Vous autres magiciens, vous n'avez aucun respect pour mère Nature.

– Pas quand mère Nature transforme mes pieds en glaçons, maugréa Marcia.

– Si vous portiez des bottes dignes de ce nom, au lieu de vous pavaner dans des ersatz en pelure de serpent, vous n'auriez pas froid aux pieds.

Marcia fit celle qui n'avait pas entendu et approcha ses ersatz de bottes en pelure de serpent de la cheminée. Elle nota avec satisfaction que tante Zelda n'avait pas essayé de ramener le feu à son piteux état naturel.

À l'extérieur, le vent du nord poussait des plaintes lugubres. La neige qui tombait jusque-là par rafales s'était renforcée et la bise s'accompagnait à présent d'un blizzard qui tourbillonnait au-dessus des marais, couvrant le sol d'un épais manteau blanc. Au fil des heures, alors que le feu de Marcia commençait à produire son effet, les congères qui s'amassaient au-dehors finirent par étouffer les lamentations du vent. Un silence ouaté s'étendit sur la maison, à peine troublé par les ronflements du feu dans l'âtre. Un à un, ses occupants imitèrent l'exemple de Maxie et s'endormirent près de la cheminée.

Après avoir édifié autour du cottage une barrière de neige qui s'élevait jusqu'au toit, le Grand Gel, satisfait, se remit en route. Il survola le marais, recouvrant ses eaux saumâtres d'une solide couche de glace, figeant bourbiers et tourbières, obligeant toutes les créatures vivantes à gagner les profondeurs où le froid ne pouvait les atteindre. Il remonta la rivière, balayant les terres de part et d'autre, engloutissant les fermes, les étables ainsi que quelques brebis égarées.

À minuit, il parvint au Château où on l'attendait de pied ferme.

Durant tout le mois qui précédait la venue du Grand Gel, les habitants constituaient des réserves de vivres, s'aventuraient dans la Forêt d'où ils rapportaient autant de bois qu'ils pouvaient en transporter et passaient leurs soirées à tricoter et à tisser des couvertures. C'était à cette époque de l'année qu'on voyait débarquer les marchands du Nord avec leurs stocks d'étoffes de laine, de fourrures polaires et de poissons salés, sans oublier les nourritures épicées dont raffolaient les sorcières de Wendron. Avertis par un instinct mystérieux, ils repartaient toujours juste avant que le froid s'installe. Les cinq qui se trouvaient chez Sally Mullin le soir de l'incendie avaient été les derniers à s'en aller, aussi l'arrivée du Grand Gel n'avait-elle étonné personne. De l'avis général, il était même en retard. En réalité, les cinq marchands avaient avancé la date de leur départ en raison de circonstances imprévues.

Comme chaque année, Silas s'était laissé surprendre par le Grand Gel. Une énorme congère avait bloqué l'entrée du Trou-dans-le-Mur. N'ayant nulle part où aller, il avait décidé de faire contre mauvaise fortune bon cœur tandis qu'Alther et une poignée d'Anciens poursuivaient leurs recherches.

Le rat noir (qui attendait avec impatience le retour de Stanley) était quant à lui coincé en haut de la tour de guet de la porte Est. Par suite de la rupture d'une canalisation, le tuyau d'écoulement s'était engorgé et avait rapidement gelé, lui coupant la retraite. Ses collègues du guichet clientèle l'avaient abandonné à son sort pour regagner leur domicile.

Le custode suprême attendait lui aussi le retour de Stanley. En plus des renseignements qu'il comptait soutirer au rat, il fondait de grands espoirs sur le message qu'il devait délivrer. Soir après soir, les gardes armés qu'il avait placés devant la porte du palais battaient la semelle et scrutaient vainement le blizzard, attendant l'**apparition** de la magicienne extraordinaire. Mais celle-ci se faisait désirer.

Après s'être abondamment vanté auprès de DomDaniel de l'idée de génie qu'il avait eue en ôtant le statut d'assermenté au rat coursier et en le chargeant d'un faux message pour Marcia, le custode suprême s'efforçait à présent d'éviter son maître et passait le plus clair de son temps dans les vestiaires des dames. S'il n'était pas superstitieux, il n'était pas non plus idiot : il ne lui avait pas échappé que les plans qu'il élaborait dans cette pièce avaient tendance à fonctionner, même s'il en ignorait la raison. Il appréciait aussi le confort offert par le petit poêle, mais par-dessus tout, il se délectait à jouer les espions. C'était là une de ses occupations favorites. Enfant, il était du genre à se cacher dans les coins pour épier les conversations des uns et des autres, de sorte à surprendre des secrets qu'il ne craignait pas d'utiliser ensuite à son avantage. Cette habitude l'avait beaucoup aidé à gravir les échelons de la hiérarchie militaire et avait joué un rôle déterminant dans sa désignation comme custode suprême.

Ainsi, durant les mois d'hiver, tapi à l'intérieur des vestiaires des dames, le custode suprême épiait avec une joie maligne les conversations de tous ceux qui passaient devant

266

cette porte en apparence tellement anodine, avec ses lettres dorées presque effacées. Quel plaisir il avait à les voir brusquement pâlir quand il surgissait devant eux et leur répétait les propos insultants qu'ils venaient de tenir sur lui ! Il en avait encore plus à appeler les gardes afin qu'ils les escortent jusqu'aux donjons, surtout s'ils le suppliaient un tantinet. Le custode suprême aimait qu'on le supplie un tantinet. Il avait déjà fait arrêter et jeter au cachot vingt-six personnes coupables de commentaires injurieux à son sujet. Pas une fois il ne s'était demandé pourquoi il n'avait encore jamais surpris de paroles gentilles le concernant.

Toutefois, sa principale occupation était Simon Heap. Après son arrestation, le jeune homme avait été conduit directement dans les vestiaires des dames et enchaîné à un tuyau. En tant que frère adoptif de Jenna, le custode suprême le soupçonnait de savoir où se cachait la petite fille et il ne ménageait pas ses efforts pour lui soutirer des confidences.

Comme le rat coursier et Marcia se faisaient attendre, Simon continuait à dépérir dans sa prison et à subir des interrogatoires incessants. Le custode suprême était un homme subtil ; le devinant trop effrayé pour parler, il s'employa à gagner sa confiance. Chaque fois qu'il avait un moment de libre, l'affreux nabot venait se pavaner devant le jeune homme et le soûler de paroles en lui racontant sa journée par le menu. Simon écoutait poliment. Les premiers jours, il avait trop peur pour ouvrir la bouche. Mais au bout d'un moment, il se permit quelques commentaires. Le custode suprême, ravi de le voir réagir, prit l'habitude de lui apporter à boire et à manger. Avant longtemps, Simon lui avait confié son ambition de devenir le prochain

267

magicien extraordinaire et la déception que lui avait causée la fuite de Marcia. Lui n'aurait jamais agi ainsi.

Le custode suprême semblait l'approuver. Enfin un Heap qui faisait preuve de jugeote ! Aussi, quand il lui fit miroiter la possibilité d'être l'apprenti du nouveau magicien extraordinaire (« Il faut admettre – ceci restera entre nous, jeune Simon – que son apprenti actuel est loin de nous donner satisfaction, malgré les espoirs que nous fondions sur sa personne... »), Simon Heap commença à entrevoir un avenir radieux. Un avenir où il pourrait exercer librement ses talents et où les gens le respecteraient, au lieu de le traiter de « saleté de magicien ». Un soir où le custode suprême était venu tenir compagnie à Simon et lui avait gentiment offert une boisson chaude, le jeune homme finit par lui dire ce qu'il désirait apprendre : Marcia et Jenna s'étaient rendues au cottage de tante Zelda, dans les marais de Marram.

– Et où ta tante habite-t-elle *précisément*, mon garçon ? demanda le custode suprême avec un sourire rusé.

Simon dut avouer qu'il ne le savait pas *précisément*.

Emporté par la colère, le custode suprême sortit en hâte et alla trouver le Chasseur qui l'écouta en silence fulminer contre la bêtise des Heap en général et de Simon en particulier.

– Enfin, Gérald ! (Gérald était le prénom du Chasseur. Il n'aimait pas l'ébruiter, mais le custode suprême ne manquait jamais une occasion de l'appeler ainsi, ce qui l'agaçait fortement.) Comment peut-on ignorer où habite sa tante ? (Dans son indignation, le custode suprême arpentait la chambre au confort spartiate qu'occupait le Chasseur dans l'enceinte de la caserne.) Comment ces gens font-ils pour lui rendre visite s'ils ne savent pas *précisément* où elle vit ?

Pour sa part, le custode suprême se faisait un devoir de visiter régulièrement ses nombreuses tantes, dont beaucoup auraient préféré que leur neveu ignore où elles vivaient *précisément*.

Mais Simon en avait dit assez pour le Chasseur. Sitôt après le départ du custode suprême, il se plongea dans ses cartes du marais de Marram. Il ne lui fallut pas longtemps pour repérer l'emplacement supposé du cottage de tante Zelda. La traque allait pouvoir reprendre.

Bouillant d'impatience, il se précipita chez DomDaniel.

Embusqué au sommet de la tour du Magicien, DomDaniel attendait le dégel en compulsant les vieux ouvrages de **nécromancie** qu'Alther avait enfermés dans la hotte du fourneau et en **invoquant** ses assistants bibliothécaires, deux magogs trapus et singulièrement vicieux. Il avait découvert les magogs après s'être jeté du haut de la tour. En temps normal, ces créatures vivaient dans les profondeurs de la terre, d'où leur ressemblance avec des vers géants et aveugles dotés de longs bras sans os. Privés de jambes, les magogs se déplaçaient à la manière des limaces, en laissant une traînée de bave derrière eux, mais ils pouvaient se montrer extrêmement rapides quand ils le voulaient. D'un blanc tirant sur le jaune, ils étaient dépourvus de poils et apparemment d'yeux. En réalité, ils possédaient un œil unique, lui aussi blanc jaunâtre, placé juste au-dessus des deux orifices luisants qui leur tenaient lieu de nez et de bouche. La substance gluante qu'ils sécrétaient dégageait une odeur infecte, même si DomDaniel la trouvait exquise.

Si on les avait dépliés, chacun des deux magogs aurait mesuré pas loin de quatre mètres, mais personne n'avait jamais tenté l'expérience. Il existait des façons plus agréables de passer le temps – griffer un tableau noir avec les ongles, par exemple, ou gober un plein seau de frai de grenouille. Nul n'aurait touché un magog, sauf par accident. Leur bave était tellement répugnante que la plupart des gens étaient pris de nausées rien qu'à évoquer son odeur. Les magogs pondaient leurs œufs dans les carcasses des animaux qui avaient l'imprudence de s'enterrer pour hiberner, tels les loirs ou les hérissons. Ils évitaient les tortues car les jeunes magogs avaient du mal à percer les carapaces. Aux premiers jours du printemps, les rayons du soleil réchauffaient le sol, provoquant l'éclosion des larves. Celles-ci dévoraient les restes de leur hôte et creusaient la terre jusqu'à ce qu'elles atteignent une des chambres où les jeunes attendaient que leur futur maître vienne les récolter. DomDaniel s'était approprié plusieurs centaines de chambres autour de son repaire des Maleterres, dans lesquelles il s'approvisionnait régulièrement. Les magogs faisaient de magnifiques gardes. Leur morsure provoquait chez la plupart des gens un empoisonnement du sang foudroyant et leurs griffures s'infectaient si profondément qu'on n'avait aucune chance d'en guérir. Mais leur principale arme de dissuasion était encore leur aspect : leur tête globuleuse et apparemment aveugle, les mouvements incessants de leurs mandibules hérissées de plusieurs rangées de dents jaunes et pointues suscitaient une répulsion telle qu'on préférait garder ses distances.

Les magogs étaient arrivés juste avant le Grand Gel. L'apprenti était devenu fou de terreur en les voyant, ce qui avait bien diverti DomDaniel et lui avait fourni un prétexte pour laisser le pauvre garçon grelotter sur le palier à réviser pour la énième fois ses **tables de conjuration**.

Le Chasseur aussi eut droit à son lot d'émotions. Arrivé au sommet de l'escalier à vis, il dépassa l'apprenti qui poireautait sur le palier en feignant de ne pas le voir et glissa sur une traînée de salive de magog qui conduisait aux appartements de DomDaniel. Il se rétablit de justesse, mais le ricanement de l'apprenti n'avait pas échappé à son ouïe exercée.

Bientôt, l'apprenti eut tout loisir de ricaner. Pour une fois que DomDaniel ne criait pas contre lui... Il écouta avec délice les vociférations de son maître qui traversaient sans mal la lourde porte cramoisie.

– Non, non, NON ! Me crois-tu assez fou pour te laisser à nouveau les mains libres ? Tu n'es qu'un imbécile ! Si j'avais quelqu'un pour faire le travail à ta place, crois-moi, je n'hésiterais pas une seconde. Tu attendras que je te dise quand partir, et tu te conformeras à mes instructions. Ne m'interromps pas. NON ! Plus un mot. À présent, sors ! Ou bien veux-tu qu'un de mes magogs te raccompagne ?

La porte s'ouvrit à la volée et le Chasseur sortit. Dans sa précipitation, il glissa à nouveau sur la salive et dévala l'escalier quatre à quatre. Dans sa joie, l'apprenti réussit presque à apprendre ses **tables de conjuration** par cœur. Il était maintenant capable d'en réciter dix et demie, ce qui constituait un record personnel.

271

Occupé à dépareiller les chaussettes de DomDaniel, Alther avait tout entendu. Ayant soufflé le feu, il suivit le Chasseur à l'extérieur de la tour et fit **choir** un énorme paquet de neige juste comme il passait sous la grande arche. Il s'écoula plusieurs heures avant que quelqu'un prenne la peine de dégager le Chasseur, mais ce fut une maigre consolation pour Alther. L'avenir lui paraissait sombre.

Au cœur de la Forêt gelée, les sorcières de Wendron tendirent quelques pièges dans l'espoir d'attraper un ou deux gloutons imprudents qui leur permettraient de tenir en attendant des jours meilleurs. Puis elles gagnèrent la caverne collective aménagée sous la carrière où elles passaient l'hiver, emmitouflées dans leurs fourrures, à se raconter des histoires autour du feu qu'elles entretenaient jour et nuit.

Rassemblées près du poêle dans la plus grande des cabanes, les occupantes de l'arbre-maison puisaient sans relâche dans les réserves de noix et de baies de Galen. Blottie sous un tas de peaux de gloutons, Sally Mullin pleurait en silence la perte de sa taverne et se consolait en dévorant des noisettes par poignées. Sarah et Galen alimentaient le poêle et passaient les longues et froides journées à parler herbes et potions.

De leur côté, les quatre garçons avaient établi leur bivouac à quelque distance de l'arbre-maison. Ils y vivaient à la dure, capturant et faisant rôtir des écureuils ainsi que tout ce qu'ils trouvaient. Galen désapprouvait en silence ; mais ainsi, les garçons étaient occupés et ils ne menaçaient pas davantage ses réserves déjà sérieusement ébréchées par l'appétit de Sally

Mullin. Sarah leur rendait visite chaque jour. D'abord inquiète de les savoir livrés à eux-mêmes en pleine nature, elle avait été impressionnée par le réseau d'igloos qu'ils avaient construit. Et comme elle pouvait le constater, les plus jeunes sorcières de Wendron avaient pris l'habitude de leur apporter des petits cadeaux, boisson ou nourriture. Il était rare qu'elle ne les trouve pas en compagnie d'au moins deux ou trois jeunes sorcières. Parfois, celles-ci les aidaient à préparer leur repas, ou bien elles s'asseyaient autour du feu avec eux pour rire et échanger des plaisanteries. Sarah était étonnée de voir combien le fait de se débrouiller seuls avait transformé ses fils. On aurait dit des hommes à présent – même le plus jeune, Jo-Jo, pourtant à peine âgé de treize ans. Au bout de quelques temps, elle se sentit de trop au campement. Néanmoins, elle continua à leur rendre visite tous les jours, en partie pour les surveiller et aussi parce qu'elle avait pris goût à la viande d'écureuil cuite à la broche.

✛ 29 ✛
PYTHONS ET RATS

L e matin suivant l'arrivée du Grand Gel, quand Nicko ouvrit la porte du cottage, il se trouva face à un mur de neige. Armé de la pelle à charbon de tante Zelda, il se mit au travail et creusa un tunnel d'environ six pieds de long qui débouchait sur un ciel éclatant de lumière. Jenna et 412 émergèrent du tunnel à sa suite, grimaçant à cause du soleil.

– Comme ça brille ! s'exclama Jenna.

Elle mit sa main en visière pour protéger ses yeux du scin-tillement presque douloureux de la neige moirée de givre. Le Grand Gel avait transformé le cottage en un énorme igloo et le marais environnant en une vaste plaine arctique, rendue méconnaissable par les congères et les ombres immenses que projetait le soleil bas sur l'horizon. Maxie ne déparait pas le paysage : jaillissant du tunnel comme un boulet de canon, il se roula dans la neige jusqu'à évoquer un ours polaire surexcité.

Jenna et 412 aidèrent Nicko à déblayer un chemin jusqu'au fossé, après quoi ils firent une razzia sur la collection de balais de tante Zelda et entreprirent de chasser la neige de sa surface gelée afin de patiner tout autour. Jenna se lança la première tandis que les deux garçons faisaient une bataille de boules de neige. 412 se révéla un excellent tireur, de sorte que Nicko ressembla bientôt à Maxie.

La glace sur laquelle se tenait Jenna, aussi lisse et glissante que du verre, avait une épaisseur d'au moins quinze centimètres. Une myriade de minuscules bulles en suspens dans l'eau gelée lui donnait un aspect légèrement trouble. Malgré cela, on distinguait de longs brins d'herbe emprisonnés sous la surface et plus profond encore. Au premier coup de balai, Jenna aperçut sous ses pieds les yeux jaunes et dépourvus de paupières d'un serpent gigantesque fixés sur elle.

– Argh !

– Qu'est-ce qui se passe ? s'inquiéta Nicko.

– Des yeux. Des yeux de serpent. Il y a un serpent géant sous la glace.

412 et Nicko approchèrent.

– Ouah ! Quel morceau.

Jenna s'accroupit et gratta la neige avec les mains.

– Regardez, on voit sa queue ! Là, tout près de la tête. Il doit faire toute la longueur du fossé.

– Impossible !

- Et pourtant.

275

– À moins qu'ils ne soient plusieurs.

– Il n'y a qu'un moyen de s'en assurer, dit Jenna en empoignant son balai. Allez, du nerf !

Nicko et 412 l'imitèrent à contrecœur et se mirent au travail.

À la fin de l'après-midi, ils avaient découvert qu'il n'y avait qu'un seul et unique serpent.

– Il mesure au moins un mille, estima Jenna quand ils furent revenus à leur point de départ.

Le python des marais les regardait d'un air mécontent à travers la glace. Il n'aimait pas être un objet de curiosité, surtout de la part d'amuse-gueules. S'il préférait la chèvre ou le lynx, il considérait comme comestible tout ce qui avait des pattes. Il lui était arrivé d'ingérer un voyageur solitaire tombé dans un fossé qui avait eu le tort d'attirer son attention en se débattant avec trop d'ardeur. Mais en règle générale, il évitait les animaux bipèdes. Il trouvait leurs multiples enveloppes indigestes et détestait tout particulièrement les bottes.

Le Grand Gel perdurait. Tante Zelda était résolue à prendre son mal en patience, comme tous les ans. Marcia ne tenait pas en place, mais Zelda lui fit comprendre qu'il n'y avait aucune chance pour que Silas lui rapporte bientôt son **talisman**. Les marais de Marram étaient coupés du reste du monde. Marcia n'avait d'autre choix que d'attendre le dégel, comme tout le monde.

Celui-ci était encore loin. Chaque nuit, le blizzard déferlait avec un grand tapage, faisant gagner quelques centimètres aux congères.

Le froid finit par chasser le boggart de sa mare. Réfugié dans la cabane de bains, il somnolait avec ravissement dans la vapeur de la source chaude.

Le python des marais resta coincé dans le fossé. Il y subsistait en dévorant les poissons et les anguilles qui passaient à sa portée et en rêvant du jour où il serait à nouveau libre d'engloutir autant de chèvres que son estomac pouvait en contenir.

Nicko et Jenna s'adonnaient avec passion au patinage. Au début, ils se contentaient de décrire des cercles autour du fossé, ce qui agaçait beaucoup le python, mais bientôt, ils se risquèrent dans le grand désert blanc du marais. Ils passaient des heures à faire la course le long des rigoles gelées, attentifs aux craquements de la glace et aux plaintes lugubres du vent qui annonçaient parfois une nouvelle chute de neige. Jenna avait remarqué que les créatures du marais ne donnaient plus aucun signe de vie. On n'entendait plus s'affairer les campagnols ni barboter les serpents d'eau. Coincés dans les profondeurs du sol, les bobelins n'échangeaient pas le moindre couinement et les nixes, leurs ventouses collées à l'intérieur de la couche de glace, attendaient le dégel en dormant.

Si Jenna et Nicko passaient de longues heures à patiner à l'extérieur, 412 se sentait vite transi quand il restait trop longtemps exposé au froid. On eût dit qu'une partie de lui ne s'était jamais remise de son séjour sous la neige, au pied de la tour du Magicien. Parfois, Jenna s'asseyait à ses côtés devant la cheminée. Sans savoir pourquoi, elle aimait bien 412. Il ne lui disait jamais rien, mais elle ne s'en formalisait pas car il n'avait pas adressé un mot à quiconque depuis son arrivée au cottage. Pour sa part, elle lui parlait surtout de Petrus Trelawney, pour qui 412 s'était pris d'affection.

Certains après-midi, elle venait s'asseoir près de lui sur le canapé et il la regardait sortir le caillou de sa poche. Jenna aimait passer un moment devant le feu en tenant Petrus dans sa main. Il lui rappelait Silas et lui donnait l'assurance que son père reviendrait sain et sauf.

– Tiens, prends-le, disait-elle à 412 en déposant le galet gris et lisse dans sa main crasseuse.

Petrus appréciait beaucoup 412. Ses doigts étaient légèrement collants et sentaient habituellement la nourriture. Il dépliait ses quatre pattes trapues, ouvrait les yeux et léchait la main de 412. *Miam !* pensait-il. *Pas mauvais.* Cela sentait nettement l'anguille, avec un subtil arrière-goût de chou. Petrus raffolait de l'anguille. Il léchait à nouveau la paume de 412 avec sa minuscule langue, aussi sèche et râpeuse que celle d'un chat. 412 riait. Ça chatouillait !

– Il t'aime bien, remarquait Jenna avec un sourire. Moi, il ne m'a jamais léché la main.

Le plus souvent, 412 restait assis près de la cheminée, à lire l'un après l'autre les ouvrages de la bibliothèque de tante Zelda. C'était un monde inconnu qui s'ouvrait devant lui. Avant d'arriver au cottage, 412 n'avait jamais eu de livre entre les mains. S'il avait appris à lire à la caserne, jusque-là, il n'avait eu le droit de parcourir que d'interminables listes d'ennemis, de consignes et de plans de bataille. À présent, tante Zelda lui fournissait un assortiment sans cesse renouvelé de récits d'aventures et de manuels de **Magyk** dont il s'imprégnait comme une éponge. Mais un jour où Jenna et Nicko avaient décidé de rejoindre le Port en patinant (cela faisait presque six semaines qu'il gelait), 412 fit une découverte.

Il avait déjà constaté que chaque matin, pour une raison mystérieuse, tante Zelda allumait deux lanternes avant de disparaître à l'intérieur de son placard. Au début, il ne s'était pas posé de question. Le cagibi était sombre et tante Zelda devait veiller sur un stock important de potions. Il savait que les préparations conservées dans le noir étaient les plus instables et nécessitaient une attention constante. La veille encore, tante Zelda avait passé plusieurs heures à filtrer un **antidote amazonien** à l'aspect trouble qui s'était grumelé au froid. Mais ce matin-là, il fut frappé par le silence qui régnait à l'intérieur du placard. D'ordinaire, tante Zelda n'était pas quelqu'un de silencieux. Son pas faisait trembler et s'entrechoquer les **pots** des sentinelles lorsqu'elle passait près d'eux et un grand fracas de vaisselle et de casseroles s'échappait de la cuisine lorsqu'elle s'y trouvait. Comment pouvait-elle être aussi discrète dans un espace aussi exigu ? Et pourquoi avait-elle besoin de deux lanternes ?

412 posa son livre et s'approcha en tapinois du placard. Le réduit paraissait étrangement paisible pour un endroit qui abritait tante Zelda ainsi que plusieurs centaines de petits flacons toujours prompts à tinter. 412 frappa quelques coups timides à la porte. N'obtenant pas de réponse, il tendit l'oreille. Tout était silencieux. La bienséance aurait voulu qu'il retourne à son livre. Mais allez savoir pourquoi, *Thaumaturgie et sortilèges : les clés de la réussite* lui semblait tout à coup bien moins intéressant que les faits et gestes de tante Zelda. Il poussa la porte et jeta un coup d'œil dans le placard.

Il était vide.

Durant quelques secondes, il craignit que tante Zelda lui ait fait une farce et il s'attendit à la voir bondir hors de sa cachette, mais elle avait vraiment disparu. Il comprit bientôt comment : la trappe béante laissait échapper une odeur de moisi et de renfermé dont il gardait un vif souvenir – l'odeur du tunnel... Il piétinait sur le seuil, indécis. Il lui vint à l'esprit que tante Zelda avait pu tomber dans la trappe par inadvertance et qu'elle avait besoin d'aide. Mais dans ce cas, elle serait certainement restée coincée : à première vue, la taille de la brave femme était beaucoup plus large que l'ouverture.

Alors qu'il se demandait comment tante Zelda avait pu se glisser à travers la trappe, il distingua la lueur jaune d'une lanterne dans le carré d'ombre découpé dans le sol. Bientôt, il entendit le pas lourd de tante Zelda (elle portait de vraies bottes, elle) et sa respiration haletante tandis qu'elle gravissait la pente menant à l'échelle de bois. Quand elle entreprit de monter celle-ci, il referma sans bruit la porte du placard à potions et retourna précipitamment s'asseoir près du feu.

Quelques minutes plus tard, une tante Zelda hors d'haleine passait la tête dans l'entrebâillement de la porte et jetait un regard soupçonneux à 412 qui dévorait *Thaumaturgie et sortilèges : les clés de la réussite*.

Avant qu'elle ait pu disparaître à nouveau à l'intérieur du placard, la porte du cottage s'ouvrit violemment et Nicko entra, suivi de près par Jenna. Ils jetèrent leurs patins par terre.

– Regardez ce que nous avons trouvé, dit Jenna en montrant ce qui avait tout l'air d'un rat crevé.

412 se renfrogna. Il détestait les rats. Il les avait trop côtoyés pour apprécier leur compagnie.

– Laisse-le dehors, ordonna tante Zelda. Cela porte malheur de passer le seuil d'une maison avec un animal mort, à moins d'avoir l'intention de le manger. Et tu ne me feras pas avaler ça.

– Il n'est pas mort, ma tante. Tiens !

Elle tendit la boule de poils bruns à tante Zelda qui l'examina et la tâta avec précaution.

– Nous l'avons trouvé à l'extérieur d'une vieille cabane, expliqua Jenna. Tu sais, en bordure du marais, pas très loin du Port ? Il y a un homme dedans, avec un âne et un tas de rats morts dans des cages. On a regardé par la fenêtre, c'était horrible. Alors, l'homme s'est réveillé et nous a vus. Nicko et moi, on était sur le point de fuir quand on a trouvé le rat. Je crois qu'il venait de s'échapper. Je l'ai ramassé et glissé dans ma veste, puis on est partis en courant – ou plutôt, en patinant. Le vieux est sorti et a crié après nous, nous accusant de lui avoir volé son rat. Mais il n'avait aucune chance de nous rattraper. Pas vrai, Nicko ?

– Non, lâcha Nicko, toujours avare de mots.

– Bref, poursuivit Jenna, je crois que c'est notre rat coursier et qu'il apporte des nouvelles de papa.

– Impossible, trancha tante Zelda. Ce rat-là était gras comme un moine.

Le rat émit un faible couinement de protestation entre les mains de Jenna.

– Et celui-ci, reprit tante Zelda en enfonçant son doigt dans les côtes de la pauvre bête, est aussi maigre qu'un clou. Quoi qu'il en soit, tu as bien fait de le ramener.

C'est dans ces circonstances que Stanley arriva finalement à destination, six semaines après avoir reçu son ordre de mission. Cette fois encore, il n'avait pas fait mentir la devise du Bureau : « RIEN n'arrête jamais un rat coursier ».

Toutefois Stanley n'avait pas la force de délivrer son message. Il gisait sur un coussin devant le feu, complètement amorphe, pendant que Jenna lui donnait à manger de la purée d'anguille. Il n'avait jamais raffolé de l'anguille, surtout en purée. Mais après six semaines de captivité à n'absorber que de l'eau et faire la grève de la faim, la purée d'anguille lui semblait un mets de roi. Et le fait d'être étendu sur un coussin près de la cheminée au lieu de grelotter au fond d'une cage puante était encore plus merveilleux, même si Bert lui filait parfois un coup de bec quand personne ne regardait.

Sur l'insistance de Jenna, Marcia prononça la formule destinée à faire parler un rat coursier, mais Stanley resta inerte sur son coussin sans prononcer un mot.

– Je ne suis toujours pas convaincue que vous ayez raison, dit Marcia comme le rat demeurait muet, plusieurs jours après son arrivée. Si je me rappelle bien, ce rat coursier n'arrêtait pas de pérorer, le plus souvent pour dire des imbécillités.

Stanley lui décocha un regard noir qui passa complètement inaperçu.

– C'est bien lui, affirma Jenna. J'ai élevé assez de rats pour savoir les reconnaître. Je suis certaine qu'il s'agit du rat coursier que nous avions reçu ici.

Tous attendaient dans l'anxiété que Stanley ait suffisamment récupéré pour parler. Le rat se mit à délirer sous l'effet de la fièvre ; il passait des heures à marmonner des propos incohérents qui faillirent faire perdre la tête à Marcia. Tante Zelda prépara une infusion d'écorce de saule que Jenna lui fit boire à l'aide d'une minuscule pipette. Au bout d'une semaine fertile en émotions, la fièvre finit par tomber.

Un soir où tante Zelda s'était enfermée dans le placard à potions (elle avait pris l'habitude de donner un tour de clé depuis que 412 avait risqué un œil à l'intérieur) et où Marcia élaborait des formules mathématiques, assise devant le bureau, Stanley toussa et se dressa brusquement sur son séant. Maxie aboya, Bert souffla d'un air effarouché, mais le rat coursier les ignora.

Il avait un message à délivrer.

⊹ 30 ⊹
Un message pour Marcia

Un public impatient se rassembla autour de Stanley. Ce dernier s'éloigna du coussin en boitillant, se redressa et demanda d'une voix chevrotante :

– Avant toute chose, y a-t-il ici quelqu'un qui réponde au nom de Marcia Overstrand ?

– Comme si tu ne le savais pas !

– Je dois quand même poser la question, Votre Grâce. Ça fait partie du protocole.

Passé ce préambule, le rat coursier reprit :

– On m'a chargé de remettre un message à Marcia Overstrand, ex-magicienne extraordinaire...

– Quoi ? fit Marcia en s'étranglant. *Ex*-magicienne extraordinaire ? Qu'est-ce qu'il raconte, cet imbécile ?

– Calmez-vous, dit tante Zelda. Écoutons d'abord ce qu'il a à dire.

Stanley poursuivit .

– Ce message a été remis à sept heures... (Il fit une pause, le temps de calculer le nombre de jours qui s'étaient écoulés depuis son départ. En bon professionnel, il s'était appliqué à marquer chaque jour de captivité d'un trait sur un des barreaux de sa cage. Il savait être resté trente-neuf jours chez Jack le toqué. En revanche, il ignorait combien de jours il avait passé au juste à délirer devant la cheminée du cottage de la gardienne.) Il y a de ça, euh, un certain temps, par un mandataire agissant pour le compte d'un certain Silas Heap, résidant au Château...

– C'est quoi, un mandataire ? interrogea Nicko.

Stanley tapa du pied, agacé. Il détestait qu'on l'interrompe, surtout quand le message était tellement ancien qu'il craignait de l'avoir oublié. Il toussa et reprit :

– En voici le texte :

Chère Marcia,
J'espère que vous allez bien. Pour ma part, je me
trouve au Château. Je vous serais très reconnaissant
de bien vouloir me rejoindre dès que possible à
l'extérieur du palais. Il y a eu de nouveaux
développements. Je vous attendrai chaque soir à
minuit devant les portes.
Dans l'attente de votre retour, je vous prie d'agréer
l'expression de mes sentiments respectueux.
                                        Silas Heap.

Fin du message !

Stanley retourna s'asseoir sur le coussin avec un soupir de soulagement. Mission accomplie ! Il avait probablement battu

285

un record en matière de retard, mais il avait fini par délivrer son message. Il s'autorisa un petit sourire en coin, bien qu'il fût toujours en service.

Il y eut un long silence, puis Marcia explosa :

– C'est lui tout craché ! Non seulement il ne fait pas l'effort de revenir avant le Grand Gel, mais quand il se décide enfin à donner de ses nouvelles, il ne mentionne même pas mon **talisman**. C'est décourageant. J'aurais dû y aller moi-même.

– Et Simon ? demanda Jenna. Est-ce que papa l'a retrouvé ? Et pourquoi ne nous a-t-il pas envoyé un message à nous aussi ?

– Ça ne lui ressemble pas, grommela Nicko.

– En effet, acquiesça Marcia. Cette lettre est beaucoup trop polie.

– Ça doit venir du mandataire, hasarda tante Zelda.

– C'est quoi, un mandataire ? questionna à nouveau Nicko.

– Une sorte d'intermédiaire. Quelqu'un d'autre a remis le message au Bureau des rats. Silas a dû être empêché de s'y rendre. Cela ne me surprend guère. Je me demande qui peut être ce fameux mandataire ?

Stanley se tut, alors qu'il savait pertinemment que le mandataire n'était autre que le custode suprême. S'il n'était plus assermenté, il demeurait soumis au règlement du Bureau des rats, lequel interdisait de divulguer les conversations qui avaient lieu à l'intérieur du service. Toutefois, il se sentait mal à l'aise. Ces magiciens avaient pris soin de lui et lui avaient probablement sauvé la vie. Il gigotait nerveusement, les yeux fixés à terre. Il se passait quelque chose de louche et il n'avait aucune envie d'y être mêlé. Cette mission avait été un véritable cauchemar, du début à la fin.

Marcia se dirigea vers le bureau et referma bruyamment son livre.

– Comment Silas ose-t-il faire fi de mon **talisman** ? dit-elle d'un ton rageur. Il semble ignorer que les magiciens ordinaires n'ont d'autre but que de servir la magicienne extraordinaire. Je ne souffrirai pas davantage cet esprit d'insubordination. J'ai la ferme intention de le retrouver et de lui dire ma façon de penser.

– Croyez-vous que ce soit sage ? objecta Zelda.

– Je suis toujours la magicienne extraordinaire du Château et je ne me laisserai pas évincer.

– Vous feriez bien d'attendre demain, suggéra tante Zelda, pleine de sagesse. On dit que la nuit porte conseil.

Quelques heures plus tard, éclairé par la lumière vacillante des flammes, 412 écoutait la respiration sifflante de Nicko et celle, parfaitement régulière, de Jenna. Il avait été tiré du sommeil par les ronflements sonores de Maxie qui traversaient le plafond. Maxie était censé dormir en bas, mais il avait gardé l'habitude de monter discrètement se coucher sur le lit de Silas quand il croyait passer inaperçu. Le fait est que lorsqu'il se mettait à ronfler en bas, 412 lui filait un coup de coude qui l'encourageait à prendre ses distances. Mais ce n'étaient pas uniquement les ronflements d'un chien-loup atteint de sinusite qui avaient réveillé 412.

Les craquements du parquet au-dessus de sa tête... Des pas furtifs dans l'escalier... L'antépénultième marche qui grinçait... Quelqu'un – ou quelque chose – approchait. Toutes les histoires de fantômes qu'il avait entendues lui revinrent à la mémoire. Puis il perçut le bruit feutré d'une étoffe qui glissait sur les dalles et comprit que *ça* se trouvait dans la même pièce que lui.

Il se dressa très lentement sur son séant, le cœur battant à tout rompre, et scruta la pénombre. Une silhouette sombre se dirigeait doucement vers le livre que Marcia avait laissé sur le bureau. Elle venait de le fourrer sous sa cape quand elle distingua le blanc des yeux de 412 qui tranchait sur l'obscurité.

– C'est moi, chuchota Marcia en lui faisant signe d'approcher.

Il se dégagea sans bruit de son édredon et la rejoignit, pieds nus sur les dalles froides.

– Je me demande qui pourrait trouver le sommeil dans la même pièce que cet animal, murmura Marcia avec humeur.

412 eut un sourire penaud. Il se garda bien de lui dire que c'était lui avait chassé Maxie vers l'étage.

– J'ai décidé de me **transporter** au Château. Pour plus de sécurité, je vais emprunter la **passerelle de Minuit**. Rappelle-toi que les minutes qui précèdent et suivent immédiatement minuit sont les plus sûres pour se **transporter**. Surtout quand tout porte à croire qu'on est attendu par des gens mal intentionnés. Je vais me rendre aux portes du palais et voir si j'y trouve Silas. Quelle heure est-il ?

Elle sortit sa montre.

– Minuit moins deux minutes. Je serai bientôt de retour. Peut-être pourrais-tu avertir Zelda...

Marcia arrêta ses yeux sur 412 et il lui revint qu'il n'avait pas prononcé un mot depuis qu'il leur avait indiqué son grade et son matricule à la tour du Magicien.

– Bah ! Aucune importance. Elle devinera où je suis allée.

Tout à coup, 412 pensa à quelque chose d'important. Il fouilla dans la poche de son chandail et en tira le **charme** que Marcia lui avait donné quand elle lui avait proposé d'être son apprenti. Il regarda avec un peu de regret les minuscules ailes d'argent posées sur sa paume. L'or et l'argent étincelaient au contact du halo magique qui commençait à entourer Marcia. 412 tendit les **ailes** à cette dernière, songeant qu'il n'avait aucune raison de les garder. À l'évidence, il ne deviendrait jamais son apprenti. Mais Marcia secoua la tête et s'agenouilla près de lui :

– Non. J'espère toujours que tu changeras d'avis. Réfléchis-y pendant mon absence. Minuit moins une minute... Éloigne-toi.

La température chuta brusquement près de Marcia ; une puissante vague de **Magyk** l'enveloppa, chargeant l'air en électricité. 412 battit en retraite vers la cheminée, à la fois effrayé et fasciné. Marcia ferma les yeux et récita une formule longue et compliquée dans une langue qu'il entendait pour la première fois. Puis la même aura magique qu'il avait déjà vue alors que la *Muriel* abordait la passe de Deppen se forma autour d'elle. D'un geste vif, Marcia ramena sa cape sur sa tête de manière à la couvrir entièrement. Au même moment, la couleur pourpre de l'étoffe se fondit dans le halo magique. Il y eut une sorte de chuintement, comme si de l'eau avait coulé sur du métal chauffé au rouge, et Marcia disparut, ne laissant qu'une ombre diffuse qui subsista quelques secondes.

À minuit passé de vingt minutes, une section de gardes surveillait les portes du palais par un froid de loup, comme elle le faisait depuis cinquante longues nuits. Les hommes transis s'attendaient à passer encore des heures interminables à battre la semelle et à se moquer du custode suprême. Il s'imaginait que l'ex-magicienne extraordinaire allait tout à coup surgir du néant, comme par enchantement ! Bien sûr, elle ne s'était jamais montrée et il y avait peu de chance pour que cela arrive un jour. Pourtant, il persistait à les faire poireauter dehors jusqu'à ce que leurs orteils se transforment en glaçons.

Aussi, quand une ombre cramoisie apparut au milieu de leur groupe, aucun des gardes n'en crut ses yeux.

– C'est elle, murmura l'un d'eux, à moitié rassuré.

Soudain, la **Magyk** se mit à tourbillonner dans l'air en envoyant des décharges électriques (très désagréables) dans leurs casques en métal noir. Les gardes dégainèrent leur épée tandis que l'ombre prenait la forme d'une silhouette humaine, drapée dans une cape pourpre.

La magicienne extraordinaire, Marcia Overstrand, se matérialisa au beau milieu du comité d'accueil préparé à son intention par le custode suprême. Privée de son **talisman** et de la protection de la **passerelle de Minuit** (elle avait vingt minutes de retard), elle fut prise de court quand le capitaine de la garde arracha l'amulette d'Akhentaten de son cou.

Dix minutes plus tard, Marcia était couchée sur le sol du donjon numéro un (un puits sombre et profond, enfoui dans les fondations du Château), à moitié assommée et cernée par le **vortex d'ombres et de spectres** que DomDaniel s'était fait un malin plaisir de convoquer tout spécialement pour elle. C'était la pire nuit de toute sa vie. Elle gisait, impuissante, au milieu d'une flaque d'eau croupie, sur les os empilés des précédents occupants du donjon, harcelée par les plaintes et les hurlements des ombres et des spectres qui tournoyaient autour d'elle et aspiraient ses pouvoirs magiques. C'est seulement le lendemain (grâce à un fantôme égaré qui avait traversé le mur du donjon numéro un par le plus grand des hasards) que quelqu'un d'autre que DomDaniel et le custode suprême sut où elle se trouvait.

L'Ancien conduisit Alther auprès d'elle, mais il pouvait seulement lui tenir compagnie et l'exhorter à rester en vie. Il dut faire appel à toute sa persuasion, car Marcia était inconsolable. À cause d'un mouvement de colère, elle avait perdu tout ce pour quoi Alther avait lutté en destituant DomDaniel. Ce dernier portait à nouveau l'amulette d'Akhentaten autour de son cou gras. C'était lui, et non elle, le magicien extraordinaire.

31
LE RETOUR DU RAT

Tante Zelda ne possédait ni montre ni pendule. Les **perturbations** dans le sous-sol du cottage avaient pour effet de dérégler les montres. Malheureusement, tante Zelda avait omis de le signaler à Marcia car elle ne se souciait guère de connaître l'heure exacte. En cas de besoin, elle jetait un coup d'œil au cadran solaire (quand le soleil voulait bien se montrer), mais elle était surtout attentive aux phases de la lune.

La semaine précédant le départ de Marcia, elle avait emmené Jenna faire une promenade autour de l'île après la tombée de la nuit. La neige était plus épaisse que jamais et couverte d'une croûte de gel craquante sur laquelle Jenna courait d'un pas léger, alors que les bottes de tante Zelda passaient au travers. Elles avaient marché jusqu'à la pointe de l'île, à l'écart des lumières du cottage. Là, tante Zelda avait montré du doigt le ciel balayé par des centaines de milliers d'étoiles scintillantes – plus que Jenna n'en avait jamais vu.

– Ce soir, c'est la lune noire.

Jenna frissonna, non à cause du froid mais de l'émotion qu'elle éprouvait à se trouver là, au milieu de l'obscurité et de cet immense champ d'étoiles.

– Tu auras beau chercher, tu ne verras nulle part la lune. Personne sur terre ne la verra. Ce n'est pas une nuit à s'aventurer seul dehors. Si les esprits et les créatures du marais n'étaient pas tous coincés sous la glace, nous serions restées au cottage sous la protection d'un **charme**. Mais j'ai pensé que tu aimerais voir les étoiles quand elles ne sont pas éclairées par la lune. Ta mère adorait les observer.

Jenna sentit sa gorge se serrer.

– Ma mère ? Celle qui m'a mise au monde ?

– La reine, oui. Elle aimait beaucoup les étoiles. Je me suis dit que tu devais les aimer aussi.

– En effet, murmura Jenna. Chez nous, j'avais l'habitude de les compter à travers la vitre quand je ne pouvais pas m'endormir. Mais comment as-tu connu ma mère ?

– Je la voyais tous les ans avant sa... Avant que les choses changent. Je connaissais également sa mère, ton adorable grand-mère.

Mère, grand-mère... Jenna s'avisa tout à coup qu'elle était issue de toute une lignée dont elle ne savait rien. Mais tante Zelda savait, elle.

– Tante Zelda...

Elle osait à peine poser la question qui la tracassait depuis qu'elle avait appris sa véritable identité.

– Hmm ? fit tante Zelda en inspectant l'horizon.

– Et mon père ?

– Ton père ? Oh ! Il était originaire des Lointaines Contrées. Il est parti avant ta naissance.

– Parti ?

– Sur son vaisseau. Il est allé chercher je ne sais trop quoi. J'ai entendu dire qu'il était revenu au Port juste après que tu sois née, sa cale pleine de cadeaux précieux pour toi et ta mère. Mais quand il a su l'affreuse nouvelle, il a repris la mer à la marée suivante...

– Co... comment s'appelait-il ?

– Je n'en ai pas la moindre idée.

Comme la plupart des gens, tante Zelda prêtait peu d'attention au nom de l'époux de la reine. Le titre royal se transmettait de mère en fille alors que les hommes de la famille menaient leur vie à leur guise.

Le ton de sa voix attira l'attention de Jenna. Celle-ci détacha son regard des étoiles pour le fixer sur tante Zelda. Elle retint son souffle. Jusque-là, elle n'avait pas vraiment regardé les yeux de sa tante – des yeux de sorcière blanche, d'un bleu lumineux et perçant. Mais à présent, ils ressortaient sur le noir de la nuit tandis qu'ils scrutaient l'étendue du marais.

– Bon ! dit-elle soudain. Il est temps de rentrer.

– Mais...

– Je t'en dirai davantage l'été prochain. Ta mère et ta grand-mère venaient toujours à cette époque de l'année, pour la fête du solstice. Je t'emmènerai là-bas.

– Où ça ?

– Viens vite. Je n'aime pas beaucoup l'allure de cette ombre...

Tante Zelda attrapa la main de Jenna et l'entraîna vers la maison en courant sur la neige. Le lynx des marais qui rôdait dans les parages s'arrêta et fit demi-tour. Il était trop affaibli pour leur donner la chasse. Quelques jours plus tôt, il se serait rempli l'estomac et aurait attendu la fin de l'hiver avec sérénité. Mais à présent... Le lynx se glissa dans le trou qu'il avait creusé dans la neige et mâchonna du bout des dents sa dernière souris congelée.

À la lune noire succéda un mince croissant, chaque nuit un peu plus large. Le ciel était clair à présent que les chutes de neige avaient cessé, aussi Jenna observait-elle tous les soirs la lune depuis la fenêtre tandis que les sentinelles s'agitaient rêveusement dans leurs **pots**, attendant qu'on leur rende leur liberté.

– Continue, l'encourageait tante Zelda. La lune montante attire vers la surface tout ce qui est enfoui dans le sol. Et le cottage attire à lui les personnes qui désirent s'y rendre. C'est à la pleine lune que cette attraction est la plus forte. D'ailleurs, vous êtes arrivés à ce moment-là.

Alors, Jenna comptait les jours qui les séparaient de la pleine lune. Mais la veille du premier quartier, Marcia disparut.

– Comment est-ce possible ? demanda Jenna à tante Zelda lorsqu'ils découvrirent son absence. Je croyais que la lune montante provoquait le retour des gens, pas leur départ.

Sa question mit tante Zelda de mauvaise humeur. Elle était fâchée que Marcia soit partie sans l'avertir et en outre, elle n'aimait pas qu'on malmène ses théories sur la lune.

– Quelquefois, dit-elle d'un air mystérieux, les choses doivent partir afin de pouvoir revenir.

Sur ce, elle se dirigea vers le placard à potions d'un pas qui fit trembler le sol et s'y enferma à double tour.

Avec un clin d'œil complice, Nicko brandit sa paire de patins devant Jenna :

– On fait la course jusqu'à la grande tourbière ?

– Le dernier arrivé est un rat crevé, s'esclaffa Jenna.

Stanley se réveilla en sursaut en entendant les mots « rat crevé » et ouvrit les yeux juste pour voir Nicko et Jenna attraper leurs patins et filer avec l'intention de passer la journée dehors.

À la pleine lune, comme Marcia n'avait toujours pas reparu, tous devinrent très inquiets.

– Je lui avais dit d'attendre le matin, rappela tante Zelda. Mais non, elle n'en a fait qu'à sa tête. Il a fallu qu'elle se lève et disparaisse au milieu de la nuit. Et depuis, pas un mot. Ça ne me plaît pas. Je peux comprendre que Silas ne soit pas encore revenu à cause du Grand Gel, mais pas Marcia.

– Peut-être qu'elle va revenir ce soir, hasarda Jenna, vu que la lune est pleine.

– Peut-être, ou peut-être pas.

Bien sûr, Marcia ne revint pas. Elle passa cette nuit-là, comme les précédentes, au milieu d'un **vortex d'ombres et de spectres**, couchée dans une flaque d'eau sale au fond du donjon numéro un. Assis à ses côtés, Alther Mella faisait appel à tous ses **pouvoirs fantomatiques** pour la maintenir en vie. Rares étaient les prisonniers qui survivaient à la chute dans le donjon numéro un, et même ceux-là ne duraient pas longtemps.

Ils s'enfonçaient peu à peu dans l'eau stagnante, rejoignant les ossements qui reposaient juste sous la surface. Sans Alther, il ne fait aucun doute que Marcia aurait fini par connaître le même sort.

Mais cette nuit, quand le soleil fut couché et la lune haute dans le ciel, Jenna et tante Zelda s'emmitouflèrent dans des édredons et continuèrent à guetter le retour de Marcia près de la fenêtre. Jenna s'endormit très vite mais Zelda veilla jusqu'au lever du soleil. Quand la lune se coucha, elle vit s'envoler le faible espoir qu'elle nourrissait encore.

Le lendemain, le rat coursier se sentit assez fort pour reprendre la route. Il y a une limite à la quantité de purée d'anguilles que même un rat peut ingurgiter, et Stanley estimait l'avoir atteinte.

Toutefois, il ne pouvait prendre congé avant d'avoir été chargé d'une réponse, ou à tout le moins relevé de ses obligations. C'est pourquoi il toussa poliment avant de se manifester :

– Excusez-moi...

Tous les regards se tournèrent vers lui. Il s'était montré tellement discret durant sa convalescence qu'ils avaient perdu l'habitude de l'entendre.

– Il est temps que je retourne au Bureau des rats. Je n'ai déjà que trop tardé. Mais je dois vous demander, souhaitez-vous me charger d'un message ?

– Oui ! s'écria Jenna. Apporte un message à papa.

– Pourriez-vous me préciser qui est « papa » et où je puis le trouver ?

– On n'en sait rien, rétorqua tante Zelda. Merci, mais il n'y a pas de message. Tu es libre, rat.

Stanley s'inclina, profondément soulagé.

– Merci, madame. Et, hum... Merci à tous de votre gentillesse. Je vous suis très reconnaissant.

Le rat partit en courant, laissant sur la neige de minuscules empreintes de pattes et de queue.

– J'aurais bien voulu qu'on lui confie un message, dit Jenna d'un ton mélancolique.

– C'était trop risqué, répondit tante Zelda. Il y avait quelque chose de pas net chez ce rat. Il était différent de la première fois.

– En effet, acquiesça Nicko. Il était beaucoup plus maigre.

– Hum, grogna tante Zelda. Il se trame quelque chose. Je le sens.

Le voyage de retour de Stanley se déroula sans incident. C'est seulement quand il arriva à destination que les choses se gâtèrent. Il trottina jusqu'au sommet du tuyau d'écoulement enfin dégelé et frappa à la porte du Bureau des rats.

– Entrez ! cria le rat noir. (Il venait de reprendre son service après avoir longtemps attendu des secours.)

Stanley entra furtivement, sachant qu'il allait devoir fournir des explications.

– VOUS ! fulmina le rat noir. Je vais vous apprendre à vous payer ma tête ! Vous savez combien de temps vous êtes parti ?

– Soixante jours, murmura Stanley. (Il n'était que trop conscient de la durée de son absence et commençait à se demander quel accueil allait lui faire Dawnie.)

– SOIXANTE JOURS, CHEF ! vociféra le rat noir en martelant le dessus de la table avec sa queue. Vous rendez-vous compte que vous m'avez ridiculisé ?

Stanley se tut, songeant que son horrible aventure avait au moins eu un résultat positif.

– Vous allez me le payer. Tant que j'occuperai ce fauteuil, je veillerai personnellement à ce qu'on ne vous confie plus jamais de mission.

– Mais...

– Mais, CHEF ! Combien de fois faudra-t-il vous le dire ? Vous devez m'appeler CHEF !

Stanley garda le silence. Il brûlait d'envie d'appeler le rat noir par toutes sortes de noms, mais certainement pas « chef ». Soudain, il perçut une présence derrière lui. Il virevolta et se retrouva face à deux rats immenses, les plus musclés qu'il avait jamais vus. Ils se tenaient sur le seuil du bureau dans une attitude menaçante, empêchant la lumière d'entrer et bloquant le passage à Stanley qui éprouvait tout à coup une furieuse envie de battre en retraite.

Pour sa part, le rat noir parut ravi de les voir.

– Ah ! Vous voilà. Emmenez-le, les gars.

– Où ça ? couina Stanley. Où m'envoyez-vous ?

– Où m'envoyez-vous, CHEF ! gronda le rat noir. À l'expéditeur du message, le mandataire. Il souhaite savoir où se trouve *précisément* le destinataire. Et comme vous n'êtes plus assermenté, vous allez bien évidemment le lui dire. Conduisez-le chez le custode suprême !

✢ 32 ✢
LE GRAND DÉGEL

Le Grand Dégel survint le lendemain du départ du rat coursier. Il fit son apparition dans les marais, où le temps était toujours un peu plus doux qu'ailleurs, puis il remonta le cours de la rivière et traversa la Forêt avant d'atteindre le Château. Les habitants l'accueillirent avec gratitude car ils étaient à court de vivres, l'armée des custodes ayant pillé la plupart des garde-manger pour fournir à DomDaniel les ingrédients de ses banquets incessants. Le Grand Dégel procura également un certain soulagement au rat coursier qui grelottait et se morfondait dans une souricière sous le plancher des anciens vestiaires des dames. On l'avait abandonné là après qu'il eut refusé de dire où se trouvait le cottage de tante Zelda. Il ignorait que le Chasseur était parvenu à localiser celui-ci à partir des renseignements fournis au custode suprême par Simon Heap. Il ignorait également que nul n'avait l'intention de le libérer un jour, même s'il avait déjà passé assez de temps dans sa prison pour le deviner. Il subsistait comme il le pouvait, mangeant tout ce qu'il pouvait attraper (surtout des araignées et des cafards), léchant les gouttes gelées qui suintaient d'un tuyau percé et songeant presque avec affection à Jack le toqué. Entre-temps, Dawnie l'avait cru définitivement perdu et était allée vivre chez sa sœur.

Les marais de Marram furent bientôt à nouveau inondés. On commençait à entrevoir du vert sous la neige, et le sol était lourd et spongieux. Le fossé du cottage fut le dernier à dégeler, mais aux premiers signes du redoux, le python des marais commença à s'agiter. Il remuait impatiemment la queue et étirait ses centaines de côtes ankylosées. Les occupants de la maison attendaient en retenant leur souffle que le serpent géant s'échappe de sa prison de glace. Ils ignoraient à quel point il était affamé et en colère. Nicko s'était assuré que Maxie reste à la maison en l'attachant au pied de la table à l'aide d'une corde. Il se doutait que le python serait trop heureux de mettre un chien-loup à son menu pour fêter sa libération. Un après-midi (le troisième après le début du Grand Dégel), il y eut un craquement assourdissant : la glace venait de céder et de voler en éclats sous la poussée de la tête robuste du python. Quand le serpent se dressa, Jenna (elle était seule dans les parages à ce moment-là) se réfugia derrière le bateau-poulailler. Le serpent jeta un regard dans sa direction, mais comme il n'avait pas envie de mastiquer des bottes en guise de hors-d'œuvre, il entreprit de faire tant bien que mal le tour du fossé pour rejoindre la sortie. Le hic, c'est qu'il était rouillé. Il se retrouva prisonnier d'un cercle. Ne pouvant fléchir le corps, il n'avait d'autre choix que de nager en rond autour du fossé, interminablement. Chaque fois qu'il tentait de s'engager dans le chenal qui menait aux marais, ses muscles refusaient de lui obéir. Pendant plusieurs jours, il fut forcé de rester là, happant les poissons qui passaient à sa portée et décochant des regards venimeux à quiconque approchait. Plus personne ne prit ce risque après qu'il eut renversé 412 en dardant vers lui sa longue langue fourchue. Enfin, un matin, les premiers rayons du soleil printanier le réchauffèrent juste assez pour détendre ses muscles raidis. En grinçant tel un vieux portail, il s'éloigna péniblement et se mit en quête de quelques chèvres. Durant les jours suivants, il se redressa peu à peu, mais pas complètement : jusqu'à la fin de sa vie, le python des marais devait garder une tendance à se déporter vers la droite quand il nageait.

Sitôt que le Grand Dégel eut atteint le Château, DomDaniel et ses deux magogs remontèrent la rivière jusqu'à la crique Funeste. Au plus noir de la nuit, ils traversèrent une étroite passerelle rongée par l'humidité et embarquèrent sur la *Vengeance*. Puis ils attendirent quelques jours que la marée de vive eau remette le bateau à flot et le fasse sortir de la crique.

Le jour de leur départ, le custode suprême réunit son Conseil. La veille, il avait oublié de fermer à clé la porte des vestiaires des dames. Simon n'était plus enchaîné, le custode suprême ayant fini par le considérer moins comme un otage que comme un invité. Le jeune homme attendait avec impatience la visite quotidienne de son hôte. Il avait pris goût à ses potins sur DomDaniel (ses exigences déraisonnables, ses accès de fureur), aussi fut-il déçu de ne pas le voir paraître. Ce qu'il ignorait, c'est que le custode suprême s'était lassé de sa compagnie et qu'au même moment, il complotait d'éliminer non seulement Jenna, mais l'ensemble de la famille Heap, lui compris. (DomDaniel avait baptisé cette opération « Extirper les Heap ».)

Au bout d'un moment, plus par ennui que par désir de s'échapper, Simon s'approcha de la porte. À son grand étonnement, elle s'ouvrit et il se retrouva face à un corridor désert. Paniqué, il recula vivement et claqua la porte. Que faire ? Devait-il fuir ? En avait-il envie ?

Il s'appuya contre le chambranle et réfléchit. Sa seule raison de rester était la promesse hasardeuse de devenir l'apprenti de DomDaniel. Toutefois, le custode suprême ne lui avait jamais renouvelé sa proposition. Et Simon Heap avait beaucoup appris durant les six semaines qu'il venait de passer dans les vestiaires des dames. La première chose qu'il avait apprise, c'était de n'accorder aucune foi aux paroles du custode suprême. La seconde, de tout mettre en œuvre pour atteindre son objectif numéro un. Et dorénavant, l'objectif numéro un de Simon Heap était sa propre survie.

Il rouvrit la porte. Toujours personne en vue. Sa décision était prise. Il sortit dans le couloir.

Silas errait comme une âme en peine le long de la voie du Magicien. Il inspectait les vitrines grasses des boutiques et des officines qui bordaient l'avenue, se demandant si Simon était retenu prisonnier dans l'un des sombres réduits qu'elles dissimulaient. Au passage d'un peloton de gardes, il se blottit sous un porche et serra le **talisman** de Marcia dans sa main, espérant qu'il agissait encore.

– Psst ! fit Alther.

– Hein, quoi ?

Silas avait sursauté. Il avait très peu vu Alther récemment, le fantôme passant le plus clair de son temps avec Marcia dans le donjon numéro un.

– Comment va-t-elle aujourd'hui ? murmura Silas.

– Mieux, répondit Alther d'un air sombre.

– Je persiste à dire que nous devrions avertir Zelda.

– Silas, tu ferais bien d'écouter mon conseil et de ne pas t'approcher du Bureau des rats. DomDaniel a placé des rats des Maleterres – une bande de canailles – à sa tête. Mais ne t'inquiète pas, je finirai par avoir une idée. Il doit bien exister un moyen de la sortir de là.

Silas était abattu. Marcia lui manquait plus qu'il ne voulait se l'avouer.

– Courage, Silas ! lui dit Alther. Quelqu'un t'attend à la taverne. Je l'ai vu rôder autour du palais comme je revenais du donjon. Je l'ai fait entrer dans le tunnel à l'insu des gardes. Tu ferais bien de te dépêcher avant qu'il change d'avis et nous fausse compagnie. Ton Simon n'est pas un garçon commode.

Un sourire éclaira le visage de Silas.

– Simon ! Alther, pourquoi ne pas me l'avoir dit plus tôt ? Est-ce qu'il va bien ?

– Il en a tout l'air, répondit Alther, laconique.

Il y avait presque deux semaines que Simon avait rejoint sa famille quand, la veille de la pleine lune, tante Zelda sortit sur le seuil de la maison pour **écouter** un bruit lointain.

– Pas maintenant, les garçons, dit-elle à Nicko et à 412 qui se battaient en duel avec deux manches à balai. J'ai besoin de me concentrer.

Quand Nicko et 412 eurent cessé leur combat, tante Zelda devint aussi immobile qu'une statue et scruta l'horizon.

– Quelqu'un approche, dit-elle au bout d'un moment. Je vais envoyer Boggart à sa rencontre.

– Pas trop tôt ! s'exclama Jenna. Je me demande s'il s'agit de papa ou de Marcia. Peut-être Simon est-il avec eux ? Et maman ? Qui sait, ils sont peut-être tous là ?

Maxie se leva d'un bond et gambada autour de Jenna en agitant sauvagement la queue. Parfois, Maxie donnait l'impression de comprendre exactement le sens des paroles de Jenna, sauf quand elle disait des choses du genre : « Au bain, Maxie ! » ou « Plus de biscuits, Maxie ! »

– Calme-toi, Maxie, ordonna tante Zelda en caressant les oreilles soyeuses du chien-loup. L'ennui, c'est que celui qui vient ne ressemble à personne que je connaisse.

– Oh ! fit Jenna. Qui d'autre sait où nous trouver ?

– Je l'ignore. Mais qui que ce soit, il vient de pénétrer dans les marais. Je le sens. Couché, Maxie ! Bon chien. Mais où est donc passé Boggart ?

Au coup de sifflet strident de tante Zelda, la silhouette sombre et trapue du boggart se hissa sur la berge du fossé et remonta le sentier qui menait au cottage en se trémoussant.

– Pas si fort, protesta-t-il en frottant ses petites oreilles rondes. Ça m'a traversé de part en part. Bonsoir, mam'zelle, ajouta-t-il en adressant un signe de tête à Jenna.

Celle-ci sourit. Elle avait toujours envie de sourire quand elle voyait le boggart.

– Bonsoir, Boggart.

– Quelqu'un vient par ici à travers les marais, expliqua tante Zelda. Peut-être sont-ils plusieurs. Je n'en suis pas certaine. Pourrais-tu aller voir qui c'est ?

– Pas de souci. J'y serai en deux coups de nageoire.

Il redescendit le sentier de sa démarche dandinante et disparut sous l'eau.

– En attendant le retour de Boggart, nous ferions bien de nous préparer à relâcher les sentinelles, dit tante Zelda. Juste au cas où.

– Mais papa a dit que tu avais **enchanté** le cottage après l'incursion des bobelins, s'étonna Jenna. On devrait être en sécurité, non ?

– Seulement contre les bobelins. D'ailleurs, l'effet de l'enchantement commence à se dissiper. En tout cas, ce qui approche me paraît beaucoup gros plus qu'un bobelin.

Pendant que Tante Zelda allait chercher le livre mode d'emploi des sentinelles volantes, Jenna considéra les **bocaux** toujours alignés sur les rebords des fenêtres. Les insectes attendaient à l'intérieur de l'épaisse gelée verte. La plupart dormaient mais certains remuaient lentement, comme s'ils avaient deviné qu'on risquait de faire bientôt appel à eux. *Contre quoi ?* se demanda Jenna. *Ou contre qui ?*

– Et voilà !

Tante Zelda revint avec le livre et le laissa tomber sur la table. Elle l'ouvrit à la première page et en tira un petit marteau d'argent qu'elle tendit à Jenna.

– L'activateur, commenta-t-elle. À présent, pourrais-tu faire le tour de la maison en donnant un coup de ceci à chaque pot ? Ainsi, les sentinelles seront prêtes.

Jenna prit le marteau d'argent et se déplaça le long des rangées de bocaux, donnant un léger coup sur chaque couvercle. En un instant, cinquante-six sentinelles furent réveillées et prêtes à entrer en action. Comme elle arrivait au bout de la rangée, le couvercle du dernier pot (celui qui contenait l'ex-mille-pattes) sauta, la sentinelle sortit à l'air libre en l'éclaboussant de gelée verte et se posa sur son bras.

Jenna se mit à hurler.

La sentinelle libérée se ramassa sur elle-même, l'épée au poing. Paralysée de terreur, Jenna s'attendait à ce que l'insecte fasse volte-face et l'attaque, oubliant sa seule mission : défendre la personne qui l'avait relâchée contre ses ennemis.

Pour l'heure, la sentinelle s'appliquait à identifier ceux-ci. Malgré sa petite taille, elle était un adversaire redoutable. Ses écailles vertes jouaient avec aisance tandis qu'elle se tournait en tous sens, inspectant les alentours. Son bras droit brandissait une épée aussi tranchante qu'un rasoir qui étincelait à la lueur des bougies ; ses pattes courtes et puissantes remuaient sans relâche, car l'insecte se balançait d'un pied sur l'autre tout en jaugeant ses ennemis potentiels. Ces derniers étaient plutôt décevants. Une espèce de chapiteau bigarré le fixait de ses yeux bleus brillants.

– Recouvre-la de ta main, murmura le chapiteau à la libératrice de la sentinelle. Elle va se rouler en boule. On essaiera alors de l'attraper et de la faire rentrer dans le **bocal**.

Sa libératrice regarda la petite épée effilée de la sentinelle et parut hésiter.

– Si tu veux, je vais m'en charger, dit le chapiteau en s'approchant.

La sentinelle virevolta d'un air menaçant et le chapiteau s'arrêta net, se demandant ce qui se passait. Ils avaient **imprégné** tous les insectes, non ? Alors, celui-ci aurait dû comprendre qu'aucun d'eux n'était l'ennemi. Mais ce n'était pas le cas. Solidement campé sur le bras de Jenna, il promenait son regard autour de lui.

Enfin, il trouva ce qu'il cherchait : deux jeunes guerriers armés de piques, prêts à attaquer. Et l'un d'eux portait un chapeau rouge. La sentinelle gardait un vague et lointain souvenir de ce chapeau rouge, comme une réminiscence d'un état antérieur. Et elle savait qu'il lui avait fait du mal. Quel mal ? Elle l'ignorait au juste, mais c'était sans importance.

Elle avait repéré l'ennemi.

Avec un cri effrayant, l'insecte s'élança depuis le bras de Jenna en agitant ses lourdes ailes et traversa la pièce dans un bruit de crécelle. Il se dirigeait droit vers 412, pareil à un missile téléguidé miniature. Il brandissait son épée, hurlant telle une sirène, et sa gueule grande ouverte dévoilait deux rangées de petites dents vertes et pointues.

– Frappe-le ! cria tante Zelda. Vite, donne-lui un coup sur la tête !

412 balança son manche à balai en direction de l'insecte qui avançait vers lui et il manqua sa cible. Nicko tenta à son tour de l'atteindre, mais l'insecte esquiva au dernier moment. 412 le regardait approcher d'un air incrédule, les yeux rivés sur sa minuscule épée.

– Reste immobile ! lui souffla tante Zelda d'une voix rauque. Quoi qu'il arrive, ne bouge pas !

412 vit avec horreur l'insecte se poser sur son épaule et avancer résolument vers son cou, son épée dressée.

Jenna fit un bond vers lui.

– Non ! cria-t-elle.

L'insecte se tourna vers sa libératrice sans comprendre ce qu'elle voulait. Mais quand elle referma la main sur lui, il rengaina sa lame et se mit docilement en boule. 412 se laissa tomber sur le sol.

Jenna essaya de fourrer l'insecte roulé en boule dans le **pot** que lui tendait tante Zelda, sans succès. D'abord, ce fut une patte qui resta à l'extérieur, puis une deuxième. Jenna venait de les replier quand elle s'aperçut que l'une d'entre elles était ressortie. Elle avait beau pousser, l'insecte se débattait furieusement, refusant de retourner dans sa prison.

Jenna craignait qu'il devienne méchant et se serve de son arme contre elle, mais malgré ses efforts désespérés pour demeurer à l'air libre, l'insecte ne dégaina pas son épée. La sécurité de sa libératrice était son premier souci. Et comment sa libératrice aurait-elle été en sécurité s'il était retourné à l'intérieur du **pot** ?

– Il va falloir le laisser en liberté, soupira tante Zelda. À ma connaissance, personne n'est jamais arrivé à faire réintégrer son **bocal** à une sentinelle. Si vous voulez mon avis, ces bestioles apportent plus d'ennuis qu'elles ne rendent de services. Mais Marcia a insisté, comme toujours.

– Et 412 ? demanda Jenna. Il ne risque pas de s'en prendre à nouveau à lui ?

– Pas maintenant que tu l'as enlevé de son bras. Tout devrait bien se passer.

412 n'avait pas l'air convaincu. Il aurait aimé entendre autre chose qu'une supposition. Une affirmation l'aurait davantage rassuré.

La sentinelle s'installa sur l'épaule de Jenna. Durant quelques minutes, elle persista à jeter des regards soupçonneux à tout le monde, mais dès qu'elle esquissait un mouvement, Jenna la recouvrait de sa main, aussi finit-elle par se calmer.

Jusqu'au moment où on frappa à la porte.

Tout le monde s'immobilisa.

Dehors, une chose grattait la porte avec ses griffes.

Scritch... scritch... scritch...

Maxie geignit.

L'insecte se redressa et tira l'épée. Cette fois, Jenna ne fit rien pour l'en empêcher. Elle le sentit bouger sur son épaule, prêt à bondir.

– Bert, va voir si c'est un ami, dit calmement tante Zelda.

La cane s'approcha de la porte en se dandinant, pencha la tête afin d'écouter et émit un miaulement bref.

– Ami, traduisit tante Zelda. C'est sans doute Boggart. Mais qu'est-ce qui lui prend de gratter comme ça ?

Elle ouvrit la porte et hurla :

– Boggart ! Oh ! Boggart...

Le boggart gisait sur le seuil dans une flaque de sang.

Tante Zelda s'agenouilla près de lui et les autres firent cercle autour d'eux.

– Boggart, cher Boggart, que t'est-il arrivé ?

Le boggart ne répondit pas. Il avait les paupières closes, la fourrure terne et poisseuse, couverte de sang. Il s'effondra sur le sol, ayant usé ses dernières forces à atteindre le cottage.

– Oh ! Boggart... Ouvre les yeux, Boggart ! cria tante Zelda.

Comme il ne réagissait pas, elle reprit :

– Que quelqu'un m'aide à le soulever. Vite !

Nicko se précipita pour aider sa tante à asseoir le boggart. Mais celui-ci était lourd et glissant, et ils durent tous s'y mettre pour le rentrer à l'intérieur. Ils le portèrent dans la cuisine, feignant d'ignorer le sang qui gouttait derrière eux, et l'étendirent sur la table.

Tante Zelda plaça une main sur sa poitrine.

– Il respire encore, dit-elle. Mais à peine. Et son cœur bat faiblement, comme les ailes d'un tout petit oiseau...

Réprimant un sanglot, elle prit la conduite des opérations :

– Jenna, parle-lui pendant que je vais chercher le coffre de premier secours. Parle-lui et répète-lui que nous sommes là. Ne le laisse pas... partir. Nicko, va me chercher de l'eau chaude.

Tandis que 412 accompagnait tante Zelda, Jenna tenait les pattes mouillées et boueuses du boggart dans ses mains et lui parlait à voix basse, en s'efforçant de paraître plus calme qu'elle ne l'était en réalité.

– Tout va bien, Boggart. Vous serez bientôt rétabli, je vous le promets. Est-ce que vous m'entendez ? Boggart ? Serrez ma main si vous m'entendez.

Les doigts palmés du boggart pressèrent très doucement la main de Jenna.

– C'est ça, Boggart. Nous sommes toujours là. Tout va bien se passer. Vous...

Tante Zelda et 412 revinrent avec un grand coffre en bois qu'ils posèrent par terre. Nicko plaça un bol d'eau chaude sur la table.

– Bien, dit tante Zelda. Merci à tous. Maintenant, j'aimerais que vous me laissiez seule avec Boggart. Allez tenir compagnie à Maxie et à Bert.

Mais les enfants répugnaient à s'éloigner du boggart.

– Allez, insista Zelda.

Jenna lâcha à contrecœur la patte inerte du boggart et quitta la cuisine avec les deux garçons. Tante Zelda referma la porte derrière eux.

Jenna, Nicko et 412 allèrent tristement s'asseoir près de la cheminée. Nicko se blottit contre Maxie alors que ses compagnons se contentaient de regarder les flammes, perdus dans leurs réflexions.

412 pensait à la bague magique. S'il la donnait à tante Zelda, peut-être que le boggart guérirait. Mais s'il lui donnait la bague, elle exigerait de savoir où il l'avait trouvée. Et 412 se doutait que si elle l'apprenait, elle entrerait dans une colère terrible. Qui sait si elle n'allait pas le renvoyer ? De toute façon, il s'était rendu coupable de vol. Il avait pris quelque chose qui ne lui appartenait pas. Mais si la bague pouvait sauver le boggart...

Plus il réfléchissait, plus sa résolution grandissait. Il devait rendre l'anneau à tante Zelda.

– Tante Zelda a dit de la laisser tranquille, lui rappela Jenna en le voyant se lever et se diriger vers la porte de la cuisine.

412 ignora l'avertissement.

– Reviens !

Elle se leva d'un bond dans l'intention de l'arrêter, mais au même moment, la porte de la cuisine s'ouvrit.

Tante Zelda sortit de la pièce, le visage blême et crispé. Son tablier était plein de sang.

– Quelqu'un a tiré sur Boggart, annonça-t-elle.

33
ATTENDRE ET OBSERVER

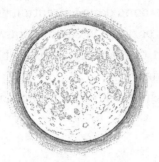

La balle se trouvait sur la table de la cuisine. Une petite balle en plomb à laquelle adhérait encore une touffe de poils de boggart, tellement inquiétante au milieu de la table fraîchement récurée de tante Zelda.

Le boggart était étendu dans une cuve en fer-blanc posée par terre, mais il paraissait trop petit, trop maigre et anormalement propre pour être le boggart qu'ils connaissaient et aimaient tous. Un large pansement fait d'un drap déchiré entourait sa taille. Déjà, une tache rouge s'étalait sur l'étoffe blanche.

Il battit faiblement des paupières quand les trois enfants entrèrent sur la pointe des pieds.

– Il faudra l'arroser avec une éponge aussi souvent que possible, expliqua tant Zelda. Nous devons à tout prix éviter qu'il se déshydrate. Mais faites attention à ne pas mouiller sa blessure. Il faudra également veiller à ce qu'il reste propre. Pas de boue avant au moins trois jours. J'ai placé des feuilles d'achillée sous son bandage, et je suis en train de lui préparer une décoction d'écorce de saule. Cela calmera la douleur.

– Il va guérir ? demanda Jenna.

– Oui, il va s'en tirer.

Tante Zelda esquissa un sourire las et crispé tout en remuant l'écorce de saule qu'elle faisait bouillir dans une grande casserole en cuivre.

– Et la balle ? Qui a pu lui tirer dessus ? demanda Jenna.

Son regard était irrésistiblement attiré par la balle en plomb noir, cette intruse qui soulevait trop de questions alarmantes.

– Je l'ignore, répondit tante Zelda à voix basse. J'ai interrogé Boggart, mais il n'est pas en état de parler. Je crois que nous ferions bien de monter la garde cette nuit.

Pendant que tante Zelda s'occupait du boggart, les trois enfants transportèrent les **bocaux** des sentinelles à l'extérieur.

La fraîcheur de la nuit réveilla subitement l'instinct de soldat de 412. Il examina les alentours, en quête d'un endroit d'où ils pourraient surveiller les voies d'accès à l'île tout en se cachant. Il ne tarda pas à trouver ce qu'il cherchait : le bateau-poulailler.

Un excellent choix. Les poules passaient la nuit en sécurité dans la cale du bateau, laissant le pont libre. 412 enjamba le bastingage et s'accroupit derrière les vestiges de la timonerie, puis il fit signe à ses compagnons de venir. Jenna et Nicko grimpèrent dans le poulailler et firent passer les **pots** à 412 avant de le rejoindre dans le poste de timonerie.

Le ciel était nuageux et la lune le plus souvent cachée. Mais de temps en temps, elle apparaissait et sa clarté laiteuse éclairait les marais à plusieurs milles à la ronde. 412 inspectait alors l'horizon, épiant le moindre mouvement ou signe d'agitation, comme le lui avait enseigné l'horrible Pincepoule, le Chasseur en second. 412 ne pouvait évoquer Pincepoule sans frémir. Sa très haute taille était une des multiples raisons qui l'avaient empêché de devenir Chasseur en titre : il était simplement trop repérable. À cela, il convenait d'ajouter son caractère imprévisible, sa manie de faire craquer les jointures de ses doigts dans les moments de tension (une habitude qui le trahissait fréquemment juste comme il allait atteindre sa proie) et une absence d'hygiène souvent providentielle pour celles de ses victimes qui avaient un odorat développé, du moins quand le vent soufflait dans la bonne direction. Mais si Pincepoule n'avait jamais été promu Chasseur en titre, c'était surtout parce que personne ne l'aimait.

412 ne l'aimait pas non plus, mais il avait beaucoup appris de lui une fois habitué à ses crises de colère, à son odeur et à sa manie de faire craquer ses doigts. Entre autres principes, il lui avait appris à « attendre et observer ». À force de l'entendre répéter, la formule s'était gravée dans son esprit telle une rengaine. « Attendre et observer, attendre et observer, *ATTENDRE ET OBSERVER*, mon gars. »

Selon sa théorie, si l'observateur attendait assez longtemps, la proie finissait toujours par trahir sa présence. Parfois, le signe résidait dans le mouvement presque imperceptible d'une brindille, le bruissement des feuilles piétinées ou la fuite précipitée d'un oiseau ou d'un petit animal. Tout ce que l'on avait à faire, c'était attendre – et bien sûr, identifier le signe quand il survenait. C'était là le plus difficile, et 412

316

n'excellait pas toujours à cet exercice. Mais sans l'ignoble Pincepoule pour lui souffler son haleine pestilentielle dans le cou, il se sentait capable d'y arriver. Il était certain d'y arriver.

Le froid était intense dans la timonerie, mais ils trouvèrent une pile de vieux sacs et s'en firent des couvertures, puis ils se préparèrent à attendre. Attendre et observer.

Tandis que la paix et le silence régnaient sur terre, dans le ciel, les nuages défilaient à toute allure devant la lune, tantôt l'occultant et plongeant le paysage dans l'obscurité, tantôt s'éloignant et laissant sa clarté se répandre sur les marécages. Comme la lune éclairait le réseau de fossés recouvrant les marais de Marram, 412 surprit un mouvement. C'est du moins ce qu'il lui sembla. Il attrapa Nicko par le bras et lui montra la direction dans laquelle il avait aperçu quelque chose, mais au même moment, les nuages masquèrent à nouveau la lune. Accroupis dans la timonerie, ils continuèrent à attendre. Attendre et observer.

Le nuage effilé mit une éternité à glisser devant la lune. Quand il serait passé, Jenna redoutait plus que tout de voir quelque chose ou quelqu'un venir vers eux à travers les marais. Elle aurait tant voulu que l'agresseur du boggart se rappelle brusquement qu'il avait oublié sa bouilloire sur le feu et décide de rentrer chez lui pour l'enlever avant que sa maison ne brûle... Mais il n'y avait aucune chance pour que cela arrive. Tout à coup, la lune émergea de derrière le nuage et 412 leur indiqua quelque chose du doigt.

D'abord, Jenna ne vit rien. Depuis la timonerie, elle fouillait du regard les marais qui s'étendaient devant elle, tel un pêcheur scrutant les flots à la recherche d'un banc de poissons. Puis elle distingua une forme sombre et allongée qui progressait le long d'un fossé de drainage à une allure lente et régulière.

– Un canoë, murmura Nicko.

Jenna reprit courage :

– C'est papa ?

– Non. Il y a deux personnes, peut-être trois à bord. Je ne vois pas bien.

– Je vais avertir tante Zelda.

Jenna se releva mais comme elle allait sortir, 412 l'arrêta en posant une main sur son bras.

– Quoi ? chuchota-t-elle.

412 secoua la tête et mit un doigt sur ses lèvres.

– Il a peur que tu fasses du bruit et trahisses notre présence, traduisit Nicko. Les sons portent loin la nuit.

– J'aurais aimé qu'il me le dise lui-même, rétorqua Jenna d'un ton crispé.

Ainsi, Jenna demeura dans la timonerie et put observer la progression du canoë qui se dirigeait d'une manière sûre à travers le dédale des canaux. Il dépassa plusieurs îles et continua à avancer droit vers la leur. Quand il fut plus proche, elle trouva quelque chose d'affreusement familier aux silhouettes de ses occupants. L'attitude de celle qui se tenait à la proue dénotait la même concentration que chez un tigre prêt à bondir sur sa proie. Durant une seconde, Jenna ressentit de la pitié pour celle-ci, puis la vérité lui apparut dans un éclair.

La proie n'était autre qu'elle-même.

Cette silhouette était celle du Chasseur, et il était là pour elle.

✢ 34 ✢
L'EMBUSCADE

Plus le canoë approchait, mieux les guetteurs à bord du bateau-poulailler distinguaient le Chasseur et ses compagnons. Assis à l'avant, le Chasseur pagayait à un rythme soutenu. Derrière lui se trouvait l'apprenti et derrière celui-ci... une « **chose** ». Accroupie dans le fond du canoë, la « **chose** » promenait son œil unique sur les marais et attrapait de temps en temps un insecte ou une chauve-souris d'un geste vif. Si l'apprenti se recroquevillait devant elle, le Chasseur ne semblait lui prêter aucune attention. Il avait des sujets de réflexion plus importants.

Jenna frissonna à la vue de la « **chose** ». Elle la trouvait presque plus effrayante que le Chasseur. Malgré son caractère implacable, ce dernier était humain. Mais quelle était la nature exacte de la créature tapie dans le fond du canoë ? Afin de se calmer, elle prit dans le creux de sa main la sentinelle jusque-là sagement posée sur son épaule et lui montra le bateau qui approchait ainsi que son sinistre équipage.

– Ennemis, murmura-t-elle.

La sentinelle comprit. Elle suivit la direction que lui indiquait le doigt tremblant de Jenna et fixa ses yeux verts qui voyaient parfaitement dans le noir sur les silhouettes à bord du canoë.

La sentinelle était heureuse.

Elle avait un ennemi.

Elle avait une épée.

Bientôt, elle utiliserait celle-ci contre celui-là.

La vie était simple pour une sentinelle volante.

Les garçons entreprirent de relâcher le reste des sentinelles. Un par un, ils ôtèrent les couvercles des **bocaux** et les insectes sortirent en les éclaboussant de gelée verte, l'épée à la main. À chacun, l'un des deux garçons désigna le canoë qui approchait rapidement. Bientôt, cinquante-six sentinelles volantes furent alignées sur les plats-bords du bateau-poulailler, aussi tendues que des ressorts. La cinquante-septième, indéfectiblement fidèle à sa libératrice, resta sur l'épaule de Jenna.

Les occupants du bateau-poulailler n'avaient plus qu'à attendre. Attendre et observer. Le battement de leur cœur faisait un bruit sourd dans leurs oreilles. Les contours du Chasseur et de l'apprenti se précisant, ils reconnurent les silhouettes redoutables qu'ils avaient vues pour la première fois des mois auparavant, à l'embouchure de la passe de Deppen. Ils paraissaient aussi féroces et dangereux qu'ils l'étaient alors.

En revanche, la « **chose** » demeurait une forme indistincte.

Le canoë venait de s'engager dans une rigole étroite qui débouchait dans le fossé du cottage. Les trois observateurs retinrent leur souffle. *Peut-être*, songea Jenna (elle se raccrochait à cette idée comme à une planche de salut), *que l'enchantement fonctionne mieux que ne le croit tante Zelda. Peut-être que le Chasseur ne peut pas voir le cottage.*

Le canoë tourna dans le fossé. Le Chasseur distinguait parfaitement le cottage.

Il récapitula les trois étapes de son plan :

Premièrement : s'emparer de la princesse et l'installer à bord du canoë sous la garde du magog. Ne tirer qu'en cas d'absolue nécessité. Sinon, ramener la prisonnière à DomDaniel qui souhaitait cette fois « faire le travail lui-même ».

Deuxièmement : abattre la vermine (c'est-à-dire la sorcière et le jeune magicien ; sans oublier le chien).

Troisièmement : place à la libre entreprise. Capturer le déserteur de la Jeune Garde, le ramener à la caserne, empocher la prime.

Satisfait de son plan, le Chasseur pagayait sans bruit en direction de l'appontement.

En le voyant approcher, 412 fit signe à ses compagnons de se tenir tranquilles. Le moindre mouvement les aurait trahis à coup sûr. Dans l'esprit de 412, ils venaient de quitter la phase d'attente et d'observation pour entrer dans celle de l'embuscade. Et dans la phase de l'embuscade (412 croyait encore entendre la voix de Pincepoule et sentir son haleine dans son cou), « l'immobilité est primordiale ».

Jusqu'au moment où on engageait l'action.

Les cinquante-six sentinelles alignées le long des plats-bords comprenaient parfaitement les intentions de 412. Le **charme** qui avait servi à les créer s'inspirait pour une large part des manuels d'instruction de la Jeune Garde. 412 et les sentinelles ne formaient plus qu'un.

Le Chasseur, l'apprenti et le magog ignoraient qu'eux aussi allaient bientôt entrer dans la phase d'action. Le Chasseur avait amarré le canoë à l'appontement et s'efforçait d'en extraire l'apprenti en silence et sans qu'il tombe à l'eau. En temps normal, l'idée de le voir prendre un bain forcé ne l'aurait pas dérangé le moins du monde. En vérité, il l'aurait volontiers aidé à sauter s'il n'avait pas craint le bruit de son plongeon et les piaillements qu'il n'aurait pas manqué de pousser. Aussi, après s'être promis de balancer cette petite peste insupportable dans l'eau glacée à la prochaine occasion, le Chasseur s'était discrètement glissé hors du canoë et avait hissé l'apprenti sur le débarcadère.

Le magog se tassa au fond du canoë, rabattit son capuchon noir sur son œil unique car le clair de lune l'aveuglait, et se tint coi. Ce qui allait se passer sur l'île ne le concernait pas. Il était là pour garder la princesse et dissuader les créatures des marais de les attaquer durant leur long voyage. Jusque-là, il s'était acquitté à merveille de sa tâche, hormis un incident regrettable qu'il fallait imputer à l'apprenti. En tout cas, aucun frappard ni aucun bobelin n'avait osé approcher en le voyant perché à l'arrière du canoë, et la bave dont il avait enduit la coque empêchait les ventouses des nixes d'y adhérer, leur causant en outre de pénibles brûlures.

Pour l'instant, le Chasseur n'avait qu'à se réjouir du déroulement de la traque. Il esquissa un de ces sourires qui n'éclaireraient jamais son regard. Ils avaient enfin atteint le refuge de la sorcière blanche, après un périple exténuant à travers les marais et la rencontre inopportune d'une créature stupide qui s'obstinait à leur barrer le passage. Son sourire s'effaça à cette évocation. Il n'aimait pas gaspiller les munitions. On pouvait toujours avoir besoin d'une balle en plus. Son pistolet calé dans sa main, il chargea la balle d'argent avec une lenteur délibérée.

Jenna vit le pistolet d'argent étinceler au clair de lune. Devant le spectacle des cinquante-six sentinelles alignées et prêtes à combattre, elle décida brusquement de conserver la sienne près d'elle, juste au cas où. Elle recouvrit l'insecte de sa main pour le calmer. Il rengaina docilement son épée et se mit en boule. Elle le glissa ensuite dans sa poche ; le Chasseur avait son pistolet, elle avait sa sentinelle.

Suivi de l'apprenti qui marchait sur la pointe des pieds, comme le Chasseur le lui avait appris, celui-ci gravit sans bruit le sentier qui reliait le débarcadère au cottage en longeant le bateau-poulailler. Quand ils passèrent devant ce dernier, le Chasseur s'arrêta. Il avait entendu quelque chose. Des cœurs humains. Trois cœurs humains qui battaient trop vite. Il leva son pistolet.

Aaaaiiiiiiiiiiiiiiiiieeee...

Il n'existe rien de plus redoutable que cinquante-six sentinelles volantes hurlant à l'unisson. Leur cri disloque les trois minuscules os de l'oreille interne, provoquant chez l'auditeur un accès de terreur panique. Ceux qui connaissent l'existence des sentinelles volantes savent qu'il n'y a qu'une chose à faire face à elles : se boucher les oreilles et essayer de contenir sa peur. C'est ce que fit le Chasseur. Il resta parfaitement immobile, les doigts bien enfoncés dans les oreilles, et s'il ressentit un soupçon de frayeur, cela ne dura guère qu'un instant.

Bien sûr, l'apprenti ignorait tout des sentinelles volantes. Aussi réagit-il comme vous le feriez probablement si vous voyiez un essaim de bestioles vertes se précipiter vers vous en brandissant des épées aussi tranchantes que des scalpels et en poussant des cris si perçants que vos tympans menaceraient d'éclater. Il prit ses jambes à son cou et courut à toute vitesse en direction du fossé, escomptant rejoindre le canoë et s'enfuir en pagayant.

Le Chasseur savait que quand on lui laissait le choix, une sentinelle poursuivait toujours une cible mouvante de préférence à une cible qui ne bougeait pas. C'est exactement ce qui arriva. À sa grande satisfaction, les cinquante-six sentinelles décrétèrent que l'ennemi était l'apprenti et le pourchassèrent dans un vacarme assourdissant, jusqu'au moment où le pauvre garçon terrifié se jeta dans l'eau glacée pour échapper à la nuée verte et miaulante.

Les sentinelles intrépides plongèrent à sa suite, obéissant à l'instinct qui leur commandait de ne pas renoncer. Malheureusement, leur sens du devoir leur coûta la vie. Dès qu'un insecte touchait l'eau, il coulait comme une pierre, entraîné vers le fond bourbeux du fossé par le poids de son armure verte. L'apprenti, claquant des dents et à moitié suffoqué, parvint à se hisser sur la berge et se blottit derrière un buisson, trop apeuré pour bouger.

Le magog assista à la scène sans broncher. Puis, quand l'agitation fut retombée, il se mit à fouiller la boue de ses bras interminables, repêchant une à une les sentinelles noyées. Trônant à l'arrière du canoë, il aspira alors le contenu des armures, broyant les insectes avec ses crocs jaunes et acérés jusqu'à obtenir une bouillie verdâtre qu'il avala sans se presser.

Le Chasseur sourit et leva les yeux vers la timonerie du bateau-poulailler. Il n'aurait jamais cru que ce serait aussi facile. Les trois enfants étaient totalement à sa merci.

– Est-ce que vous comptez sortir de là, où faut-il que j'aille vous chercher ? demanda-t-il, glacial.

– Sauve-toi, souffla Nicko à Jenna.

– Et toi ?

– Il ne m'arrivera rien. C'est après toi qu'il en a. Va-t'en tout de suite !

Nicko haussa la voix et s'adressa au Chasseur :

– S'il vous plaît, ne tirez pas. Je vais sortir.

– Pas tout seul, mon garçon. Vous allez tous descendre. D'abord la fille.

– File ! murmura Nicko en poussant Jenna.

Mais Jenna semblait paralysée, incapable de quitter ce qui lui apparaissait comme un endroit sûr. 412 lut la terreur sur son visage. Pour avoir souvent ressenti la même chose quand il faisait partie de la Jeune Garde, il savait qu'à moins de l'emmener de force, comme 409 l'avait fait un jour pour le sauver d'un glouton, elle ne bougerait pas. Et s'il ne l'emmenait pas de force, le Chasseur s'en chargerait. Il la poussa à l'extérieur de la cabine, agrippa fermement sa main et s'élança avec elle du haut du pont, du côté opposé au Chasseur. Au moment où ils atterrissaient sur un tas de fientes de poule mêlées à de la paille, ils entendirent le Chasseur pousser un juron.

– Courez ! leur souffla Nicko par-dessus le bastingage.

412 tira Jenna par le bras pour la relever, mais elle refusait toujours de partir.

– On ne peut pas laisser Nicko, protesta-t-elle d'une voix haletante.

– Il ne m'arrivera rien, Jen. Maintenant, fiche le camp ! cria Nicko, oubliant le Chasseur et son pistolet.

Le Chasseur éprouva la tentation de l'abattre *illico presto*, mais sa priorité était la princesse, non cette racaille de magicien. Quand Jenna et 412, après s'être arrachés au tas de déjections et avoir enjambé le grillage du poulailler, prirent la fuite à toutes jambes, il courut derrière eux comme si sa propre vie en dépendait.

Serrant toujours la main de Jenna, 412 entraîna celle-ci loin du Chasseur. Il contourna l'arrière du cottage et s'enfonça avec elle parmi les buissons sur lesquels tante Zelda récoltait des baies. Il avait l'avantage de connaître l'île, mais cela n'inquiétait nullement le Chasseur. Il n'était jamais meilleur que lorsqu'il traquait une proie, surtout une proie jeune et terrifiée. Comment auraient-ils fui ? Ce n'était qu'une question de temps avant qu'il les rattrape.

412 et Jenna couraient en zigzag, obligeant le Chasseur à se frayer un chemin parmi les buissons épineux. Bientôt, ils débouchèrent dans la clairière qui descendait en pente douce vers la mare aux canards. Au même moment, la lune émergea des nuages et le Chasseur vit sa proie se profiler sur la toile de fond des marais.

412 continua à fuir, traînant Jenna par la main, mais le Chasseur gagnait peu à peu du terrain sur eux et il ne donnait pas l'impression de sentir la fatigue, contrairement à la petite fille qui avait le plus grand mal à mettre un pied devant l'autre. Ils firent un détour pour éviter la mare et escaladèrent le monticule à la pointe de l'île. Les pas du Chasseur résonnaient affreusement près. Lui aussi avait atteint la butte et courait sur le sol creux.

412 louvoyait entre les buissons épars, conscient que le Chasseur serait bientôt assez proche pour toucher Jenna.

Et tout à coup, sa crainte se réalisa. Le Chasseur se jeta en avant afin d'attraper le pied de sa proie.

– Jenna ! hurla 412.

Tirant d'un coup sec sur le bras de la petite fille, il l'éloigna du Chasseur et plongea avec elle dans un buisson.

Jenna sentit les branches céder sous son poids et celui de 412. Soudain, elle bascula la tête la première dans un gouffre sombre, froid et apparemment sans fond.

Elle atterrit durement sur du sable. La seconde d'après, elle perçut un bruit sourd et devina la présence de 412, étalé près d'elle dans le noir.

Elle se dressa sur son séant, étourdie et meurtrie, et frotta l'arrière de son crâne qui avait cogné le sol. Il était arrivé une chose très étrange. Elle tenta de se rappeler quoi. Pas le fait qu'ils aient échappé au Chasseur, ni leur chute à travers le buisson, mais quelque chose d'encore plus étrange. Elle secoua la tête, essayant de remettre de l'ordre dans ses idées. Et tout à coup, cela lui revint.

412 avait parlé.

✠ 35 ✠
SOUS TERRE

Mais tu parles ! s'exclama Jenna en frottant la bosse sur
son crâne.

– Évidemment, je parle.

– Alors, pourquoi tu ne disais rien ? Tu n'as jamais prononcé un mot, à part ton nom – ou plutôt, ton matricule.

– C'est tout ce qu'on a le droit de dire quand on est capturés. Notre grade et notre matricule, rien de plus. Je n'ai fait
qu'obéir au règlement.

– On ne t'a pas capturé, on t'a sauvé, souligna Jenna.

– Je sais. Enfin, maintenant je le sais. Mais pas à ce moment-là.

Jenna trouvait bizarre d'avoir une vraie conversation avec 412
après tout ce temps, surtout au fond d'un puits aussi sombre.

– Dommage qu'on n'ait pas de lumière, dit-elle avec un frisson. Je ne peux me défaire de l'impression que le Chasseur va
nous tomber dessus d'une seconde à l'autre.

412 fouilla à l'intérieur de son chapeau, sortit la bague
de sa cachette et la glissa à l'index de sa main droite. Elle

épousait parfaitement son doigt. Puis il plaça son autre main autour du dragon pour le réchauffer et souhaita intérieurement le voir émettre la même lumière dorée que la première fois. Son vœu fut exaucé. Une douce clarté se répandit autour de ses mains et il vit que Jenna avait les yeux fixés sur lui dans la pénombre. Il éprouva un immense bonheur. Le dragon brillait plus fort que jamais et bientôt, un anneau lumineux se forma autour d'eux, assis côte à côte sur le sable.

– C'est stupéfiant, déclara Jenna. Où l'as-tu trouvée ?

– Ici.

– Quoi, à l'instant ?

– Non, avant.

– Avant quoi ?

– Avant... Tu te rappelles le jour où on s'est perdus dans le haar ?

Jenna acquiesça de la tête.

– Eh bien, j'ai atterri ici. J'ai bien cru que j'allais y rester coincé pour toujours. Et puis j'ai trouvé la bague. Elle est magique. Elle s'est mise à briller et m'a fait voir la sortie.

C'est donc ça, songea Jenna. Tout s'éclairait à présent. La satisfaction de 412 quand Nicko et elle avaient fini par regagner le cottage, trempés et transis de froid après avoir passé des heures à le chercher partout. Elle se doutait bien qu'il avait un secret. Et dire qu'il avait continué à se balader avec l'anneau sans jamais le montrer à personne... Décidément, 412 était un garçon plein de surprises.

– Elle est magnifique, reprit-elle en regardant le dragon en or autour du doigt de 412. Je peux te l'emprunter ?

Non sans réticence, 412 ôta la bague et la tendit à Jenna qui la recueillit délicatement dans ses mains. Pourtant, la lumière commença à faiblir et l'obscurité à s'épaissir autour d'eux. Bientôt, la bague s'éteignit tout à fait.

– Tu l'as laissé tomber ? demanda 412 d'un ton de reproche.

– Non, elle se trouve toujours dans ma main. Mais ça ne marche pas avec moi.

– Bien sûr que si ! C'est une bague magique. Tiens, rends-la-moi. Je vais te montrer.

Il reprit la bague et aussitôt le tunnel se remplit de lumière.

– Tu vois, c'est facile.

– Facile pour toi, rétorqua Jenna. Pas pour moi.

– Je ne comprends pas pourquoi, s'étonna 412.

Mais Jenna avait compris, elle. Elle n'avait pas grandi pour rien au sein d'une famille de magiciens. Si elle savait trop bien qu'elle n'avait aucune disposition pour la **Magyk**, elle était capable de reconnaître les dispositions des autres.

– Ce n'est pas la bague qui est magique, dit-elle à 412. C'est toi.

– Mais non !

Il était si catégorique qu'elle ne prit pas la peine de discuter.

– En tout cas, il vaut mieux que ce soit toi qui la gardes. Comment sort-on d'ici ?

412 glissa le dragon à son doigt et se mit en marche d'un pas confiant, guidant Jenna le long du tunnel plein de détours qui l'avait tellement déconcerté la première fois. Bientôt, ils parvinrent à l'escalier.

– Attention, dit-il. L'autre fois, je suis tombé et j'ai failli perdre l'anneau.

Au bas des marches, Jenna marqua une halte. Elle avait la chair de poule.

– Je suis déjà venue ici, murmura-t-elle.

– Quand ? interrogea 412, légèrement contrarié. (Après tout, c'était son tunnel.)

– Dans mes rêves. Je connais cet endroit. J'en rêvais l'été, quand je vivais encore chez nous. Mais je l'imaginais plus grand...

– Viens, dit 412 d'un ton brusque.

– Peut-être l'est-il en réalité ? poursuivit Jenna en haussant la voix. Voyons s'il y a de l'écho...

de l'écho de l'écho de l'écho de l'écho de l'écho de l'écho...

– Chut ! fit 412. Il pourrait nous entendre à travers le sol. Ils ont l'oreille aussi exercée que des chiens.

– Qui ?

– Les Chasseurs.

Jenna se tut. Elle avait oublié le Chasseur et ne tenait pas à ce qu'on lui rappelle son existence.

– Il y a des images partout sur les murs, reprit-elle tout bas. Je me rappelle les avoir vues en rêve. Elles ont l'air très anciennes. Elles racontent une sorte d'histoire.

412 n'avait pas vraiment prêté attention aux images jusque-là, mais quand il leva sa bague vers les murs de marbre blanc et lisse qui constituaient cette partie du tunnel, il distingua des formes simples, quasi primitives, dans des bleus, des rouges et des jaunes intenses. Elles semblaient représenter des dragons, un bateau en construction, puis un phare et un naufrage.

– Et là, dit Jenna en désignant d'autres dessins, on dirait les plans d'une tour.

331

– La tour du Magicien, précisa 412. Regarde, on voit la pyramide au sommet.

– J'ignorais qu'elle était aussi vieille.

Jenna promena son doigt sur les peintures, songeant qu'elle était peut-être la première personne à les voir depuis des milliers d'années.

– Elle l'est, confirma 412. Personne ne sait quand elle a été construite.

– Et toi, comment sais-tu ça ? s'enquit Jenna, surprise par l'assurance dont il faisait preuve.

412 débita d'une voix monotone :

– « La tour du Magicien est un monument très ancien. Afin de préserver son luxe ostentatoire, le magicien extraordinaire gaspille de précieuses ressources qui pourraient être employées à guérir les malades et à assurer la sécurité des habitants du Château. » Je m'en souviens encore. On devait réciter ce baratin chaque semaine, en cours d'identification de l'ennemi.

– Pfuit ! fit Jenna d'un air compatissant. Il faudrait montrer ça à tante Zelda, reprit-elle en emboîtant le pas à 412. Ça devrait l'intéresser.

– Elle est au courant, répondit 412, songeant à la disparition de tante Zelda à l'intérieur du placard à potions. Et je crois qu'elle sait que je le sais.

– Pourquoi ? Elle t'a dit quelque chose ? (Jenna se demandait comment elle avait pu passer à côté de tout ça.)

– Non, mais elle m'a regardé d'un air bizarre.

– Elle fait pareil avec tout le monde. Ça ne veut pas dire qu'elle te soupçonne d'avoir découvert un tunnel secret.

Au bout de quelques mètres (entre-temps, la série d'images s'était interrompue), ils parvinrent à un escalier très raide. Une pierre calée contre la dernière marche attira l'attention de Jenna. Celle-ci la ramassa et la fit voir à 412 :

– Hé ! Regarde ça. C'est joli, non ?

La grosse pierre verte en forme d'œuf, aussi lisse que si on l'avait polie, brillait faiblement à la lumière de la bague. Elle avait des reflets irisés, comme les ailes d'une libellule. Elle reposait lourdement, quoique parfaitement équilibrée, entre les mains de Jenna.

– Comme elle est douce ! s'étonna 412 en la caressant.

– Prends-la, dit Jenna sans réfléchir. Elle te tiendra compagnie. Comme Petrus Trelawney, mais en plus gros. On demandera à papa de lui appliquer un sort quand on sera revenus au Château.

412 prit la pierre, ne sachant trop quoi dire. Personne ne lui avait encore jamais fait de cadeau. Il rangea la pierre dans la poche intérieure de sa veste en mouton retourné. Puis il se rappela le mot qu'avait prononcé tante Zelda la fois où il lui avait rapporté des herbes du jardin.

– Merci, répéta 412.

À l'intonation de sa voix, Jenna pensa à Nicko.

Nicko !

Nicko et le Chasseur...

– Il faut qu'on y aille, dit-elle d'une voix anxieuse.

412 approuva d'un signe de tête. Il savait qu'ils devaient quitter le tunnel et affronter ce qui les attendait dehors. Seulement, il avait pris plaisir à se sentir en sécurité.

Bien sûr, ça ne pouvait pas durer.

✣ 36 ✣
LE CHASSEUR CONGELÉ

L a trappe se souleva de quelques centimètres et 412 risqua un œil par l'ouverture. Il frissonna. La porte du placard à potions était grande ouverte et il apercevait devant lui les talons boueux des bottes du Chasseur.

Ce dernier se tenait à quelques pas du placard, sa cape verte rejetée en arrière, son pistolet d'argent au poing. Il faisait face à la porte de la cuisine, comme s'il s'apprêtait à s'élancer.

412 attendit de voir quelles étaient ses intentions, mais il demeura immobile. Il donnait l'impression de guetter quelque chose, probablement l'apparition de tante Zelda sur le seuil de la cuisine.

Priant pour que tante Zelda reste à l'écart, 412 tendit la main vers Jenna afin qu'elle y dépose sa sentinelle.

Jenna se rongeait d'inquiétude quelques échelons plus bas. La tension qui avait saisi 412 laissait supposer que la voie n'était pas libre. Quand il tendit la main vers elle, elle pêcha la sentinelle roulée en boule dans sa poche et la lui remit comme ils en avait décidé, en lui souhaitant bonne chance dans son for intérieur. Jenna s'était attachée à l'insecte au point de répugner à le laisser partir.

Avec mille précautions, 412 prit l'insecte et le fit passer par l'ouverture de la trappe. Il posa la petite boule verte en armure sur le sol en veillant à ne pas la lâcher et la pointa dans la bonne direction, vers le Chasseur.

Puis il la lâcha. L'insecte se déroula instantanément, fixa son regard perçant sur le Chasseur et dégaina son épée. 412 retint son souffle, craignant que le Chasseur perçoive le frottement de la lame contre le fourreau, mais la silhouette râblée de l'homme en vert ne bougea pas. 412 expira lentement et projeta l'insecte d'une pichenette. La sentinelle fonça sur sa cible avec un cri strident.

Le Chasseur resta sans réaction.

Il ne se retourna pas, ne broncha même pas quand l'insecte se posa sur son épaule et leva son épée pour l'en frapper. 412 fut impressionné. Il savait que le Chasseur était un dur à cuire, mais pour le coup, il en faisait un peu trop.

C'est alors qu'apparut tante Zelda.

– Attention ! hurla 412. Le Chasseur !

Tante Zelda sursauta, pas à cause du Chasseur, mais parce que c'était la première fois qu'elle entendait 412 et n'avait donc aucun moyen de deviner à qui appartenait cette voix, ni d'où elle provenait.

Au grand étonnement de 412, elle arracha la sentinelle de l'épaule du Chasseur et lui donna une petite tape pour qu'elle se mette en boule.

Là encore, le Chasseur ne réagit pas.

D'un geste vif, tante Zelda glissa l'insecte dans l'une des multiples poches de sa robe en patchwork et promena son regard autour d'elle, cherchant l'origine de la voix inconnue. Soudain, elle aperçut 412 qui la regardait par l'entrebâillement de la trappe.

– C'est toi ? s'exclama-t-elle. Dieu merci, tu n'as rien. Où est Jenna ?

– Ici.

412 avait encore un peu peur d'élever la voix à cause du Chasseur. Mais celui-ci ne donnait pas l'impression d'entendre, et tante Zelda le traitait ni plus ni moins comme un meuble encombrant. Contournant la silhouette immobile, elle souleva la trappe et aida les deux enfants à remonter.

– Quel bonheur de vous voir tous les deux sains et saufs ! dit-elle d'un ton joyeux. Je me suis fait tellement de souci.

412 pointa l'index vers le Chasseur :

– Mais... et lui ?

– **Congelé**, déclara tante Zelda d'un air satisfait. Il restera ainsi jusqu'à ce que j'aie pris une décision à son sujet.

– Où est Nicko ? interrogea Jenna en prenant pied sur le sol du placard. Il va bien ?

– Très bien. Il s'est jeté à la poursuite de l'apprenti.

À peine tante Zelda avait-elle achevé sa phrase que la porte du cottage s'ouvrit à grand fracas et que l'apprenti trempé déboula dans la pièce, poussé par un Nicko tout aussi trempé.

– Quel porc ! cracha Nicko avant de refermer la porte à la volée.

Lâchant son prisonnier, il s'approcha du feu qui flambait dans la cheminée afin de se sécher.

L'apprenti tout dégouttant se tourna vers le Chasseur, quêtant de l'aide. Il prit un air encore plus piteux quand il eut constaté son état. Le Chasseur avait été **congelé** alors qu'il allait s'élancer, pistolet au poing, et il regardait dans le vide avec des yeux inexpressifs. La gorge de l'apprenti se serra : une grosse femme vêtue d'une espèce de sac bariolé marchait vers lui d'un pas énergique. Il la reconnut aussitôt pour l'avoir vue dans le jeu de cartes illustré de portraits d'ennemis qu'on l'avait obligé à étudier avant son départ en mission.

C'était cette folle de sorcière blanche, Zelda Zanuba Heap.

Il reconnut également le magicien en herbe, Nickolas Benjamin Heap, ainsi que le déserteur, ce traître de 412. Ils étaient tous là, conformément au plan. Mais où se trouvait donc leur cible prioritaire, la princesse ?

L'apprenti fouilla la pièce du regard et aperçut Jenna, dissimulée dans l'ombre derrière 412. Le cercle d'or qui ressortait sur ses longs cheveux bruns, les yeux violets... Elle ressemblait trait pour trait au portrait (dû à la main experte de l'espionne Linda Lane) figurant dans le jeu de cartes. Peut-être était-elle un peu plus grande qu'il l'imaginait, mais il ne faisait aucun doute que c'était bien elle.

Un sourire rusé se peignit sur ses lèvres. Comme son maître serait fier de lui s'il parvenait à capturer tout seul la princesse ! Il oublierait certainement les échecs passés de son apprenti et cesserait de le menacer de l'expédier à la Jeune Garde comme vulgaire chair à canon. Surtout s'il réussissait là où le Chasseur avait échoué.

Il devait réussir.

Prenant tout le monde par surprise, et bien que gêné par sa robe détrempée, l'apprenti se rua sur Jenna et la saisit par le cou. Il était d'une force étonnante pour sa taille et menaçait de l'étrangler avec son bras noueux. Puis il commença à l'entraîner vers la porte.

Tante Zelda fit un geste dans leur direction. L'apprenti déplia alors son canif et l'appuya fort contre la gorge de Jenna.

– Si l'un de vous essaie de m'arrêter, elle y passe, gronda-t-il.

Poussant Jenna devant lui, il franchit le seuil et s'avança sur le sentier pour rejoindre le canoë dans lequel attendait le magog. Ce dernier ne s'intéressait pas du tout à ce qui se passait. Il était occupé à liquéfier une quinzième sentinelle noyée et de toute façon, il n'était censé commencer son service qu'une fois la prisonnière à bord.

Ce qui ne devait pas tarder à arriver.

Mais Nicko n'avait pas l'intention de laisser enlever sa sœur sans se battre. Il courut après le ravisseur et se jeta sur lui. L'apprenti atterrit sur sa captive. Il y eut un cri, et un filet de sang se répandit sous Jenna. Nicko écarta brutalement l'apprenti.

– Jen ! Tu es blessée ?

Jenna s'était relevée d'un bond et regardait fixement le sang qui tachait le sol.

– Je... je ne crois pas, bégaya-t-elle. Je crois que ça vient de lui. C'est lui qui est blessé.

– Bien fait !

D'un coup de pied, Nicko envoya le canif hors d'atteinte de l'apprenti. Puis Jenna et lui remirent le garçon debout. Il semblait indemne, à part une légère entaille sur le bras. Pourtant, il était blanc comme un linge. L'apprenti craignait la vue du sang, surtout du sien, mais il redoutait encore plus le sort que lui réservaient les magiciens. Tandis qu'ils le ramenaient de force vers la maison, il fit une ultime tentative d'évasion. En se débattant, il obligea Jenna à lâcher prise et décocha un coup de pied qui visait le tibia de Nicko.

Les deux garçons s'empoignèrent. L'apprenti frappa Nicko à l'estomac et se préparait à lui donner un second coup de pied quand son adversaire lui tordit méchamment le bras dans le dos.

– Maintenant, essaie un peu de t'échapper. Tu croyais pouvoir enlever ma sœur et t'en tirer à bon compte ? Espèce de porc !

– Il aurait eu du mal à s'en tirer tout seul, se moqua Jenna. Un pareil idiot !

L'apprenti détestait qu'on le traite d'idiot. Son maître ne l'appelait jamais autrement que « pauvre idiot », « bougre d'idiot », « idiot sans cervelle »... Il avait horreur de ça.

– Je ne suis pas idiot ! protesta-t-il pendant que Nicko resserrait son étreinte. Et d'abord, je fais ce que je veux, na ! J'aurais pu tuer la fille si j'avais voulu. La preuve, c'est que j'ai tiré sur quelque chose pas plus tard que ce soir.

L'apprenti regretta aussitôt ses paroles. Quatre paires d'yeux accusateurs se fixèrent sur lui.

– Tu as tiré sur *quelque chose* ? demanda tante Zelda. Que veux-tu dire par là ?

L'apprenti décida de jouer les durs.

– Ça vous regarde pas. C'est pas vous qui allez m'empêcher de faire un carton sur une grosse bête toute poilue qui se met en travers de ma route alors que je me trouve en mission officielle.

Un silence choqué suivit sa déclaration.

– Boggart, lâcha Nicko. C'est lui qui a blessé Boggart. Ah ! le porc.

– Ouille !

– Nicko, je t'en prie, pas de violence. Quoi qu'il ait pu faire, ce n'est encore qu'un enfant...

– Je ne suis pas qu'un enfant, rétorqua le captif, plein de morgue. Je suis l'apprenti de DomDaniel, magicien suprême et **nécromancien**. Je suis le septième fils d'un septième fils...

– Quoi ? Qu'est-ce que tu viens de dire ?

– Je suis l'apprenti de DomDaniel, magicien sup...

– Ça, je le sais. Merci, j'avais remarqué les étoiles noires sur ta ceinture.

– Comme je le disais, répéta l'apprenti, ravi d'être enfin pris au sérieux, je suis le septième fils d'un septième fils. C'est de là que provient ma **Magyk**. (En réalité, celle-ci ne s'était pas encore tout à fait révélée. Mais cela viendrait.)

– Je ne te crois pas, dit tout net tante Zelda. Je n'ai jamais vu personne qui ressemble moins au septième fils d'un septième fils que toi.

– Pourtant, c'est vrai, insista l'apprenti d'un ton boudeur. Mon nom est Septimus Heap.

✢ 37 ✢
CAPTROMANCIE

— Il ment, décréta rageusement Nicko.

Il marchait de long en large pendant que l'apprenti se séchait lentement près du feu. La robe de laine verte du garçon exhalait une désagréable odeur de moisi. Tante Zelda reconnut le remugle des sorts ratés et de la **Magyk noire** refroidie. Elle déboucha quelques flacons d'**écran olfactif** et de délicieux effluves de tarte meringuée au citron se répandirent dans la pièce.

— Il a dit ça rien que pour nous embêter, poursuivit Nicko du même ton indigné. Ce pourceau ne peut pas s'appeler Septimus Heap.

Jenna mit un bras autour des épaules de Nicko, devant 412 qui aurait bien voulu comprendre ce qui se passait.

– C'est qui, Septimus Heap ? demanda-t-il.

– Notre frère.

La réponse de Nicko acheva de déconcerter 412.

– Il est mort encore bébé, expliqua Jenna. S'il avait vécu, il aurait eu des pouvoirs fantastiques. Car vois-tu, papa est un septième fils, mais ça ne suffit pas toujours à faire un grand magicien.

– Dans le cas de Silas, c'est flagrant, murmura tante Zelda.

– Après leur mariage, papa et maman ont eu six fils : Simon, Sam, Fred et Erik, Jo-Jo et Nicko. Puis Septimus est arrivé. Il était donc le septième fils d'un septième fils. Mais il est mort peu après sa naissance. (Sarah lui avait raconté l'histoire un soir d'été, après l'avoir bordée dans son lit-armoire.) J'ai toujours cru qu'il était mon frère jumeau. Mais non...

– Oh ! (412 se fit la réflexion que ce n'était pas si simple d'avoir une famille.)

– Ça prouve qu'il n'est pas notre frère, intervint Nicko. Et même s'il l'était, je ne veux pas de lui. Ce type ne sera jamais mon frère.

– Il n'y a qu'un moyen d'en avoir le cœur net, dit tante Zelda. Nous allons bientôt savoir s'il dit la vérité, ce qui m'étonnerait beaucoup. Quoique j'ai toujours eu des doutes au sujet de Septimus.

Elle ouvrit la porte et leva les yeux vers le ciel.

– La lune est gibbeuse, annonça-t-elle. Quasi pleine. Des conditions presque idéales pour la captromancie.

– La quoi ? firent Jenna, Nicko et 412 d'une seule voix.

– Je vais vous montrer. Venez.

La mare aux canards était le dernier endroit où ils s'attendaient à ce que tante Zelda les conduise. Pourtant, ils se retrouvèrent bientôt à contempler le reflet de la lune sur la surface noire et étale de l'eau, comme elle le leur avait indiqué.

Nicko et 412 encadraient fermement l'apprenti, pour le cas où il aurait tenté de leur fausser compagnie. 412 était heureux que Nicko ait fini par lui accorder sa confiance. Il n'y avait pas si longtemps, c'était lui que le jeune garçon tentait d'empêcher de fuir. Et dire qu'à présent, il assistait sans broncher au genre de scène qu'on lui avait appris à redouter à la caserne : la pleine lune, une sorcière blanche dont les yeux bleus resplendissaient dans la nuit qui agitait les bras en évoquant un bébé mort... Le plus incroyable, ce n'était pas que cela arrive, mais que cela lui paraisse tout à fait normal. Encore plus incroyable, les personnes qui attendaient avec lui autour de la mare (Jenna, Nicko et tante Zelda) comptaient plus pour lui qu'aucune de celles qu'il avait connues durant toute son existence. À part 409, bien sûr.

Sauf qu'il se serait bien passé de la présence de l'apprenti. Ce dernier ne lui rappelait que trop les gens qui l'avaient maltraité tout au long de son ancienne vie. Oui, son ancienne vie. Car sa décision était prise. Quoi qu'il advienne, il ne retournerait jamais à la caserne. Jamais.

Soudain, tante Zelda parla à voix basse :

– Je vais maintenant prier la lune de nous montrer Septimus Heap.

412 frissonna et fixa son regard sur l'eau sombre de la mare. La lune se reflétait au centre de celle-ci, si nettement qu'on distinguait les moindres détails de ses mers et de ses montagnes.

Tante Zelda leva les yeux vers le ciel et récita :

– Sœur Lune, sœur Lune, montre-nous, je t'en conjure, le septième fils de Silas et Sarah. Montre-nous Septimus Heap là où il se trouve à présent.

Tous retinrent leur souffle et scrutèrent attentivement la surface de la mare. Jenna sentit l'appréhension l'envahir. Septimus était mort. Qu'allaient-ils voir ? Un petit paquet d'os ? Une minuscule tombe ?

Le silence s'installa. Le reflet de la lune se mit à grossir et bientôt, un immense cercle blanc quasi parfait emplit la mare. Puis de vagues formes apparurent à l'intérieur du cercle. Peu à peu, elles gagnèrent en précision et ils se retrouvèrent face à... leurs propres reflets !

– Vous voyez, triompha l'apprenti. Vous avez demandé à me voir, et me voici. Qu'est-ce que je vous disais ?

– Ça ne prouve rien, protesta Nicko. Ce ne sont que nos reflets.

– Peut-être... ou peut-être pas, fit tante Zelda d'un air songeur.

– Pourrait-on voir ce qui est arrivé à Septimus après sa naissance ? interrogea Jenna. Comme ça, on saurait s'il est toujours vivant.

– En effet. Je vais demander. Mais il est beaucoup plus difficile de voir le passé.

Tante Zelda prit une profonde inspiration :

– Sœur Lune, sœur Lune, montre-nous, je t'en conjure, le premier jour de l'existence de Septimus Heap.

L'apprenti renifla et toussa.

– Silence, je vous prie, dit tante Zelda.

Leurs reflets s'effacèrent lentement et furent remplacés

par une image extrêmement détaillée, dont la netteté et les couleurs vives tranchaient sur le noir de la nuit.

Jenna et Nicko reconnurent aussitôt le décor : c'était celui de leur domicile, là-bas au Château. Comme dans un tableau, les personnages présents dans la pièce étaient parfaitement immobiles, figés dans le passé. Couchée dans un lit de fortune, Sarah tenait un enfant nouveau-né dans ses bras. Silas était assis à ses côtés. Jenna retint son souffle. Elle n'avait pas perçu à quel point leur maison lui manquait jusqu'à présent. Elle regarda Nicko à la dérobée. Fidèle à son habitude, il dissimulait ses émotions sous un masque de concentration.

Soudain, ils réprimèrent tous un cri. Les personnages s'étaient mis en mouvement, tout naturellement. Comme dans un film muet, ils interprétaient une scène devant des spectateurs captivés – à une exception près.

– La camera obscura de mon maître vaut cent fois mieux que cette affreuse mare, remarqua l'apprenti avec mépris.

– Boucle-la, lui souffla Nicko, furieux.

L'apprenti soupira bruyamment et continua à gigoter, jugeant que ce tas d'inepties ne le concernait pas.

Il avait tort. Les événements qui se déroulaient devant ses yeux avaient changé le cours de sa vie.

Cependant, la scène se poursuivait :

Le domicile des Heap présente quelques subtiles différences. Tout paraît plus neuf et plus propre. Sarah Heap est également plus jeune ; elle a des joues rebondies et on ne décèle aucune trace de tristesse dans son regard. Au contraire, elle semble parfaitement heureuse avec son bébé – Septimus – dans les bras. Silas aussi compte quelques années de moins. Ses cheveux sont mieux coiffés et son visage moins marqué par les soucis. Six petits garçons jouent gentiment ensemble.

Jenna sourit tendrement, songeant que le plus petit devait être Nicko. Il était si mignon avec ses mèches rebelles ! Il sautait en l'air, tout excité, cherchant à voir le bébé.

Silas soulève Nicko dans ses bras afin de lui montrer son nouveau petit frère. L'enfant tend une menotte potelée vers le bébé et lui caresse doucement la joue. Silas lui dit quelque chose avant de le reposer à terre. Nicko court alors rejoindre ses grands frères et reprendre leur jeu.

À présent, Silas embrasse Sarah et le bébé. Il adresse quelques mots à Simon, l'aîné, puis il s'en va.

L'image s'efface progressivement. Les heures s'écoulent.

La pièce d'habitation des Heap est maintenant éclairée par une bougie. Sarah allaite le bébé tandis que Simon lit une histoire à ses petits frères. Une grande femme en robe bleu nuit à l'air affairé – la matrone – entre dans le champ. Elle reprend le bébé à Sarah et le dépose dans la caisse en bois qui lui sert de lit. Tournant le dos à la mère, elle sort une petite fiole d'un liquide noir de sa poche et y plonge le doigt. Après avoir bien regardé autour d'elle, comme si elle craignait d'être observée, elle frotte son doigt noirci sur les lèvres du bébé. Aussitôt, Septimus devient tout mou et perd connaissance.

La matrone se retourne vers Sarah, lui montrant le petit corps inerte. Affolée, Sarah colle sa bouche contre celle du bébé pour le ranimer, mais Septimus reste aussi flasque qu'une poupée de chiffons. Bientôt, elle ressent aussi les effets de la drogue. Étourdie, elle s'écroule sur ses oreillers.

Devant les regards horrifiés des six petits garçons, la matrone tire une bande de pansement de sa poche et l'enroule promptement autour de Septimus en commençant par les pieds. Arrivée à la tête, elle fait une pause pour vérifier que le bébé respire toujours. Satisfaite, elle finit de l'emmailloter, ne laissant dépasser que son nez, jusqu'à ce qu'il ait l'air d'une momie égyptienne.

Puis elle se dirige vers la sortie, emmenant Septimus. Au prix d'un violent effort, Sarah s'arrache à sa torpeur artificielle juste à temps pour la voir ouvrir la porte et se cogner contre Silas, étroitement enveloppé dans sa cape. La matrone écarte brutalement l'homme abasourdi et s'éloigne au pas de course.

Les torches éclairant les couloirs de l'Enchevêtre projettent des ombres mouvantes sur la femme qui court, serrant l'enfant contre elle. Au bout d'un moment, elle émerge dans la nuit et jette des regards inquiets autour d'elle. Penchée sur le bébé, elle marche d'un pas pressé le long des ruelles désertes et finit par déboucher sur un grand espace vide.

412 eut un haut-le-corps. Cet endroit de sinistre mémoire n'était autre que le terrain de manœuvres de la Jeune Garde.

La haute silhouette sombre traverse à toute vitesse l'étendue enneigée du terrain de manœuvres, pareille à un cancrelat courant sur une nappe. La sentinelle en faction devant la caserne salue la matrone et la laisse passer.

À l'intérieur du lugubre bâtiment, la femme ralentit le pas. Elle descend avec précaution l'escalier étroit et raide menant à un sous-sol humide, plein de berceaux vides disposés en rangs : la future crèche de la Jeune Garde, où seront élevés tous les orphelins et enfants de sexe mâle non désirés du Château (les filles, pour leur part, iront au centre de formation des domestiques). La salle abrite déjà quatre malheureux pensionnaires : des triplés, les enfants d'un garde qui a osé une plaisanterie au sujet de la barbe du custode suprême, et le propre fils de la matrone, un bébé de six mois qu'elle confie à la crèche durant ses *heures de travail. La gardienne, une vieille femme affligée d'une toux persistante, somnole de façon intermittente entre deux quintes, avachie dans son fauteuil. La matrone dépose Septimus dans un lit vide et le débarrasse vivement de ses bandelettes. L'enfant bâille et desserre ses minuscules poings.*

Il est vivant.

Jenna, Nicko, 412 et tante Zelda ne perdaient rien de la scène qui se déroulait sur la surface de la mare. Les affirmations de l'apprenti ne leur semblaient que trop véridiques à présent. 412 ressentait un malaise. Il détestait revoir la caserne de la Jeune Garde.

Dans la pénombre de la crèche, la matrone se laisse tomber sur une chaise d'un air las. Elle n'arrête pas de lancer des regards inquiets vers la porte, comme si elle attendait la venue de quelqu'un. Mais personne ne paraît.

Au bout d'une ou deux minutes, elle se relève et s'approche du berceau de son fils qui s'est mis à pleurer. Elle vient de le prendre dans ses bras quand la porte s'ouvre brusquement. La matrone fait volte-face, livide de peur.

Une grande femme vêtue de sombre se dresse sur le seuil. Elle porte un tablier blanc amidonné de nurse sur une robe noire bien repassée, mais sa ceinture rouge sang est ornée des trois étoiles noires de DomDaniel.

Elle est venue chercher Septimus Heap.

L'apprenti n'aimait pas du tout ce qu'il voyait. Il n'avait aucune envie de connaître la famille de nuisibles à laquelle on l'avait arraché pour son bien. Ces gens-là ne représentaient rien pour lui. Il n'avait pas non plus envie de savoir ce qui lui était arrivé tout bébé. Qu'est-ce que ça pouvait bien lui faire ?

Et puis, il en avait assez de faire le pied de grue dans le froid en compagnie de l'ennemi.

D'un coup de pied rageur, il expédia dans l'eau le canard assis près de lui. Bert atterrit au milieu de la mare et l'image éclata en un millier de parcelles de lumière chatoyantes.

Le **charme** était rompu.

L'apprenti prit ses jambes à son cou. Il dévala le sentier en courant à fond de train, dans l'espoir d'atteindre le mince canoë noir. Il n'en eut pas l'occasion. Vexée d'avoir été poussée à l'eau, Bert s'était lancée à sa poursuite. L'apprenti perçut le battement de ses ailes puissantes juste avant qu'elle lui pique la nuque de son bec et l'étrangle presque en tirant sur sa robe. Serrant fermement son capuchon, la cane le traîna vers Nicko.

– Oh ! non, fit tante Zelda, l'air soucieux.

– Ne te tracasse donc pas pour lui, dit Nicko, furieux, en rattrapant l'apprenti.

– Ce n'est pas pour lui que je m'inquiète, répondit tante Zelda. J'espère juste que Bert ne s'est pas fait mal au bec.

✢ 38 ✢
DÉGEL

L'apprenti s'était recroquevillé dans un coin près de la cheminée, Bert toujours accrochée à une de ses manches pendantes et détrempées. Jenna avait soigneusement fermé toutes les portes et Nicko toutes les fenêtres, laissant à 412 le soin de surveiller le prisonnier pendant qu'ils prenaient des nouvelles du boggart.

Ils découvrirent au fond de la cuve en fer-blanc un petit tas de fourrure brune et mouillée qui tranchait sur la blancheur du drap que tante Zelda avait disposé sous lui. Il souleva à demi les paupières et adressa un regard vague à ses visiteurs.

– Bonjour, Boggart. Vous vous sentez mieux ? demanda Jenna.

Le boggart ne réagit pas. Tante Zelda plongea une éponge dans un seau d'eau chaude et l'en tamponna délicatement.

– Il est important de l'humidifier, expliqua-t-elle. Un boggart sec est un boggart malheureux.

– Il n'a pas l'air en forme, murmura Jenna à Nicko quand ils sortirent sur la pointe des pieds, suivis de tante Zelda.

Une lueur féroce traversa le regard du Chasseur, toujours piqué devant la porte de la cuisine, à la vue de Jenna. Ses yeux bleu pâle se fixèrent sur elle et la suivirent à travers la pièce, alors que le reste de sa personne demeurait immobile.

Se sentant observée, Jenna se tourna vers lui. Un frisson glacé la parcourut.

– Il me regarde ! Ses yeux me suivent !

– Zut ! fit tante Zelda. Il est en train de **dégeler**. Je ferais bien de lui prendre ceci avant qu'il fasse des bêtises.

Tante Zelda retira le pistolet d'argent de la main toujours **paralysée** du Chasseur. Les yeux de celui-ci brillèrent de colère quand elle ouvrit l'arme d'une main experte et en retira la petite balle d'argent.

– Tiens ! dit-elle en la tendant à Jenna. Elle t'a cherchée pendant dix ans, mais sa quête s'achève ici. Tu n'as plus rien à redouter.

Jenna sourit d'un air contraint et fit rouler la sphère en argent massif dans sa main avec un sentiment de répulsion. En même temps, elle ne pouvait s'empêcher d'admirer sa perfection. Enfin, sa quasi-perfection. En plissant les yeux, on distinguait une minuscule entaille à sa surface. À son grand étonnement, elle identifia la lettre *P* gravée dans l'argent.

– Pourquoi *P* ? demanda-t-elle à sa tante. Regarde, c'est écrit là, sur la balle.

Tante Zelda ne répondit pas immédiatement. Si elle connaissait la signification de la lettre, elle hésitait à la révéler à Jenna.

– Pourquoi *P* ? répéta Jenna en se creusant la cervelle.

– Ça veut dire « princesse ». C'est ce qu'on appelle une balle destinée. Une balle destinée ne rate jamais sa cible. Peu importe quand ou comment, mais elle finit toujours par vous retrouver. C'est ce qu'a fait la tienne. Mais pas comme ses créateurs l'escomptaient.

– Oh ! murmura Jenna. Dans ce cas, j'imagine que la balle destinée à ma mère...

– En effet. Elle avait un *R* gravé dessus.

– Je pourrais avoir aussi le pistolet ?

Tante Zelda parut surprise.

– Ma foi, je n'y vois pas d'inconvénient. Si tu en as envie.

Jenna prit l'arme et la tint comme elle l'avait vu faire au Chasseur et à l'Exécutrice. Elle pesait lourd dans sa main et lui procurait une étrange sensation de puissance.

– Merci, dit-elle en rendant le pistolet à tante Zelda. Pourrais-tu le garder en lieu sûr ? Pour le moment ?

Le Chasseur suivit tante Zelda des yeux quand elle se dirigea d'un pas décidé vers le placard à Potions Instables et Poisons Partikuliers afin d'y enfermer le pistolet. Il avait l'air furieux. Ses sourcils se convulsaient, ses yeux lançaient des éclairs, mais rien d'autre ne bougeait chez lui.

– Bien ! fit tante Zelda. Ses oreilles sont encore **congelées**. Pour le moment, il n'entend rien de ce que nous disons. Il nous faut décider de ce que nous allons faire de lui.

– Tu ne pourrais pas le **recongeler** ? demanda Jenna.

– Non, répondit tante Zelda d'un ton lourd de regret. On ne peut pas **recongeler** quelqu'un qui a commencé à **dégeler**. Trop risqué. Il pourrait y récolter de graves brûlures, ou même se liquéfier. Ce n'est pas un spectacle très plaisant. Toutefois, cet homme est dangereux et il ne renoncera jamais à traquer sa proie. Jamais ! Nous devons trouver le moyen de l'en empêcher.

Jenna réfléchissait.

– Il faudrait qu'il oublie tout, jusqu'à son nom ! dit-elle. On n'a qu'à lui faire croire qu'il est un dompteur de fauves, ou un truc dans ce genre.

– Ensuite, il s'engagerait dans un cirque et découvrirait un peu tard qu'il ne l'était pas, juste après avoir placé sa tête dans la gueule d'un lion, termina Nicko.

– On ne doit pas utiliser la **Magyk** pour mettre en danger la vie d'autrui, leur rappela tante Zelda.

– Pourquoi pas un clown, alors ? suggéra Jenna. Il est assez affreux pour ça.

– J'ai entendu dire qu'un cirque était attendu au Port d'un jour à l'autre. Je suis certaine qu'il y trouverait un emploi. À ce qu'il paraît, ils ne sont pas très regardants, acheva tante Zelda avec un sourire.

Elle alla chercher un vieux grimoire qui tombait presque en morceaux intitulé *Souvenirs magiques*.

– Toi qui sais y faire, dit-elle en tendant le livre à 412, pourrais-tu me dénicher le **charme** adéquat ? Je crois qu'il s'appelle **Souvenirs Fabriqués**.

412 feuilleta le vieil ouvrage qui sentait le moisi. C'était un de ceux qui avaient perdu la plupart de leurs **charmes**. Toutefois, il finit par trouver ce qu'il cherchait dans les dernières pages : un petit mouchoir noué, portant une inscription en lettres baveuses le long de l'ourlet.

– Parfait, dit tante Zelda. À présent, voudrais-tu prononcer la formule à ma place ?

– Moi ? fit 412, surpris.

– Si ça ne t'ennuie pas. La lumière est un peu faible pour mes yeux.

Elle étendit le bras et tâta les oreilles du Chasseur. Elles étaient chaudes. L'homme la fusilla du regard et plissa les yeux avec une expression cruelle, mais nul n'y prit garde.

– Il nous entend à présent. Terminons-en avant qu'il retrouve aussi l'usage de la parole.

412 lut attentivement les instructions qui accompagnaient le sort, puis il prit le mouchoir noué et récita :

– Quelle qu'ait pu être ton histoire
Qu'elle s'efface de ta mémoire.

Il agita le mouchoir devant les yeux flamboyants de colère du Chasseur puis défit le nœud. Le regard du Chasseur devint brusquement vitreux. Son visage n'exprimait plus la menace mais la stupeur, et aussi un peu de frayeur.

– On dirait que ça a fonctionné, remarqua tante Zelda. Tu veux bien poursuivre ?

412 reprit calmement :

– Prépare-toi à accueillir
Un lot de nouveaux souvenirs.

Tante Zelda se campa devant le Chasseur et s'adressa à lui d'une voix ferme :

– Voici l'histoire de ta vie. Tu es né dans une masure du Port.

– Tu étais un enfant horrible, poursuivit Jenna, avec une figure pleine de boutons.

– Personne ne t'aimait, ajouta Nicko.

Plus ils parlaient et plus la mine du Chasseur s'allongeait.

– À part ton chien, rectifia Jenna, qui commençait à le prendre en pitié.

– Mais il est mort, lui asséna Nicko.

Pour le coup, le Chasseur eut l'air anéanti.

– Nicko ! fit Jenna sur un ton de reproche. Ne sois pas si méchant.

– Méchant, moi ? Et lui, alors ?

Ainsi, le Chasseur vit se dérouler devant lui le fil d'une existence tragique, semée de coïncidences malheureuses, d'erreurs stupides et d'incidents tellement embarrassants que leur soudaine évocation empourprait ses oreilles fraîchement **dégelées**. Sa lamentable histoire s'achevait avec le récit affligeant de son apprentissage auprès d'un clown irascible auquel ses confrères avaient donné le sobriquet de Bouche-d'Égout.

L'apprenti ne perdait rien de la scène, partagé entre la jubilation et l'épouvante. Le Chasseur l'avait si souvent rudoyé qu'il n'était pas fâché de le voir à son tour malmené. En même temps, il se demandait avec un peu d'appréhension ce qu'ils comptaient faire de lui.

Quand la triste biographie du Chasseur eut atteint sa conclusion, 412 refit un nœud au mouchoir et dit :

– Ta vie d'antan s'en est allée
Te laissant sous l'emprise d'un nouveau passé.

En conjuguant leurs efforts, ils transportèrent le Chasseur à l'extérieur telle une planche encombrante et le déposèrent au bord du fossé afin qu'il finisse de **décongeler**. Le magog les ignora superbement. Il venait de repêcher une trente-huitième sentinelle dans la boue et se demandait s'il allait lui arracher les ailes avant de la liquéfier.

– Un de ces jours, pensez à m'offrir un joli gnome de jardin, dit tante Zelda en lançant un regard dégoûté à la créature qui décorait sa pièce d'eau (à titre temporaire, espérait-elle). Enfin, nous avons fait de la belle ouvrage. Reste à régler la question de l'apprenti.

– Septimus, dit Jenna d'un ton songeur. Je n'arrive pas à le croire. Que vont dire papa et maman ? Il est tellement atroce.

– J'imagine que le fait d'avoir été élevé par DomDaniel ne l'a pas arrangé, observa tante Zelda.

– 412 a grandi dans une caserne et pourtant, c'est un gentil garçon. Lui n'aurait jamais tiré sur le boggart.

– C'est vrai, acquiesça tante Zelda. Peut-être l'apprenti, euh ! Septimus s'améliorera-t-il avec le temps.

– Peut-être, fit Jenna d'un air sceptique.

Un peu avant l'aube, alors que les occupants du cottage s'apprêtaient enfin à dormir (412 avait glissé le caillou vert offert par Jenna tout contre lui sous l'édredon pour qu'il ait bien chaud), quelqu'un frappa des coups hésitants à la porte.

Jenna se dressa sur son séant, effrayée. Qui était là ? Elle poussa Nicko et 412 du coude afin de les réveiller, puis elle s'approcha de la fenêtre sur la pointe des pieds et entrouvrit avec précaution un des volets.

Nicko et 412 se précipitèrent vers la porte, armés d'un balai et d'une lourde lampe.

Blotti dans un recoin sombre près de la cheminée, l'apprenti eut un sourire plein de morgue. DomDaniel lui avait envoyé une équipe de secours.

Ce n'était pas une équipe de secours. Néanmoins, Jenna devint toute pâle.

– C'est le Chasseur, murmura-t-elle.

– Il n'est pas question qu'il entre, décréta Nicko.

Mais le Chasseur frappa à nouveau, plus fort.

– Allez-vous-en ! lui cria Jenna.

Tante Zelda entra dans la pièce après avoir prodigué ses soins au boggart.

– Voyons ce qu'il veut, dit-elle. Ensuite, nous le renverrons.

Réprimant sa peur instinctive du Chasseur, Jenna ouvrit la porte.

C'est à peine si elle le reconnut. Il portait toujours son uniforme, mais il n'avait plus du tout l'allure d'un Chasseur. Enroulé dans son épaisse cape verte tel un mendiant dans sa couverture, il se tenait légèrement voûté sur le seuil, comme pour s'excuser.

– Braves gens, je vous demande pardon de vous déranger à une heure aussi tardive, murmura-t-il. Mais je crains de m'être égaré. Pourriez-vous m'indiquer la direction du Port ?

– C'est par là, dit Jenna en pointant le doigt vers les marais.

Le Chasseur eut l'air embarrassé :

– Je ne suis pas très doué pour me repérer, mademoiselle. Pourriez-vous être plus précise ?

– Suivez la lune, lui conseilla tante Zelda. Elle vous guidera.

Le Chasseur inclina humblement la tête.

– Merci de tout cœur, madame. Je ne voudrais pas abuser de votre patience, mais savez-vous si un cirque doit bientôt se produire en ville ? J'ai bon espoir de m'y faire embaucher comme comique.

Jenna étouffa un rire.

– En effet, répondit tante Zelda. Les représentations doivent avoir lieu ces jours-ci. Euh, attendez une seconde, voulez-vous ?

Elle disparut dans la cuisine et revint avec un petit sac contenant du pain et du fromage.

– Prenez ceci. Et bonne chance pour votre nouvelle vie.

Le Chasseur inclina à nouveau la tête.

– Merci infiniment, madame.

Sur ce, il redescendit le sentier, dépassa le magog endormi dans le mince canoë noir sans lui accorder la moindre attention et s'engagea sur le pont.

Sans un mot, les quatre occupants du cottage regardèrent la silhouette solitaire du Chasseur cheminer d'un pas inégal à travers les marais de Marram. Une nouvelle vie l'attendait au cirque-ménagerie itinérant des sieurs Bourdelle et Poiscaille. Puis un nuage masqua la lune, replongeant le paysage dans l'obscurité.

✠ 39 ✠
RENDEZ-VOUS

Plus tard cette même nuit, l'apprenti s'échappa par la chatière.

Bert avait conservé l'habitude typiquement féline de vadrouiller la nuit. Par conséquent, tante Zelda protégeait la chatière avec un **sort de verrouillage** à sens unique : Bert pouvait sortir à sa guise, mais rien ne pouvait entrer. Pas même Bert. Tante Zelda se méfiait comme de la peste des bobelins en cavale et des frappards des marais.

Quand tout le monde fut endormi et que Bert décida d'aller faire un tour dehors, l'apprenti eut l'idée de la suivre. L'ouverture était étroite mais l'apprenti, aussi mince qu'un serpent et deux fois plus souple, parvint à la franchir en se tortillant. Tandis qu'il s'affairait, la **Magyk noire** imprégnant sa robe annula le **sort de verrouillage** qui protégeait la chatière. Bientôt, l'air vif de la nuit rafraîchit son visage en feu.

Bert l'accueillit avec un coup de bec sur le nez, mais il en fallait plus pour le décourager. Il craignait davantage de rester coincé dans le tunnel, les pieds à l'intérieur de la maison et la tête à l'extérieur. Il avait le sentiment que si cela arrivait, personne ne s'empresserait de le tirer de là. Aussi, ignorant la fureur de la cane, il se libéra au prix d'un effort violent.

Il courut vers l'embarcadère, talonné par Bert qui essayait de lui sauter à nouveau au collet. Mais cette fois, il se tenait sur ses gardes. Il l'écarta d'un geste brutal et la cane alla s'écraser sur le sol, une aile meurtrie.

Étendu de tout son long au fond du canoë, le magog dormait et digérait les cinquante-six sentinelles qu'il avait avalées. L'apprenti l'enjamba non sans inquiétude, mais à son grand soulagement, la créature ne broncha pas. La digestion était une affaire sérieuse chez les magogs. Malgré l'odeur de mucus qui le prenait à la gorge, il saisit l'aviron poisseux et s'éloigna à toute allure, quittant le fossé pour le dédale de canaux sinueux qui sillonnaient les marais de Marram et menaient à la passe de Deppen.

Quand le cottage fut loin derrière lui, il commença à se sentir un peu mal à l'aise, seul dans l'immensité des marais baignés par le clair de lune. Le magog dormait toujours, le laissant sans protection. Un tas d'histoires terrifiantes à propos des marais lui revinrent brusquement à l'esprit. Il faisait le moins de bruit possible en pagayant, craignant de déranger quelque chose qui n'aurait pas apprécié de l'être, ou pire, qui n'attendait que cette occasion... Il était environné de témoignages sonores de l'activité nocturne des marécages. Il surprit les piaillements assourdis d'une meute de bobelins entraînant un malheureux chat sauvage au fond d'une tourbière, bientôt suivis par d'horribles raclements et bruits de succion. Deux nixes de taille respectable tentèrent de fixer leurs ventouses sur le fond du canoë avant d'ouvrir une brèche dans la coque avec leurs dents, mais les traces de salive du magog les forcèrent à lâcher prise.

Peu après, un coquemard lui apparut. S'il avait l'apparence d'un lambeau de brume, il exhalait une odeur de salpêtre qui lui rappela le repaire secret de DomDaniel. Le coquemard se posa juste derrière lui et entonna d'une voix fausse la chanson la plus plaintive et la plus irritante qu'il eût jamais entendue. La mélopée tourbillonnait dans son esprit – Ouueerrgh-derr-ouuaah-dooouuu... Ouueerrgh-derr-ouuaah-dooouuu... Ouueerrgh-derr-ouuaah-dooouuu... –, tant et si bien qu'il crut devenir fou.

Il essaya de repousser le coquemard avec l'aviron, mais celui-ci passa au travers du fragment de brume gémissant. Le canoë faillit chavirer et l'apprenti tomber à la renverse dans l'eau sombre. L'affreuse chanson reprit, avec une nuance de moquerie à présent que le coquemard se savait écouté. Ouueerrgh-derr-ouuaah-dooouuu... Ouueergh-derr-ouuaah-dooouuu... ooooooouuuuuuuhhhhh...

– Assez ! hurla l'apprenti, incapable de supporter plus longtemps le bruit.

Il se boucha les oreilles et se mit à chanter, assez fort pour couvrir l'atroce mélopée :

– Je n'écoute pas, je n'écoute pas, je n'écoute pas...

Tandis qu'il braillait à tue-tête, le coquemard tournoyait autour du canoë, content de lui. D'ordinaire, il lui fallait plus de temps pour transformer un « jeunot » en loque pitoyable, mais cette fois, il avait eu la main heureuse. Sa mission accomplie, il prit la forme d'un mince rideau de brume et se laissa dériver jusqu'à sa tourbière favorite, au-dessus de laquelle il passa le reste de la nuit, comblé.

L'apprenti pagayait avec obstination, sans prendre garde aux frappards, aux caraches et à l'impressionnante variété de furoles, toutes plus engageantes les unes que les autres, qui se succédèrent autour de son canoë des heures durant. À présent, il se sentait prêt à accepter n'importe quoi, du moment que ça ne chantait pas.

Quand le soleil parut au-dessus de l'horizon, il dut s'avouer qu'il était bel et bien perdu. Il se trouvait au milieu d'un immense désert marécageux, sans traits distinctifs ni points de repère. Il continua à ramer mollement, ne sachant quel parti prendre. Il n'était pas loin de midi quand il aperçut un large cours d'eau rectiligne qui semblait aller quelque part, au lieu de se perdre dans un quelconque palud au sol spongieux. L'apprenti exténué venait d'atteindre la limite intérieure de la passe de Deppen. Il poursuivit lentement en direction de la rivière. La rencontre du python géant qui rôdait au fond de la passe, essayant de se redresser, le troubla à peine. Il était bien trop las – et bien trop déterminé – pour s'en soucier. Il avait rendez-vous avec DomDaniel et cette fois, il n'allait pas tout gâcher. Très bientôt, la princesse regretterait de l'avoir maltraité. Ils allaient tous le regretter, en particulier le canard.

Le matin venu, les occupants du cottage furent stupéfaits en constatant que l'apprenti avait réussi à se faufiler par la chatière.

– Je n'en reviens pas que sa tête soit entrée dans le trou, dit Jenna d'un ton lourd de mépris.

Nicko fit tout le tour de l'île, mais il rentra bredouille.

– Le canoë du Chasseur a disparu, annonça-t-il. À l'allure où il filait, il doit être loin à l'heure qu'il est.

– Il faut l'arrêter avant qu'il puisse révéler à quelqu'un où nous nous trouvons, dit 412. (Il savait trop bien de quoi était capable un garçon tel que l'apprenti.) Et à mon avis, il le fera à la première occasion.

C'est ainsi que Jenna, Nicko et 412 se lancèrent à la poursuite de l'apprenti à bord de la *Muriel 2*. Un soleil pâle se levait sur les marais de Marram, projetant des ombres obliques sur les tourbières et les flaques de boue, tandis que le petit bateau disgracieux cheminait à travers un dédale de fossés et de rigoles. Il allait à une allure régulière, trop lente au goût de Nicko qui calculait le temps qu'il avait fallu au canoë du Chasseur pour couvrir la même distance. Il scrutait les environs, s'attendant plus ou moins à voir la coque effilée du canoë retournée dans une tourbière à bobelins ou dériver, vide, le long d'un chenal. Mais il n'aperçut qu'un tronc noir qui raviva momentanément ses espoirs.

Ils firent halte près d'un nid de coquemards le temps de manger un peu de fromage de chèvre et des sandwichs à la sardine. Nulle apparition ne troubla leur repas, car les coquemards s'étaient depuis longtemps évaporés à la chaleur du soleil levant.

En début d'après-midi, une bruine grisâtre commença à tomber. C'est alors qu'ils atteignirent enfin la passe de Deppen. Le python des marais somnolait dans la boue, mollement bercé par le mouvement ascendant de l'eau. Au grand soulagement de ses occupants, il ne fit pas cas de la *Muriel 2*, se réservant pour la profusion de poissons frétillants qui allaient bientôt se jeter dans sa gueule. En raison de la faible ampleur de la marée, le petit bateau était profondément encaissé entre les berges qui se dressaient de part et d'autre de la passe, et ce n'est qu'à la sortie de la toute dernière courbe formée par celle-ci que les enfants découvrirent la *Vengeance*, le bateau de DomDaniel, qui semblait les attendre.

⊹⊹ 40 ⊹⊹
L'ENTREVUE

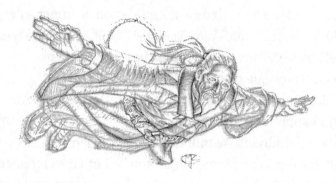

La stupeur envahit les occupants de la *Muriel 2.*

À deux coups de rame à peine du canoë, la *Vengeance* mouillait au milieu de la passe, là où il y avait le plus de fond. Le grand vaisseau noir émergeant de la bruine offrait un spectacle saisissant avec sa proue semblable à une falaise abrupte, ses voiles couleur de nuit toutes déchirées et ses deux mâts qui se profilaient sur les nuages. Un silence aussi oppressant que le gris du ciel l'environnait. Aucune mouette ne tournoyait autour en quête de nourriture. Les embarcations plus petites qui empruntaient la rivière s'en éloignaient en hâte, préférant courir le risque de s'échouer sur un haut-fond que d'approcher la tristement célèbre *Vengeance*. Un nuage noir s'était formé au-dessus des mâts, enveloppant le navire entier dans une ombre dense. Accroché à la proue, un drapeau rouge sang orné de trois étoiles noires s'agitait d'une manière sinistre.

Nicko n'avait pas eu besoin du drapeau pour deviner à qui appartenait le navire. Nul autre bâtiment n'était enduit de ce bitume noir et épais qu'affectionnait DomDaniel, et nul autre ne répandait autour de lui une atmosphère aussi malsaine. D'un geste frénétique, il fit signe à 412 et à Jenna de ramer à l'envers. Quelques secondes plus tard, la *Muriel 2* était à l'abri des regards, au-delà de la dernière courbe de la passe de Deppen.

– Qu'est-ce que c'est ? chuchota Jenna.

– La *Vengeance*, le vaisseau de DomDaniel. Je parie qu'il attend l'apprenti. C'est sûrement lui que ce sale petit crapaud est allé rejoindre. Passe-moi la longue-vue, Jen.

Nicko approcha la lunette de son œil et vit exactement ce qu'il redoutait de voir. Dissimulé dans l'ombre de la coque noire de la *Vengeance*, le canoë du Chasseur dansait sur l'eau, vide. On eût dit un nain tassé au pied d'un géant. Une longue échelle de corde le reliait au pont du navire.

L'apprenti s'était bien présenté au rendez-vous.

– Trop tard, soupira Nicko. Il est déjà là. Berk ! Qu'est-ce que c'est que ça ? Ah, quelle horreur ! L'espèce de **chose** visqueuse vient de s'extraire du canoë. En tout cas, elle sait grimper à une échelle de corde. Aussi agile qu'un singe, en beaucoup plus laid.

– Tu vois l'apprenti ? murmura Jenna.

Nicko remonta toute la longueur de la corde avec sa lunette et acquiesça de la tête. L'apprenti était presque arrivé en haut de l'échelle quand il s'arrêta et lança un regard horrifié à la **créature** qui était sur le point de le rattraper. Quelques secondes plus tard, le magog le dépassait à toute vitesse, laissant une traînée de mucus jaune vif sur le dos de sa robe. Le garçon vacilla et faillit lâcher prise, mais il se ressaisit et gravit les derniers échelons avant de s'écrouler sur le pont où il resta un moment étendu sans que personne ne remarque sa présence.

Bien fait pour lui, pensa Nicko.

Décidés à voir la *Vengeance* de plus près depuis la terre ferme, les trois enfants amarrèrent la *Muriel 2* à un rocher et se dirigèrent vers la plage sur laquelle ils avaient pique-niqué la nuit où ils s'étaient échappés du Château. Au sortir de la courbe, Jenna ressentit un coup au cœur : quelqu'un les avait devancés. Elle s'arrêta net et se glissa derrière un tronc d'arbre mort. Nicko et 412 butèrent contre elle.

– Qu'est-ce qu'il y a ? lui souffla Nicko.

– Quelqu'un, sur la plage. C'est peut-être un homme de DomDaniel qui monte la garde.

Nicko risqua un œil au-dessus du tronc d'arbre et sourit.

– Il ne vient pas du bateau.

– Qu'est-ce que tu en sais ?

– C'est Alther.

Assis sur le sable, Alther Mella contemplait mélancoliquement la bruine. Cela faisait plusieurs jours qu'il attendait là, espérant la venue de l'un ou l'autre habitant du cottage. Il avait des choses urgentes à leur dire.

– Alther ? murmura Jenna.

– Ma princesse !

Le visage soucieux d'Alther s'éclaira. Il se déplaça jusqu'à la petite fille et la serra vivement sur son cœur.

– Comme tu as grandi depuis la dernière fois !

Jenna posa un doigt sur ses lèvres.

– Chut ! On pourrait nous entendre.

Alther eut l'air surpris. Il n'était pas habitué à ce que Jenna lui dise ce qu'il devait faire.

– Personne ne peut m'entendre à moins que je ne le veuille, la rassura-t-il. Toi non plus, on ne t'entend pas. J'ai dressé un **écran sonore** autour de nous.

– C'est un tel bonheur de vous revoir, Alther. Pas vrai, Nicko ?

Nicko souriait jusqu'aux oreilles.

– Ça fait plaisir, renchérit-il.

Alther lança un regard scrutateur à 412.

– Voilà encore quelqu'un qui a beaucoup changé. Les garçons de la Jeune Garde sont tous d'une maigreur pitoyable. Je me réjouis de voir que tu t'es remplumé.

412 piqua un fard.

– En plus, il est devenu gentil, expliqua Jenna.

– J'imagine qu'il l'était depuis le début, ma princesse. Mais on n'a pas le droit de se montrer gentil quand on appartient à la Jeune Garde. C'est interdit par le règlement.

412 lui rendit timidement son sourire.

Ils s'assirent sur le sable humide après s'être assurés qu'on ne pouvait les voir depuis la *Vengeance*.

– Comment vont papa et maman ? interrogea Nicko.

– Et Simon ? ajouta Jenna.

– Ah ! Simon. Il a volontairement faussé compagnie à Sarah dans la Forêt. Il semble que Lucy Gringe et lui aient projeté de se marier en secret.

– Quoi ? s'exclama Nicko. Simon est marié ?

– Non. Gringe a découvert leur plan et l'a livré aux gardes du palais.

– Oh non ! se désolèrent le frère et la sœur.

– Ne vous inquiétez pas pour Simon, reprit Alther avec une froideur inhabituelle. Il est resté prisonnier du custode suprême durant deux semaines et en est revenu aussi frais qu'un gardon. J'ignore comment il a fait, même si j'ai ma petite idée.

– Que voulez-vous dire, oncle Alther ?

– Oh ! c'est sans importance, ma princesse.

Alther semblait réticent à parler plus longtemps de Simon. Pour sa part, 412 aurait bien voulu lui poser une question mais il trouvait bizarre d'adresser la parole à un fantôme. Enfin, il n'y tint plus et rassembla son courage :

– Euh ! Excusez-moi, mais qu'est-il arrivé à Marcia ? Est-ce qu'elle va bien ?

– Hélas, non, soupira Alther.

– Non ? firent les trois enfants d'une même voix.

– Elle est tombée dans un piège, expliqua Alther en se rembrunissant. Un piège tendu par le custode suprême et le Bureau des rats. Il a placé ses propres rats, ou plutôt ceux de DomDaniel, à la tête de celui-ci. Cette vermine dirigeait le réseau d'espions de leur maître, dans les Maleterres. Ils s'y sont fait une réputation épouvantable. Ce sont leurs ancêtres qui nous ont apporté la peste, il y a de cela des siècles. Des gens peu fréquentables.

– Notre rat coursier en faisait partie ? s'enquit Jenna, déçue. (Elle aimait bien Stanley.)

– Non, non. Les gros bras du Bureau des rats l'ont intercepté et depuis, on n'a aucune nouvelle de lui. Le pauvre. Je ne donnerais pas cher de sa peau.

– C'est affreux, gémit Jenna.

– En outre, le message destiné à Marcia n'était pas de Silas.

– Je m'en suis toujours douté, affirma Nicko.

– Il émanait du custode suprême. Quand Marcia s'est présentée devant les portes du palais, croyant trouver Silas, les gardes l'attendaient de pied ferme. Ça n'aurait pas posé de problème si elle avait emprunté la **passerelle de Minuit** au bon moment. Malheureusement, sa montre retardait de vingt minutes et elle avait prêté son **talisman**. La situation est grave. Maintenant que DomDaniel a récupéré l'amulette, j'ai bien peur qu'il n'ait repris le titre de magicien extraordinaire.

Jenna et Nicko restèrent sans voix. C'était pire que tout ce qu'ils avaient pu imaginer.

– Excusez-moi, glissa 412, très mal à l'aise. (Tout était sa faute. S'il avait accepté de devenir l'apprenti de Marcia, il aurait pu l'aider et rien de tout ceci ne serait arrivé.) Elle est toujours... vivante ? Dites ?

Alther regarda 412 et la bonté illumina ses yeux verts décolorés pendant qu'il se livrait à son habitude tellement déstabilisante de lire dans les pensées.

– Tu n'aurais rien pu faire, mon garçon. Ils t'auraient également capturé. Ils l'ont jetée dans le donjon numéro un, mais...

412 plongea son visage dans ses mains. Le donjon numéro un n'avait aucun secret pour lui.

Alther passa un bras fantomatique autour de ses épaules :

– Ne te tracasse pas. Je suis resté avec elle presque tout le temps et elle s'en sortait bien. Tout bien considéré, elle faisait preuve d'une résistance étonnante. Puis un jour, je me suis absenté pour m'enquérir de différents... chantiers que j'ai mis en train dans les appartements de DomDaniel, à la tour. À mon retour, elle avait disparu. Je l'ai cherchée partout où j'ai pu. J'ai même mis quelques Anciens – tu sais, de très vieux fantômes – sur sa piste. Mais ils n'ont presque plus de substance et s'égarent facilement. La plupart ont du mal à se repérer à l'intérieur du Château. Qu'ils butent contre un mur ou un escalier récent, et les voilà coincés. Pas plus tard qu'hier, j'en ai sorti un des poubelles de la cuisine. Apparemment, le réfectoire des magiciens s'élevait à cet endroit, il y a plus de cinq siècles. Franchement, malgré toute leur bonne volonté, les Anciens donnent plus de souci qu'ils ne rendent de services. (Il soupira.) Quoique je me demande...

– Oui ? l'encouragea Jenna.

– Il n'est pas impossible qu'elle se trouve sur la *Vengeance*. Malheureusement, je ne peux pas monter à bord de ce maudit rafiot pour m'en assurer.

Alther était en colère contre lui-même. Désormais, il conseillerait à tous les magiciens extraordinaires de visiter le plus d'endroits possible au cours de leur existence pour leur éviter pareille déconvenue une fois morts. Mais il était trop tard pour réparer ses erreurs passées. Aussi, autant faire contre mauvaise fortune bon cœur.

Néanmoins, au tout début de son apprentissage, DomDaniel avait insisté pour lui faire les honneurs des donjons les plus difficiles d'accès, une excursion qui lui avait paru aussi odieuse qu'interminable. Sur le moment, il était loin d'imaginer qu'il se réjouirait un jour d'avoir accompagné son maître. Si seulement il avait accepté de se rendre à l'inauguration de la *Vengeance*... Du temps où il n'était encore qu'un des plus prometteurs parmi les apprentis potentiels, il avait été convié à une fête en l'honneur du nouveau joujou de DomDaniel. Il avait décliné l'invitation au prétexte que c'était l'anniversaire d'Alice Nettles. Les femmes n'étaient pas admises à bord, et pour rien au monde Alther n'aurait laissé Alice seule un jour pareil. Durant la fête, les apprentis potentiels s'étaient battus comme des chiffonniers, causant un grand nombre de dégâts au navire et gâchant du même coup toutes leurs chances d'entrer un jour au service du magicien extraordinaire, ne serait-ce qu'en qualité de balayeur. Peu après, DomDaniel avait proposé à Alther de devenir son apprenti, mais ce dernier n'avait plus jamais eu l'occasion de visiter la *Vengeance*. Au lendemain de la soirée qui avait si mal tourné, le **nécromancien** avait conduit le navire à la crique Funeste, un mouillage sinistre et rempli d'épaves pourrissantes, pour l'y faire réparer. Séduit par le site, il y avait jeté l'ancre de façon permanente et en avait fait sa villégiature d'été.

Le petit groupe découragé s'installa sur le sable humide. Dans une ambiance morose, ils mangèrent un reste de fromage ramolli, des sandwichs à la sardine et vidèrent jusqu'à la dernière goutte un flacon de cordial à la carotte et à la betterave.

– Il y a des jours, fit Alther d'un ton pensif, où je regrette vraiment de ne plus pouvoir manger...

– Mais pas aujourd'hui, acheva Jenna à sa place.

– Bien vu !

Jenna sortit Petrus Trelawney de sa poche et lui offrit une pâtée gluante à base de fromage de chèvre et de sardine écrasée. Petrus ouvrit les yeux et considéra la mixture avec surprise. C'était le genre de régal qu'il était habitué à recevoir de 412, Jenna lui donnant généralement des biscuits. Il l'engloutit néanmoins, à part un morceau de fromage qui resta collé à son front et plus tard à l'intérieur de la poche de Jenna.

Quand ils eurent fini de mastiquer leurs sandwichs spongieux, Alther déclara :

– À présent, parlons sérieusement.

Trois visages inquiets se tournèrent vers le fantôme.

– Écoutez-moi bien. Vous allez retourner immédiatement au cottage de la gardienne. Je veux que vous disiez à Zelda de tous vous emmener au Port demain dès l'aube. Alice – c'est elle qui dirige le bureau des douanes – s'occupe de vous trouver une place à bord d'un bateau. Vous allez partir pour les Lointaines Contrées pendant que je m'efforcerai de débrouiller la situation ici.

– Mais..., protestèrent en vain les enfants.

– Je vous attendrai demain matin sur les quais, à la taverne de l'Ancre-Bleue. Je compte sur vous pour être à l'heure. Vos parents partent aussi, de même que Simon. En ce moment, ils descendent la rivière sur ma vieille coque de noix, la *Molly*. Je crains que Sam, Erik, Fred et Jo-Jo aient refusé de quitter la Forêt. Ce sont devenus de vrais sauvageons, mais Morwenna gardera un œil sur eux.

Un silence maussade suivit les propos d'Alther. Aucun d'eux n'aimait ce qu'il venait d'entendre.

– Ce serait de la désertion, objecta calmement Jenna. Nous voulons rester et combattre.

– Je me doutais que tu réagirais ainsi, soupira Alther. Ta mère n'aurait pas dit autre chose. Néanmoins, vous devez partir sans tarder.

Nicko se leva.

– D'accord, dit-il à contrecœur. Nous vous rejoindrons demain au Port.

– Bien ! Je vous souhaite de rentrer sans encombre. À demain, tout le monde.

Alther s'éleva dans l'air et regarda les trois enfants regagner la *Muriel 2* en traînant les pieds. Il les accompagna un moment du regard, le temps de s'assurer qu'ils progressaient de façon satisfaisante le long de la passe de Deppen, puis il fila à toute vitesse et au ras des flots vers l'amont de la rivière, à la rencontre de la *Molly*. Bientôt, il ne fut plus qu'une minuscule tache noire dans le lointain.

C'est alors que la *Muriel 2* fit demi-tour et mit le cap droit sur la *Vengeance*.

✛ 41 ✛
LA VENGEANCE

La discussion allait bon train à bord de la *Muriel 2*.

· Je ne suis pas d'accord. On n'est même pas sûrs que Marcia se trouve sur la *Vengeance*.

– Moi, je parie qu'elle y est.

– Il faut qu'on la retrouve. J'ai la certitude que je peux la sauver, dit 412.

– Écoute, ce n'est pas parce que tu as été dans l'armée que tu es capable de prendre un navire d'assaut à toi tout seul.

– Non, mais je peux essayer.

– Il a raison, Nicko.

– On n'y arrivera jamais. Les autres vont nous repérer. Il y a toujours des hommes de quart sur un bateau.

– On pourrait essayer cette incantation... Tu vois ce que je veux dire ?

– La **formule d'invisibilité** ? Fastoche. Après, on s'approchera du bateau en pagayant, je grimperai à l'échelle de corde et..

– Holà ! Pas si vite. C'est dangereux.

– Marcia m'a secouru quand j'étais en danger, elle.

– Et moi aussi.

– C'est bon. Vous avez gagné.

À l'entrée de la dernière courbe de la passe, 412 glissa la main dans la poche intérieure de son bonnet rouge et en retira l'anneau dragon.

– D'où sors-tu cette bague ? l'interrogea Nicko.

– Oh ! Elle est **magique**. Je l'ai trouvée. Sous terre.

– Elle ressemble un peu à l'amulette.

– C'est vrai. Je me suis fait la même réflexion.

Il glissa l'anneau à son doigt et le sentit chauffer.

– Je prononce la formule ?

Jenna et Nicko acquiescèrent. 412 entonna l'incantation :

> Que je disparaisse aux regarts
> En ruinant tous les espoirs
> Des meschants aux noirs desseings
> Qui me chercheront en vein.

412 s'évanouit lentement dans la bruine, ne laissant derrière lui qu'une pagaie en suspens dans le vide. Jenna récita à son tour la formule.

– Tu es toujours là, Jen, l'avertit Nicko. Recommence.

La troisième tentative fut la bonne. Une deuxième pagaie flottait maintenant auprès de la première.

– À toi, Nicko, fit la voix de Jenna.

– Une seconde. C'est la première fois que j'utilise cette formule.

– Dans ce cas, essaie la tienne. Peu importe, du moment que ça marche.

– En fait, j'ignore si elle marche. En plus, elle ne dit rien sur « les meschants aux noirs desseings »...

– Nicko !

– C'est bon, c'est bon. J'y vais. « Ni vu, ni connu... » Euh ! J'ai oublié la suite.

– « **Ni vu, ni connu, Motus et bouche cousue** », souffla 412, invisible.

– Ah ! oui. Merci.

La formule fonctionna. La silhouette de Nicko s'effaça lentement.

– Tout va bien, Nicko ? s'inquiéta Jenna. Je ne te vois plus.

Il n'y eut pas de réponse.

– Nicko ?

La pagaie de Nicko remua frénétiquement.

– On ne le voit pas et il ne nous voit pas parce qu'il a utilisé un autre sort, expliqua 412 avec une pointe de désapprobation. On ne peut pas non plus l'entendre à cause de l'allusion au silence. En plus, sa formule n'a pas d'effet protecteur.

– Pas très positif, tout ça.

– En effet. Toutefois, j'ai une idée. Je vais tenter une formule de reconnaissance. Celle-ci devrait convenir : « **Que l'harmonie soit immédiate, Entre ces sorts trop disparates.** »

– Le voici ! s'exclama Jenna alors qu'une forme nébuleuse surgissait du néant. Nicko, est-ce que tu nous vois ?

Nicko sourit et leva le pouce pour indiquer que tout allait bien.

– Ça alors ! fit Jenna en regardant 412. T'es drôlement doué.

Profitant de la bulle de silence qui l'entourait, Nicko guida le canoë hors de la passe et gagna la rivière en quelques coups de rame. Une pluie fine mouchetait la surface paisible de l'eau. Nicko s'efforçait de créer le moins de remous possible, craignant que le regard exercé de la vigie remarque les vague-lettes qui progressaient vers le navire à un rythme régulier.

Le canoë avançait de manière satisfaisante. Bientôt, la coque noire de la *Vengeance* émergea de la bruine et la *Muriel 2*, toujours protégée par le **sort d'invisibilité**, se rangea au pied de l'échelle de corde. Les enfants décidèrent que Nicko resterait dans le canoë pendant que Jenna et 412 essaieraient de découvrir si Marcia était à bord et si possible, de la délivrer. Nicko leur prê-terait main forte en cas de besoin. Jenna espérait ne pas en arri-ver là : la formule de son frère ne le protégeait pas du danger. Nicko stabilisa le canoë tandis que ses compagnons se hissaient sur l'échelle et entamaient la longue et périlleuse ascension qui les conduirait sur le pont de la *Vengeance*.

Nicko les suivit du regard, mal à l'aise. Les **invisibles** pro-jetaient des ombres et provoquaient des perturbations de l'air qu'un **nécromancien** tel que DomDaniel ne pouvait manquer de détecter. Mais tout ce qu'il pouvait faire, c'était leur sou-haiter bonne chance en silence. Il était résolu à partir à leur recherche s'ils n'étaient pas revenus au moment où la marée atteindrait la moitié de la passe, protection magique ou pas.

Histoire de tuer le temps, il monta dans le canoë du Chasseur. S'il devait attendre, il aimait autant le faire à bord d'un bateau convenable. Même s'il était enduit de mucus et sentait mauvais. D'ailleurs, certains des bateaux de pêche sur lesquels il aimait à donner un coup de main sentaient pire que ça.

La montée fut lente et malaisée. L'échelle butait sans cesse contre la coque noire et poisseuse du navire. Jenna redoutait que quelqu'un les entende, mais tout était calme au-dessus d'eux. Si calme qu'elle commençait à se demander si la *Vengeance* n'était pas un bateau fantôme.

Peu avant le sommet, 412 commit l'erreur de regarder vers le bas. Le vertige et la nausée s'emparèrent de lui. Ses mains devinrent moites et il faillit lâcher l'échelle de corde. L'eau paraissait terriblement éloignée et le canoë minuscule. Pendant une seconde, il crut distinguer une silhouette à l'intérieur. Il secoua la tête. *Ne regarde pas*, se dit-il. *Surtout, ne regarde pas.*

Jenna, elle, ne craignait pas le vide. Elle franchit d'un bond agile l'espace qui séparait l'échelle du pont et tira 412 à bord. Les yeux fixés sur les bottes de sa compagne, le jeune garçon se hissa sur le pont en se tortillant et se releva, les jambes tremblantes.

Les deux enfants jetèrent un regard circulaire autour d'eux.

La *Vengeance* offrait un spectacle sinistre. Une lourde chape de nuages enveloppait le navire entier d'une ombre épaisse. On n'entendait aucun bruit, hormis les craquements réguliers de la coque ballottée par la marée montante. Jenna et 412 remontèrent le pont à pas de loup, dépassant des rouleaux de cordage, des tonneaux goudronnés soigneusement alignés ainsi que des canons disposés de loin en loin et pointés vers les marais, menaçants. À part l'obscurité oppressante et quelques traînées de bave jaunâtre, rien ne permettait de deviner à qui appartenait le navire. Mais quand ils atteignirent la proue, 412 perçut la présence de la **Ténèbre**, si intense qu'il tomba presque à la renverse. Comme Jenna avançait toujours, inconsciente du danger, il se força à la suivre, refusant de la laisser seule.

Cette sensation provenait d'un trône imposant, dressé face au large au pied du mât de misaine. Sa masse paraissait incongrue sur le pont d'un bateau. Sculpté dans un bloc d'ébène, rehaussé d'ornements en or rouge, il accueillait DomDaniel, le **nécromancien**. Très droit sur son siège, les yeux clos, la bouche entrouverte, DomDaniel faisait la sieste. Un gargouillis montait de son arrière-gorge irritée par l'humidité. Couchée sous son trône tel un chien fidèle, une **créature** monstrueuse sommeillait dans une flaque de bave.

412 agrippa le bras de Jenna si violemment qu'elle faillit crier. Il pointa l'index vers la taille de DomDaniel. Jenna tourna vers lui un visage décomposé. C'était donc vrai... Si elle avait hésité à croire Alther, la vérité s'étalait à présent devant ses yeux. Presque enfouie dans les plis de la robe noire de DomDaniel, elle distinguait la ceinture du magicien extraordinaire... La ceinture de Marcia !

Jenna et 412 regardèrent DomDaniel avec un mélange de dégoût et de fascination. Les doigts du **nécromancien** étaient cramponnés au bras de son trône ; ses ongles jaunes et recourbés s'enfonçaient dans l'ébène telles des serres. Son teint plombé témoignait encore des années qu'il avait passées **sous terre**, avant qu'il se transporte dans son repaire des montagnes Frontalières. Sa physionomie n'avait rien de remarquable (sans doute ses yeux étaient-ils trop enfoncés et sa bouche un peu trop cruelle pour inspirer la sympathie), mais la **Ténèbre** qui en émanait donnait le frisson aux deux enfants.

DomDaniel était coiffé d'un chapeau noir en forme de tuyau de poêle. Pour une raison qui lui échappait, son chapeau était toujours un peu trop large, quand bien même il le faisait fabriquer sur mesure. Cette bizarrerie l'inquiétait plus qu'il n'osait se l'avouer, et il commençait à se demander si son crâne n'avait pas rétréci depuis son retour au Château. Il avait glissé de sa tête pendant son sommeil et reposait à présent sur ses oreilles blêmes. C'était un chapeau à l'ancienne mode, d'un modèle qu'aucun magicien n'aurait voulu porter tant il était associé à l'**Inquisition Magique** qui avait sévi plusieurs siècles auparavant.

Le trône était surmonté d'un dais de soie rouge blasonné d'une triade d'étoiles noires et détrempé par la pluie. De temps en temps, il s'égouttait sur DomDaniel, transformant en flaque la dépression au sommet de son chapeau.

412 saisit la main de Jenna. Un après-midi où il neigeait, il avait déchiffré une petite brochure mangée aux mites que Marcia avait consacrée à *L'Effet hypnotique de la **Ténèbre***. Devinant l'attirance de Jenna, il l'entraîna vers une écoutille ouverte, à l'écart du **nécromancien** endormi.

– Marcia est ici, murmura-t-il. Je sens sa **présence**.

Juste comme ils atteignaient l'écoutille, ils entendirent quelqu'un courir sur le pont inférieur et monter précipitamment à l'échelle. Ils reculèrent juste avant qu'un marin brandissant une torche éteinte déboule sur le pont. Le marin (un petit homme plus sec qu'un hareng) portait l'uniforme noir des gardes du palais, mais alors que ceux-ci avaient le crâne rasé, ses cheveux noirs tressés pendaient le long de son dos. Il était vêtu d'un pantalon flottant qui s'arrêtait sous le genou et d'un maillot à larges rayures noires et blanches. Il sortit de sa poche un briquet avec lequel il alluma la torche. Une flamme orange vif s'éleva, égayant la grisaille. Le marin s'avança et plaça la torche sur un support à la proue du bateau. DomDaniel ouvrit les yeux. Sa sieste était terminée.

L'homme se balançait nerveusement au pied du trône, attendant les instructions de son maître.

– Sont-ils de retour ? demanda une voix caverneuse qui fit dresser les cheveux sur la tête de 412.

Le marin s'inclina, évitant le regard du **nécromancien**.

– Le garçon est rentré, monseigneur, ainsi que votre serviteur.

– C'est tout ?

– Oui, monseigneur. Mais...

– Quoi ?

– Le garçon affirme avoir capturé la princesse.

– La Pouline ? Eh bien, pour une surprise, c'en est une. Qu'ils viennent sur-le-champ !

– Bien, monseigneur.

– Et qu'on fasse aussi monter la prisonnière. Elle sera probablement heureuse d'avoir des nouvelles de sa regrettée pupille.

– Sa quoi, monseigneur ?

– La Pouline, crétin ! À présent, je veux voir tout l'équipage sur le pont. Exécution !

Le marin s'engouffra dans l'écoutille et bientôt, Jenna et 412 perçurent des mouvements sous leurs pieds. Cela remuait dans les entrailles du vaisseau. Les matelots dégringolaient de leur hamac, abandonnant leurs occupations (sculpter un bout de bois, s'exercer à faire des nœuds ou introduire un bateau dans une bouteille) pour obéir aux ordres de leur maître.

Quand DomDaniel descendit de son trône, un peu ankylosé d'être resté si longtemps exposé à l'humidité, un filet d'eau ruissela de son chapeau dans ses yeux. Agacé, il réveilla le magog endormi d'un coup de pied. La **créature** s'extirpa de dessous le trône et rampa derrière lui jusqu'au bout du pont où le **nécromancien** s'arrêta, les bras croisés sur la poitrine, le visage crispé par l'impatience.

Bientôt, des pas lourds résonnèrent dans l'entrepont. Quelques secondes plus tard, une demi-douzaine de matelots surgirent et prirent position autour de DomDaniel. L'apprenti s'avança derrière eux, plein d'hésitation. Il était livide et Jenna remarqua le tremblement de ses mains. C'est à peine si son maître lui accorda un regard. Les yeux fixés sur l'écoutille, celui-ci attendait l'apparition de la princesse captive.

Mais personne ne se montra.

Le temps parut s'arrêter. Les matelots commencèrent à s'agiter, se demandant pourquoi on les avait fait venir. Un tic nerveux faisait tressaillir la paupière gauche de l'apprenti. De temps en temps, il lançait un regard à son maître et se dépêchait de baisser les yeux, comme s'il craignait d'être surpris. Au bout d'une éternité, DomDaniel prit la parole :

– Eh bien, mon garçon, où est-elle ?

– Qu-qui ça, maître ? bredouilla l'apprenti. (En réalité, il avait très bien compris la question.)

– La Pouline, tête sans cervelle. De qui crois-tu que je parlais, de ton idiote de mère ?

– N-non, maître.

D'autres pas retentirent.

– Ah ! murmura DomDaniel. Enfin !

Ce fut Marcia qui émergea de l'écoutille, poussée par un magog qui serrait fermement son bras dans sa patte griffue. Elle tenta de se dégager, mais le **monstre** était collé à elle comme par de la glu. Elle considéra avec dégoût les traînées de mucus dont il l'avait couverte. Son visage conserva la même expression quand elle rencontra le regard triomphant de DomDaniel. Même après un mois de captivité et la privation de ses pouvoirs, Marcia restait impressionnante. Le désordre de sa chevelure traduisait sa fureur, sa robe tachée par le sel lui donnait un air à la fois simple et digne alors que ses bottines en python étaient plus éclatantes que jamais. Jenna devina le trouble de DomDaniel.

– Ah ! mademoiselle Overstrand. C'est très aimable à vous d'être passée, susurra-t-il.

Marcia ne répondit pas.

– Si je vous ai offert l'hospitalité jusqu'ici, chère mademoiselle, c'est pour vous permettre d'assister à ce petit « final ». Septimus apporte des nouvelles qui devraient vous intéresser. N'est-ce pas ?

Le garçon acquiesça sans conviction.

– Mon excellent apprenti a rendu visite à des amis à vous. Vous savez, ceux qui vivent dans un adorable cottage des environs. (DomDaniel agita sa main chargée de bagues en direction des marais de Marram.)

Marcia parut se décomposer.

– Je constate que vous m'avez compris. Notez que j'y comptais bien. Sachez encore que la mission de mon apprenti fut un succès.

Le garçon voulut intervenir, mais son maître lui fit signe de se taire.

– Moi-même, j'ignore les détails de l'affaire. J'ai pensé que vous aimeriez en avoir la primeur. Septimus va tout nous dire à présent. Nous t'écoutons.

L'apprenti se leva à contrecœur. Il semblait très mal à l'aise.

– Je, euh..., commença-t-il d'une voix à peine audible.

– Plus fort, mon garçon. Nous ne voudrions pas perdre une miette de ton récit.

– Je... j'ai retrouvé la princesse. La Pouline.

Un murmure parcourut l'assistance. Jenna eut l'impression que cette nouvelle était loin d'enthousiasmer les matelots. Elle se rappela ce que lui avait dit un jour tante Zelda : jamais DomDaniel ne gagnerait les gens de mer à sa cause.

– Continue, insista DomDaniel.

– Le Chasseur et moi, on s'est emparés du cottage et de ses occupants : la sorcière blanche, Zelda Zanuba Heap, le magicien en herbe, Nickolas Benjamin Heap, et le déserteur de la Jeune Garde, 412. De mon côté, j'ai capturé la princesse... La Pouline.

L'apprenti marqua une pause. Un éclair de panique passa dans ses yeux. Qu'allait-il dire ? Comment allait-il expliquer l'absence de la princesse et la disparition du Chasseur ?

– L'as-tu capturée, oui ou non ? reprit DomDaniel d'un air soupçonneux.

– Oui, maître. Mais...

– Mais... ?

– Eh bien, après que la sorcière blanche eut vaincu le Chasseur et l'eut transformé en clown...

– En clown ? Tu ne te moquerais pas de moi, par hasard ? Si c'est le cas, je te conseille d'arrêter tout de suite.

– Je ne me le permettrais pas, maître. (Jamais l'apprenti n'avait eu moins envie de se moquer de qui que ce soit.) Après le départ du Chasseur, j'ai capturé la Pouline sans l'aide de personne. J'ai bien failli m'enfuir, mais...

– Failli ?

– Oui, maître. J'étais à deux doigts de réussir quand le magicien en herbe, Nickolas Heap, m'a attaqué avec un couteau. Il est très dangereux. Et la Pouline m'a échappé...

– Échappé ? rugit DomDaniel en se dressant devant l'apprenti tremblant. Et tu oses parler de succès à propos de cette mission ? Un beau succès, en vérité ! D'abord, tu m'apprends que le Chasseur est devenu un clown, puis que tu t'es laissé arrêter par une misérable sorcière blanche et un trio de morveux en fuite... Et pour couronner le tout, la Pouline t'a échappé ! Le seul objet – le seul, tu entends ? – de cette mission était la capture de cette petite peste sans scrupule. Alors, explique-moi où est le succès.

– Maintenant, on sait où elle se cache, murmura l'apprenti.

– Nous le savions déjà, mon garçon. C'est d'ailleurs pour ça que je t'ai envoyé là-bas.

DomDaniel leva les yeux au ciel. Décidément, son apprenti n'avait que du chou bouilli dans la tête. À son âge, le septième fils d'un septième fils aurait dû maîtriser assez la **Magyk** pour venir à bout d'une bande de minables terrés dans un trou boueux. Il bouillonnait de rage.

386

– Pourquoi ? vociféra-t-il. Pourquoi ne suis-je entouré que d'imbéciles ?

Tandis qu'il crachait sa fureur, il croisa le regard de Marcia et y lut du mépris, mêlé au soulagement que lui inspiraient les nouvelles qu'elle venait d'entendre.

– Emmenez la prisonnière ! hurla-t-il. Enfermez-la et balancez la clé à la mer ! C'en est fini d'elle !

– Pas encore, répliqua Marcia, très calme, en lui tournant le dos.

Soudain, au grand effroi de Jenna, 412 bondit de derrière le tonneau qui leur servait d'abri et s'approcha silencieusement de Marcia. Il se faufila avec précaution entre le magog et les matelots qui poussaient la prisonnière vers l'écoutille. L'expression hautaine de Marcia céda brièvement la place à la stupeur, puis à une indifférence feinte. 412 comprit qu'elle l'avait vu. D'un geste vif, il ôta l'anneau dragon de son doigt et le plaça dans la main de Marcia. Les yeux verts de cette dernière plongèrent dans les siens pendant qu'elle glissait l'anneau dans la poche de sa tunique à l'insu de ses gardiens. 412 ne s'attarda pas. Il fit volte-face et dans sa hâte de retrouver Jenna, il bouscula un matelot.

– Halte ! cria l'homme. Qui va là ?

Tous restèrent figés sur place, sauf 412 qui fila telle une flèche, agrippant Jenna au passage. Il était temps de partir.

– Des intrus ! brailla DomDaniel. J'aperçois des ombres ! Attrapez-les !

Pris de panique, les marins de la *Vengeance* se tournaient en tous sens, ne voyant rien. Leur maître avait-il perdu la raison ? Cela faisait longtemps qu'ils redoutaient cette issue.

Profitant de la confusion générale, Jenna et 412 coururent vers l'échelle de corde et rejoignirent les canoës en un temps record. Nicko les avait vus venir. Il était moins une : le **invisibilité** commençait à se dissiper.

Cependant, le navire était en effervescence. On allumait des torches, on fouillait les moindres recoins. Quelqu'un trancha l'échelle. Tandis que la *Muriel* 2 et le canoë du Chasseur s'éloignaient dans la brume, la lourde corde heurta bruyamment la surface de l'eau et fut engloutie par la marée montante.

42
LA TEMPÊTE

– Rattrapez-les ! Qu'on me les ramène sur-le-champ !

Les hurlements de rage de DomDaniel retentissaient à travers le brouillard.

À bord de la *Muriel 2*, Jenna et 412 pagayaient de toutes leurs forces en direction de la passe de Deppen. Nicko, qui avait refusé de se séparer du canoë du Chasseur, les suivait de près.

Un nouvel ordre parvint à leurs oreilles :

– Les nageurs à la mer !

Un silence relatif plana sur la *Vengeance*, le temps que l'ensemble de l'équipage pourchasse le long du pont les deux seuls matelots qui savaient nager. Les deux malheureux finirent par être rattrapés et passés par-dessus bord. On entendit un double plouf.

Ignorant les exclamations assourdies qui montaient de l'eau, les occupants des canoës continuèrent à ramer afin d'atteindre au plus vite les marais. Loin derrière eux, les deux matelots à demi assommés par leur plongeon forcé nageaient en rond, cherchant à reprendre leurs esprits. Les vieux loups de mer ne leur avaient pas menti : c'était une malédiction de savoir nager pour un marin.

DomDaniel regagna son trône. Les matelots s'étant retirés après qu'il les avait obligés à jeter leurs camarades à la mer, il avait le pont pour lui tout seul. Une vague de froid l'enveloppa quand il s'assit et il s'immergea dans la **Magyk noire**. D'un ton monotone, il entonna une **incantation** longue et compliquée, mélange de psalmodie et de lamentations.

DomDaniel **invoquait** les marées.

À son commandement, les eaux enflèrent au large et se ruèrent vers les terres. Une vague bouillonnante dépassa le Port et se précipita dans le lit de la rivière, charriant des dauphins, des méduses, des tortues et des phoques irrésistiblement entraînés par le courant. Tandis que les eaux montaient de plus en plus haut, les canoës progressaient avec difficulté le long du fleuve en crue. Le temps qu'ils atteignent l'embouchure de la passe, ils étaient devenus presque incontrôlables.

– C'est dur ! cria Jenna au milieu du tumulte.

À l'aide de sa pagaie, elle luttait de son mieux contre les remous qui ballottaient la *Muriel 2* en tous sens. Emportés par la vague à une allure folle, les deux canoës pivotaient et tournoyaient sans offrir plus de résistance que deux épaves. Nicko constata que l'eau était prête à déborder de la passe. Il n'avait encore jamais rien vu de tel.

– Ce n'est pas normal, cria-t-il à son tour. Ça ne devrait pas arriver !

– C'est lui ! fit 412 en agitant sa pagaie en direction de DomDaniel. (Il regretta aussitôt son geste, car la *Muriel 2* pencha dangereusement de côté.) Écoutez !

Quand la *Vengeance*, rehaussée par la houle, avait commencé à tirer sur son ancre, le **nécromancien** avait changé d'antienne et s'était mis à hurler pour couvrir le grondement des eaux :

– **Souffle, souffle, souffle, souffle !**

Un grand vent se leva tout à coup. Obéissant aux **injonctions** de DomDaniel, il accourut dans un mugissement féroce, soulevant la surface de l'eau et secouant violemment les canoës. Il dispersa la brume de sorte que Jenna, Nicko et 412 distinguèrent nettement la *Vengeance*, perchée sur les vagues à l'entrée de la passe de Deppen.

Mais ils étaient également visibles depuis la *Vengeance*.

Debout à la proue du navire, DomDaniel sortit sa lunette et scruta l'horizon jusqu'à apercevoir ce qu'il cherchait.

Des canoës...

L'examen de leurs occupants confirma ses pires craintes. Aucun doute n'était possible : les longs cheveux noirs et le cercle d'or qui coiffait la fille assise à l'avant du canoë vert désignaient clairement la princesse. La Pouline était montée à bord de son bateau. Elle s'était promenée sous son nez et il l'avait laissé échapper !

DomDaniel devint étrangement silencieux : il rassemblait ses forces afin d'**appeler** la **tempête** la plus puissante qu'il était en son pouvoir d'évoquer.

La **Magyk noire** transforma la plainte du vent en un hurlement assourdissant. Des nuages noirs s'amassèrent au-dessus de l'immensité désolée des marais de Marram. La lumière pâlit. Des vagues sombres et glacées vinrent se briser sur les canoës.

– Le bateau prend l'eau, cria Jenna. Je suis trempée !

Elle faisait des efforts désespérés pour garder le contrôle de la *Muriel 2* pendant que 412 écopait. Nicko avait ses propres problèmes : une vague s'était répandue sur le canoë du Chasseur, inondant l'intérieur. Encore un coup comme ça et il se retrouverait au fond de la passe.

Et soudain, la passe de Deppen fut engloutie.

Dans un fracas étourdissant, les berges s'effondrèrent, une vague immense s'engouffra dans cette brèche et submergea les marais, balayant sur son passage dauphins, tortues, méduses, phoques, nageurs... et les deux canoës.

Celui de Nicko filait à une allure qu'il n'aurait jamais cru atteindre un jour, même dans ses rêves. C'était à la fois terrifiant et exaltant. Mais le petit bateau franchit sans effort la crête de la vague, comme s'il n'attendait que l'occasion de prouver sa valeur.

Jenna et 412 étaient beaucoup moins enthousiasmés par la tournure que prenaient les événements. La *Muriel 2* était une vieille dame contrariante et cette nouvelle façon de naviguer ne lui plaisait pas du tout. Ils devaient batailler pour lui épargner d'être chavirée par la vague qui déferlait dans un grondement de tonnerre.

Quand l'eau se répandit sur les marais, la vague commença à perdre de la vigueur et la *Muriel 2* devint plus docile. Nicko manœuvra le canoë du Chasseur de sorte à se rapprocher de ses compagnons.

– C'est génial ! leur lança-t-il.

– Tu es fou ! lui cria Jenna. (Elle se démenait toujours avec sa pagaie pour empêcher la *Muriel 2* de se renverser.)

La vague s'essoufflait rapidement. Déjà, elle avait perdu une grande partie de sa force et de sa vitesse quand elle avait envahi les marais et noyé les fossés, les rigoles et les tourbières sous une eau claire et salée. Bientôt, elle se retira, abandonnant les trois enfants au milieu d'un océan qui s'allongeait à perte de vue vers l'horizon, parsemé çà et là de minuscules îlots.

Pendant qu'ils pagayaient dans ce qu'ils croyaient être la bonne direction, une ombre menaçante plana sur les eaux. Des nuages d'orage s'amoncelaient dans le ciel. La température chuta d'un coup et l'air se chargea d'électricité. Soudain, le tonnerre roula à travers l'espace, donnant le signal de la pluie qui se mit à tomber à grosses gouttes. Jenna contempla l'immensité grise et froide qui s'étendait devant eux, se demandant s'ils retrouveraient jamais le chemin du cottage.

Puis 412 distingua une lueur tremblante sur une des îles les plus lointaines. Tante Zelda allumait ses lanternes-tempête et les plaçait sur les rebords des fenêtres.

Les canoës prirent de la vitesse et se dirigèrent vers les lumières tandis que le tonnerre grondait et que des bouquets d'éclairs silencieux illuminaient le ciel par intervalles.

La porte de tante Zelda était ouverte. Elle les attendait.

Ils attachèrent les canoës au décrottoir près de l'entrée et pénétrèrent dans la maison étrangement silencieuse. Tante Zelda se trouvait dans la cuisine avec le boggart.

– Nous sommes rentrés ! lança Jenna.

Tante Zelda sortit de la cuisine et referma doucement la porte derrière elle.

– Vous l'avez trouvé ? demanda-t-elle.

– Trouvé qui ?

– L'apprenti. Septimus.

– Oh ! lui...

Il s'était passé tant de choses depuis leur départ que Jenna avait complètement oublié le but initial de leur excursion.

– Juste ciel, vous êtes revenus juste à temps ! Il fait déjà nuit.

Tante Zelda trottina jusqu'à la porte pour la fermer.

– Oui, il...

– Aargh !

Tante Zelda venait de découvrir que l'eau léchait le seuil de sa maison, sans parler des deux canoës qui se balançaient au bout de leur amarre.

– Une inondation. Les animaux ! Ils vont se noyer.

– Ils vont bien, la rassura Jenna. Les poules sont toutes perchées sur le bateau. Nous les avons comptées. Et la chèvre a grimpé sur le toit.

– Sur le toit ?

– Oui. Elle broutait le chaume quand nous l'avons vue.

– Oh ! bien.

– Les canards sont ravis et les lapins... Il me semble en avoir vu plusieurs flotter dans les environs.

– Flotter ? Les lapins ne flottent pas !

– Ceux-là, oui. Ils étaient étendus sur le dos, comme s'ils prenaient un bain de soleil.

– Un bain de soleil ? En pleine nuit ?

– Tante Zelda, fit Jenna d'un ton sévère. Oublie les lapins. Il y a une tempête qui couve.

Tante Zelda cessa de s'agiter et considéra les trois enfants trempés devant elle.

– Pardon. Où avais-je la tête ? Venez vous sécher devant la cheminée.

Jenna, Nicko et 412 s'approchèrent du feu et bientôt, de la vapeur s'échappa de leurs vêtements. Tante Zelda fouilla l'obscurité du regard avant de refermer la porte du cottage.

– La **Ténèbre** s'étend au-dehors, murmura-t-elle. J'aurais dû m'en apercevoir plus tôt, mais Boggart n'allait pas bien du tout. Quand je pense que vous l'avez affrontée sans protection, acheva-t-elle avec un frisson.

– C'est DomDaniel, tenta d'expliquer Jenna. Il est...

– Oui ?

– Horrible. Nous l'avons vu. Sur son bateau.

– QUOI ? (Tante Zelda resta bouche bée.) Vous avez vu DomDaniel ? Et la *Vengeance* ? Où ça ?

– À l'entrée de la passe. On est montés...

– Montés ?

– À l'échelle de corde. Une fois à bord...

– Vous étiez à bord de la *Vengeance* ?

Tante Zelda comprenait à peine ce que lui disait Jenna. Elle était subitement devenue très pâle et ses mains tremblaient.

– Un sale rafiot, commenta Nicko. Il pue le danger.

– Toi aussi, tu es monté à bord ?

– Non, répondit Nicko qui le regrettait à présent. Ma **formule d'invisibilité** ne fonctionnait pas bien, aussi je suis resté en arrière. Je gardais les canoës.

Il fallut quelques secondes à tante Zelda pour enregistrer ce qu'elle entendait. Elle se tourna ensuite vers 412 :

– Donc, Jenna et toi êtes montés seuls sur ce bateau maudit, tout imprégné de **Magyk noire**. Pourquoi ?

– Avant, nous avions rencontré Alther, reprit Jenna.

– Alther ?

– Il nous avait dit que Marcia...

– Qu'est-ce que Marcia vient faire dans cette histoire ?

– Elle a été capturée par DomDaniel, intervint 412. Alther pensait qu'elle pouvait se trouver à bord du bateau. Et il avait raison. On l'a vue.

– De mieux en mieux ! s'exclama Zelda en se laissant tomber dans son fauteuil favori. De quoi se mêle-t-il, cette espèce d'ectoplasme ? On n'a pas idée d'expédier trois gamins sur le vaisseau d'un **nécromancien**.

– Ce n'est pas lui qui nous y a envoyés, rectifia 412. Il nous l'a même défendu, mais nous devions faire quelque chose pour Marcia. Toutefois, nous n'avons pas réussi à la sauver.

– Marcia est prisonnière, murmura tante Zelda. C'est une mauvaise nouvelle.

Elle tisonna le feu et quelques flammes s'élevèrent dans l'âtre.

Le tonnerre gronda longuement juste au-dessus d'eux, ébranlant le cottage jusqu'aux fondations. Une bourrasque de vent parvint à s'infiltrer par les interstices des fenêtres, soufflant toutes les bougies. La pièce n'était plus éclairée que par la lueur vacillante du feu. Quelques secondes plus tard, une soudaine averse de grêle faisait tinter les vitres et s'engouffrait dans la cheminée. Le feu chuinta rageusement avant de s'éteindre.

Le cottage se retrouva plongé dans le noir.

– Les lanternes !

Tante Zelda se releva et chercha à tâtons le placard contenant les lanternes.

Maxie geignit et Bert cacha sa tête sous son aile valide.

– Zut ! Où est passée la clé ? marmonna tante Zelda en fourrageant dans ses poches. Zut, zut, zut !

La foudre éclata derrière une fenêtre, illuminant le paysage, et s'abattit sur l'eau tout près de la maison.

– Manqué, dit tante Zelda. De justesse.

Maxie poussa un jappement et se glissa sous le tapis.

Nicko avait les yeux fixés sur la fenêtre. L'éclair lui avait brièvement dévoilé quelque chose qu'il espérait ne jamais revoir.

– Il arrive, annonça-t-il. J'ai aperçu son bateau. Il fait route vers nous à travers les marais.

Tous se précipitèrent vers la fenêtre. D'abord, ils ne virent que la masse sombre de la tempête imminente, mais tandis qu'ils scrutaient l'obscurité, la foudre joua à travers les nuages, leur offrant le même spectacle qu'à Nicko.

La silhouette de l'immense vaisseau se découpait sur le ciel sillonné d'éclairs, ses voiles gonflées par la fureur du vent. Il était encore loin, mais il fendait les flots et filait à toute allure dans la direction du cottage.

La *Vengeance* approchait.

✢ 43 ✢
LE DRAGON D'HOTEP-RÂ

Tante Zelda s'affolait.

– Où est la clé ? Je ne la trouve pas ! Ah ! la voici.

De ses mains tremblantes, elle tira la clé d'une de ses poches en patchwork et ouvrit la porte du placard. Elle y prit une lanterne qu'elle tendit à 412.

– Tu sais où aller, n'est-ce pas ? La trappe dans le placard à potions...

412 acquiesça de la tête.

– Descendez dans le tunnel. Vous y serez en sécurité. Personne ne vous y trouvera. Je vais faire **disparaître** la trappe.

– Tu ne viens pas avec nous ? interrogea Jenna.

– Non, répondit calmement tante Zelda. Boggart est très

faible. Je ne crois pas qu'il survivrait si on le déplaçait. Ne vous faites pas de souci. Ce n'est pas après moi qu'ils en ont. Tiens, prends ça. Il sera mieux avec toi.

Elle sortit la sentinelle de Jenna d'une autre poche. Jenna glissa l'insecte roulé en boule à l'intérieur de sa veste.

– Maintenant, partez !

Tandis que 412 hésitait, un nouvel éclair déchira l'espace.

– Allez-vous-en ! piailla tante Zelda en agitant les bras tel un moulin à vent frappé de folie. Ouste !

412 souleva la trappe du placard à potions et tint la lanterne haute pendant que Jenna descendait précipitamment l'échelle. Nicko était resté en arrière pour aller chercher Maxie. Sachant combien le chien-loup détestait l'orage, il tenait à l'emmener avec lui.

– Maxie ? appela-t-il. Où es-tu, mon vieux ?

Un gémissement s'échappa de dessous le tapis devant l'âtre. Entre-temps, 412 était parvenu à la moitié de l'échelle.

– Viens vite, lança-t-il à Nicko qui avait toutes les peines à convaincre le chien-loup de quitter ce qu'il considérait comme la cachette la plus sûre du monde.

– Dépêche-toi, insista 412 en passant la tête par l'ouverture de la trappe. (Il se demandait pourquoi Nicko faisait tant de cas de cette espèce de loque puante.)

Nicko avait réussi à attraper le foulard à pois autour du cou de Maxie. Il tira le chien terrifié de dessous le tapis et le traîna sur le sol. Les griffes de Maxie faisaient un bruit atroce en raclant les dalles de pierre. Quand Nicko le poussa à l'intérieur du placard obscur, il geignit d'un air penaud, pensant qu'il avait commis une TRÈS grosse bêtise pour mériter une telle punition. Il se demanda ce qu'il avait bien pu faire, et pourquoi il n'en avait pas retiré plus de plaisir sur le moment.

Un paquet de poils trempés de salive dégringola à travers la trappe et atterrit sur 412 qui lâcha la lanterne. Celle-ci s'éteignit et roula au bas de la pente.

– C'est malin, gronda 412 alors que Nicko le rejoignait au pied de l'échelle. Regarde ce que tu as fait.

– Quoi ? demanda Nicko. Qu'est-ce que j'ai fait ?

– Pas toi, lui. On a perdu la lanterne.

– Oh ! on la retrouvera. Cesse de t'inquiéter. On est en sécurité à présent.

Nicko releva Maxie qui dévala la pente en grattant la roche de ses griffes et en tirant son jeune maître. Ce dernier glissa et descendit la pente sur les fesses, jusqu'au moment où il buta contre un objet plein d'arêtes au pied d'un escalier.

– Aïe ! Je crois que j'ai trouvé la lanterne.

– Encore heureux, bougonna 412.

La lanterne se ralluma dès qu'il l'eut ramassée, éclairant les parois en marbre lisse du tunnel.

– Revoilà les images, dit Jenna. Elles sont incroyables, pas vrai ?

– Comment se fait-il que tout le monde soit déjà venu ici, sauf moi ? protesta Nicko. Personne ne m'a demandé si cela me ferait plaisir de voir ces images... Eh ! regardez. Celle-ci représente un bateau.

– On sait.

412 posa la lanterne et s'assit par terre. Il était fatigué et aurait bien aimé que Nicko se taise un peu. Mais Nicko était trop excité pour ça.

– Quel endroit stupéfiant ! s'exclama-t-il en considérant les hiéroglyphes qui recouvraient le mur aussi loin que portait la lumière vacillante de la lanterne.

– J'aime beaucoup celle-ci, indiqua Jenna. Le cercle avec un dragon dedans.

Elle passa la main sur une petite image bleu et or gravée dans le marbre. Soudain, le sol se mit à trembler. 412 se releva d'un bond.

– Qu'est-ce qui se passe ? demanda-t-il, la gorge serrée.

Un grondement sourd s'éleva, la vibration se propagea dans leurs jambes et se répercuta à travers l'espace.

– Le mur ! s'écria Jenna. Il a bougé !

Une des parois s'écarta pesamment, créant une ouverture devant eux. 412 leva la lanterne qui émettait à présent une lumière blanche éblouissante et ils eurent la surprise de découvrir un vaste temple romain souterrain. Une mosaïque complexe s'étendait sous leurs pieds, d'immenses colonnes de marbre surgissaient de la pénombre. Mais ce n'était pas tout.

– Oh !

– Ouah !

– Ça alors !

Maxie ne dit rien mais il s'assit, impressionné, et souffla dans l'air froid de petits nuages qui sentaient l'haleine de chien.

Au milieu du temple, sur le sol en mosaïque, reposait le plus magnifique bateau qu'ils avaient jamais vu : le dragon d'or d'Hotep-Râ...

L'énorme tête vert et or du dragon avançait sur la proue au bout d'un cou recourbé, aussi gracieux que celui d'un cygne géant. Son corps était un large bateau ouvert, avec une coque lisse en bois doré. La lumière de la lanterne jouait sur les innombrables écailles vertes de ses ailes, soigneusement repliées le long de ses flancs, les parant de reflets irisés. Sa queue dressée formait un arc qui se perdait dans les profondeurs du temple, son extrémité dorée et dentelée disparaissant presque dans la pénombre.

– Comment est-il arrivé là ? souffla Nicko.

– À la suite d'un naufrage, répondit 412.

Ses compagnons lui lancèrent un regard étonné.

– Comment le sais-tu ? demandèrent-ils d'une même voix.

– Je l'ai lu dans *Cent contes étranges et curieux pour les enfants qui s'ennuient*, un des livres que m'a prêtés tante Zelda. Mais je croyais que c'était une légende. Je n'imaginais pas que le bateau dragon était réel, ni qu'il se trouvait ici.

– Qu'est-ce que c'est ? interrogea Jenna.

Elle demeurait extasiée devant le bateau, en proie à une curieuse impression de déjà-vu.

– C'est le bateau dragon d'Hotep-Râ. À ce qu'on prétend, c'est lui qui aurait construit la tour du même nom.

– C'est la vérité, acquiesça Jenna. Marcia me l'a dit.

– Oh ! bien. Hotep-Râ était un puissant magicien originaire d'une des Lointaines Contrées et il possédait un dragon. J'ignore pourquoi, mais il a été obligé de fuir. Son dragon lui a alors proposé de devenir son bateau et de le conduire en sécurité dans un autre lieu.

– Donc, ce bateau est – ou était – un véritable dragon ? chuchota Jenna, pour le cas où le bateau aurait pu l'entendre.

– Apparemment.

– Moitié bateau, moitié dragon, murmura Nicko. C'est drôle. Mais qu'est-ce qu'il fait là ?

– Il s'est fracassé sur un écueil non loin du Port et de son phare. Hotep-Râ l'a remorqué jusqu'aux marais et mis en cale sèche dans un temple romain qu'il avait découvert sur une île sacrée. Mais quand il a voulu le faire réparer, il n'a pas trouvé d'ouvriers qualifiés au Port. Les gens du coin n'étaient pas très évolués à l'époque.

– Ils ne le sont pas plus aujourd'hui, fit Nicko d'un air dégoûté. Et ils ne savent toujours pas construire les bateaux. Si on veut un bateau qui tienne l'eau, mieux vaut se rendre directement au Château. Tout le monde sait ça.

– C'est ce qu'on a répondu à Hotep-Râ. Mais quand les habitants du Château ont vu arriver ce type bizarrement accoutré qui se prétendait magicien, ils se sont moqués de lui et n'ont pas cru à ses histoires de bateau dragon. Puis la fille de la reine est tombée malade, et il l'a sauvée. Pour lui prouver sa reconnaissance, la reine l'a aidé à construire la tour du Magicien. Un été, il les a emmenées, elle et sa fille, voir son bateau dragon dans les marais de Marram, et elles ont eu le coup de foudre. Après cela, Hotep-Râ disposait de tous les ouvriers qu'il désirait. Comme la reine aimait le bateau, et qu'elle aimait aussi Hotep-Râ, elle a pris l'habitude d'amener sa fille tous les étés dans les marais pour s'informer de l'avancée des travaux. L'histoire dit qu'elle y vient toujours... Euh, plus maintenant, bien sûr.

Un silence suivit les paroles de 412.

– Pardon, murmura-t-il. Je n'ai pas réfléchi.

403

– Ce n'est pas grave, répondit Jenna d'un ton un peu trop enjoué.

Nicko s'approcha du bateau et promena en expert sa main sur le bois doré et poli de la coque.

– Beau travail, commenta-t-il. Ces types connaissaient leur affaire. Dommage que personne n'ait navigué dessus depuis. Un si beau bateau...

Il entreprit de grimper à l'antique échelle en bois appuyée contre la coque.

– Eh bien, ne restez pas plantés là, tous les deux. Venez jeter un coup d'œil.

L'intérieur du bateau ne ressemblait à rien de connu. Il était peint en bleu lapis, avec des centaines de hiéroglyphes dorés gravés tout autour du pont.

– Le coffre ancien dans les appartements de Marcia, dit 412 en laissant traîner ses doigts sur le bois poli. Il porte le même genre d'inscriptions.

– Ah oui ? fit Jenna d'un air de doute : pour autant qu'elle s'en souvenait, 412 avait gardé les yeux fermés presque tout le temps qu'il avait passé à la tour.

– Mon regard est tombé dessus quand l'Exécutrice est entrée. Je le revois très nettement dans ma tête. (Pour son malheur, 412 avait une mémoire photographique des événements les plus tragiques.)

Ils flânèrent sur le pont au milieu des rouleaux de cordage vert, des chaînes et des taquets dorés, des drisses argentées et des hiéroglyphes omniprésents. Leurs pas les menèrent devant une petite cabine dont les portes bleu outremer arboraient le même insigne (un dragon dans un ovale légèrement aplati) qu'ils avaient déjà remarqué sur la paroi du tunnel, mais aucun d'eux n'eut le courage de l'ouvrir pour voir ce qui se trouvait à l'intérieur. Ils s'éloignèrent sur la pointe des pieds et finirent par atteindre la poupe du bateau.

L'immense queue du dragon dessinait un arc au-dessus d'eux avant de se fondre dans la pénombre. Ils se sentirent tout à coup très petits et vulnérables. Le dragon n'aurait eu qu'à abattre sa queue pour les écraser comme des mouches. 412 frissonna à cette idée.

Devenu très docile, Maxie marchait sur les talons de Nicko, la queue basse. Il avait toujours l'impression d'avoir fait quelque chose de mal, et l'atmosphère du bateau était loin de le rassurer.

Debout à la proue, Nicko examinait le gouvernail en connaisseur et approuvait sans réserve ce qu'il voyait. La barre en acajou était élégamment recourbée et si artistement sculptée qu'elle épousait sa main comme si elle n'en avait jamais connu d'autre.

Il décida de montrer à 412 comment la manœuvrer.

– Tu la prends comme ça, dit-il en joignant le geste à la parole. Ensuite, tu pousses pour aller à gauche ou tu tires vers toi pour aller à droite. C'est simple.

– Parle pour toi, rétorqua 412. Pour moi, c'est le monde à l'envers.

– Regarde.

Nicko poussa vers la droite la barre qui pivota sans à-coups, entraînant le gouvernail dans la direction opposée.

– Ah ! c'est comme ça que ça marche, fit 412, penché au-dessus du bastingage. Je comprends.

– Essaie, lui dit Nicko. Tu te rendras mieux compte.

405

412 prit la barre de la main droite et se plaça tout à côté, comme l'avait fait Nicko.

La queue du dragon remua. 412 sursauta.

– Qu'est-ce qui se passe ?

– Rien du tout, le rassura Nicko. Maintenant, éloigne-la de toi, comme ça...

Pendant que Nicko se livrait à une de ses activités favorites (donner des leçons de navigation), Jenna était retournée à la proue afin d'admirer la magnifique tête dorée du dragon. Tandis qu'elle la regardait, elle se demanda pourquoi elle avait les yeux clos. *Si j'avais un aussi beau bateau,* se dit-elle, *j'offrirais au dragon deux énormes émeraudes en guise d'yeux. Il le mérite bien.* Prise d'une impulsion soudaine, elle noua ses bras autour du cou du dragon et y appuya sa tête. Il était lisse et dégageait une chaleur inattendue.

Un frisson envahit le dragon au contact de Jenna. Un flot de souvenirs profondément enfouis remontèrent à sa mémoire...

La longue convalescence qui avait suivi son terrible accident. La visite de la jeune et jolie reine du Château, amenée par Hotep-Râ, le jour du solstice d'été. La lente, trop lente succession des jours, des mois, des années durant lesquelles il attend, couché sur le sol en mosaïque du temple, que les ouvriers d'Hotep-Râ aient fini de le remettre en état. Et le retour de la reine, à présent accompagnée de sa petite fille, à chaque solstice d'été. Les années qui passent sans que les ouvriers achèvent leur travail. La solitude interminable qui suit leur départ. Hotep-Râ de plus en plus âgé, fragile et bientôt trop malade pour le voir renaître à sa splendeur d'antan. Il donne des instructions pour que le temple soit recouvert d'une énorme quantité de terre, destinée à le protéger jusqu'à ce qu'on ait à nouveau besoin de lui. L'obscurité l'engloutit.

Cependant, la reine n'a pas oublié les recommandations d'Hotep-Râ : elle doit rendre visite au bateau dragon à chaque solstice d'été. Elle continue à se rendre sur l'île, fait construire un modeste cottage où elle séjourne avec ses dames d'honneur. Le jour du solstice, elle allume une lanterne, descend dans le temple et passe un moment près du bateau pour lequel elle s'est prise d'affection. Au fil du temps, chaque nouvelle reine perpétue cette tradition, pour l'unique raison que sa mère le faisait avant elle, et chacune finit par s'attacher au dragon. Le dragon aime chacune d'elles en retour. En dépit de leurs différences, elles ont toutes le même toucher plein de délicatesse, et celle-ci n'échappe pas à la règle.

Plusieurs siècles s'écoulent. La visite annuelle de la reine est devenue un rituel confidentiel, sur lequel veillent les sorcières blanches qui se succèdent dans le cottage. Elles gardent l'existence du bateau dragon secrète et allument des lanternes pour apaiser sa solitude. Enfoui sous l'île, le dragon somnole dans l'attente de sa délivrance et du jour magique où la reine en personne l'éclaire de sa lanterne avant de lui rendre un tendre hommage.

Un jour, il y a de cela dix ans, la reine ne s'est pas présentée au rendez-vous. Le dragon a connu les affres de l'inquiétude, mais il était impuissant. Tante Zelda avait apprêté la maison dans l'éventualité de sa venue. L'attente s'est prolongée, adoucie par les visites quotidiennes de tante Zelda, accompagnée chaque fois d'une lanterne allumée. Toutefois, le dragon n'aspirait qu'à une chose : sentir à nouveau les bras de la reine autour de son cou.

Ce moment est enfin arrivé.

Le dragon ouvrit les yeux, surpris. Jenna étouffa un cri, se disant qu'elle devait rêver. Les yeux du dragon étaient verts, comme elle l'imaginait, mais ce n'étaient pas des émeraudes. Ils étaient vivants et ils la voyaient. Elle lâcha son cou et recula. Les yeux du dragon accompagnèrent son mouvement, l'observant avec attention. La nouvelle reine paraissait jeune, mais ce n'était pas une mauvaise chose en soi. Il la salua avec respect.

Depuis la poupe, 412 vit le dragon incliner la tête et il sut qu'il ne rêvait pas. De même, ses oreilles n'étaient pas en train de lui jouer un tour : il coulait de l'eau quelque part.

– Regardez ! s'écria Nicko.

Une lézarde étroite et sombre était apparue entre les deux piliers de marbre qui soutenaient le toit. Un mince filet d'eau se déversait par cette brèche. comme si on avait ouvert une vanne. Devant les enfants tétanisés, la brèche s'élargit et le filet devint ruisseau. En un rien de temps, le sol en mosaïque fut entièrement recouvert d'eau et le ruisseau se transforma en rivière.

Avec un grondement assourdissant, la levée de terre à l'extérieur de la caverne céda et le mur entre les deux piliers s'écroula. Un torrent bouillonnant déferla, ballottant le dragon en tous sens et le soulevant du sol.

– Le bateau est à flot ! annonça Nicko, ravi.

Jenna se pencha au-dessus de l'eau boueuse et vit la petite échelle en bois emportée par un tourbillon. Puis elle perçut un mouvement, loin au-dessus d'elle : lentement, le dragon fit pivoter son cou endolori par de longues années d'immobilité et tourna la tête vers la poupe, curieux de savoir qui le pilotait. Ses yeux d'un vert profond découvrirent une frêle silhouette coiffée d'un bonnet rouge. Son nouveau maître ne ressemblait en rien au précédent. Hotep-Râ était un homme de haute taille, au teint foncé. Sa ceinture d'or et de platine étincelait à la lumière du soleil réfléchie par les vagues, sa cape pourpre volait furieusement au vent tandis qu'ils filaient tous deux sur l'océan. Mais la **Magyk** guidait la main qui tenait à présent la barre, et c'était tout ce qui importait.

Il était temps de rejoindre la mer.

Le dragon redressa la tête et déplia à peine ses ailes massives jusque-là plaquées contre ses flancs.

Maxie grogna et son dos se hérissa.

Le bateau se mit en mouvement.

– Qu'est-ce que tu as fait ? cria Jenna à 412.

Le jeune garçon secoua la tête. Il n'avait rien fait, mais le bateau, si.

– Lâche la barre ! ajouta Jenna, assez fort pour couvrir le bruit de la tempête au-dehors. C'est toi qui provoques ça. Lâche-la !

Mais 412 ne pouvait obéir. Une force extérieure maintenait sa main autour de la barre, l'obligeant à guider le bateau qui s'était engagé entre les deux piliers de marbre avec son nouvel équipage.

Au moment où la queue dentelée du dragon franchissait les limites du temple, on entendit un craquement assourdissant. Le dragon déployait ses ailes. On eût dit deux énormes mains palmées qui étiraient leurs longs doigts osseux, tendaient leur peau parcheminée dans un concert de plaintes et de grincements. Ses passagers levèrent les yeux et furent frappés de stupeur devant le spectacle de ces ailes immenses, dressées au-dessus du bateau telles deux voiles géantes.

Le dragon tendit le cou et des flammes jaillirent de ses naseaux. L'odeur qu'il humait – l'odeur du large – avait imprégné ses rêves durant de longues années.

Il était enfin libre.

✛ 44 ✛
CAP SUR LE LARGE

— **M**ets le cap sur les vagues ! cria Nicko.

Une lame venait de s'écraser contre le flanc du bateau, les submergeant d'eau glacée. 412 devait lutter contre le vent et la puissance du courant pour manœuvrer la barre. La bise qui hurlait dans ses oreilles et la pluie qui fouettait son visage ne lui facilitaient pas la tâche. Nicko s'élança vers la poupe et en pesant de toutes leurs forces sur la barre, ils parvinrent à la redresser. Le dragon présenta ses ailes au vent pendant que le bateau se retournait lentement pour faire face aux vagues.

Trempée jusqu'aux os, Jenna s'agrippait au cou du dragon. Le bateau tanguait, la ballottant comme un fétu de paille.

Le dragon humait le vent, savourant l'instant présent. Une tempête au commencement d'un voyage était toujours un heureux présage. Mais où son nouveau maître voulait-il qu'il le mène ? Le dragon fit pivoter son long cou vert et regarda son maître, cramponné à la barre avec son camarade. Son bonnet rouge était imprégné d'eau et la pluie ruisselait sur son visage.

Où souhaitez-vous aller ?

412 comprit la question contenue dans le regard du dragon.

– Marcia ? lança-t-il à ses compagnons.

Jenna et Nicko firent oui de la tête. Cette fois, rien ne pourrait les arrêter.

– Marcia ! indiqua 412 au dragon.

Celui-ci cligna les yeux sans comprendre. Marcia ? Il n'avait jamais entendu parler de ce port. Était-ce loin ? La reine le saurait sûrement.

Il pencha la tête et souleva Jenna dans les airs, comme il avait l'habitude de le faire avec les nombreuses princesses qu'il avait connues au fil des siècles. Mais la tempête qui faisait rage autour d'eux gâchait un peu la plaisanterie. À son grand effroi, Jenna se retrouva suspendue au-dessus d'une mer déchaînée qui l'aspergeait d'écume. Quelques secondes plus tard, elle était perchée sur la tête dorée du dragon, juste derrière ses oreilles auxquelles elle se raccrochait comme si sa vie en dépendait.

Où se trouve Marcia, Votre Majesté ? Est-ce loin d'ici ? demanda le dragon rempli d'espoir.

Il se réjouissait d'avance de parcourir les océans durant de longs mois avec son nouvel équipage, en quête du port de Marcia.

Jenna se risqua à lâcher une des oreilles (celles-ci étaient étrangement douces) et pointa le doigt vers la *Vengeance* qui approchait à toute allure.

– Marcia est notre magicienne extraordinaire. Elle est prisonnière sur ce navire. Nous voulons la délivrer.

Le dragon s'adressa à nouveau à son esprit, un peu déçu que le voyage ne soit pas plus long : *Qu'il soit fait selon la volonté de Votre Majesté.*

Au fond de la cale de la *Vengeance*, Marcia Overstrand écoutait la **tempête** se déchaîner au-dessus d'elle. La bague donnée par 412 était glissée au petit doigt de sa main droite, le seul à pouvoir l'accueillir. Assise dans le noir, elle se demandait comment 412 était entré en possession de l'anneau dragon d'Hotep-Râ que tous croyaient perdu depuis des lustres, mais aucune des explications qu'elle avançait ne la satisfaisait. Quoi qu'il en soit, la bague avait accompli pour elle les mêmes prodiges que pour Hotep-Râ. Elle l'avait guérie de son mal de mer. Surtout, elle avait commencé à lui restituer ses pouvoirs magiques. Petit à petit, elle sentait ses forces revenir. Dans le même temps, les **ombres** qui la hantaient et la poursuivaient depuis le donjon numéro un avaient commencé à battre en retraite. L'effet du redoutable **vortex** créé par DomDaniel se dissipait. Elle s'autorisa un sourire, le premier depuis quatre longues semaines.

En proie aux pires nausées, ses trois gardiens gisaient effondrés par terre. Ils poussaient des geignements pathétiques, regrettant de n'avoir pas appris à nager. Si cela avait été le cas, on les aurait depuis longtemps jetés par-dessus bord avec leurs deux compagnons.

Loin au-dessus de Marcia, DomDaniel était assis très droit sur son trône d'ébène, au cœur de la **tempête** qu'il avait suscitée. Son pitoyable apprenti grelottait à ses côtés. Le garçon était censé l'aider, mais il était tellement malade qu'il se

413

contentait de fixer le vide d'un regard vitreux en gémissant de temps en temps.

— Silence ! aboya DomDaniel.

Il tentait de concentrer l'énergie électrique pour produire l'**éclair** le plus puissant qu'il eût jamais créé. *Bientôt*, pensa-t-il avec satisfaction, *non seulement l'affreuse maison de cette enquiquineuse de sorcière sera rayée de la carte, mais l'île entière partira en fumée dans une lumière aveuglante.* Il tripota l'amulette qui avait retrouvé sa place légitime. Elle était à lui, et non à cette punaise, ce sécheron de Marcia Overstrand.

DomDaniel éclata de rire. Comme tout était facile !

— Bateau à bâbord ! signala une voix provenant du nid-de-pie. Bateau à bâbord !

DomDaniel poussa un juron.

— QU'ON NE M'INTERROMPE PAS ! hurla-t-il en **provoquant** la chute du matelot qui s'engloutit dans les eaux bouillonnantes.

Mais cette pause l'avait déconcentré. Tandis qu'il s'efforçait de reprendre le contrôle des éléments en vue de l'assaut final, quelque chose attira son attention.

Une lueur dorée se dégageait peu à peu des ténèbres et venait vers son navire. Il chercha sa lunette à tâtons, l'appliqua devant son œil et resta stupéfait.

C'est impossible, se répétait-il. *Absolument impossible. Le bateau dragon d'Hotep-Râ est une invention, une pure légende.* Il cligna les paupières pour chasser la pluie et regarda à nouveau. Ce maudit bateau se dirigeait droit vers eux. Les yeux verts du dragon étincelaient dans la nuit et sondèrent son âme à travers la lorgnette. Un frisson glacé parcourut le **nécromancien**. Ceci était sûrement l'œuvre de Marcia Overstrand, une **projection** née de son esprit enfiévré. N'avait-elle donc pas retenu la leçon, pour comploter ainsi contre lui à son bord ?

– Expédiez la prisonnière ! ordonna-t-il aux magogs. Sur-le-champ !

Les deux magogs firent jouer leurs griffes jaune sale et sécrétèrent une mince pellicule de mucus brillant, comme toujours quand ils étaient excités. Ils émirent un sifflement en forme de question.

– Je vous laisse le choix de la méthode, répondit leur maître. Faites ce que vous voulez, mais faites-le vite !

Les monstres s'éloignèrent en ondulant et en laissant derrière eux un sillage de bave, heureux à la fois de s'abriter de la tempête et de s'offrir un peu de bon temps.

DomDaniel reposa sa lunette. Il n'en avait plus besoin, car le bateau dragon était maintenant assez près pour qu'il le distingue nettement. Il tapa du pied, impatient de voir disparaître ce qu'il prenait toujours pour une **projection**. Mais à sa grande consternation, le bateau resta. Il continuait à approcher et semblait le fixer d'un air particulièrement féroce.

Énervé, le **nécromancien** se mit à marcher de long en large sans prendre garde à la pluie qui s'abattait sur lui en rafales ni aux claquements des quelques lambeaux de voiles restants. Le seul bruit qu'il désirait entendre, c'était le dernier cri que pousserait Marcia Overstrand.

Il tendit l'oreille. Il n'aimait rien tant que d'entendre un être humain pousser son dernier cri. N'importe quel être humain faisait l'affaire, mais le dernier cri de l'ex-magicienne extraordinaire lui causerait une jouissance extrême. Il se frotta les mains, ferma les yeux et attendit.

Au fond de la cale de la *Vengeance*, l'anneau dragon d'Hotep-Râ brillait d'un vif éclat au petit doigt de Marcia. Celle-ci avait récupéré assez de **Magyk** pour s'extraire de ses chaînes et échapper à la surveillance de ses gardiens presque inconscients. Elle venait d'émerger de la cale et se dirigeait vers l'échelle suivante quand elle faillit glisser sur une traînée de bave. Les magogs surgirent de la pénombre et se ruèrent vers elle en sifflant et en entrechoquant leurs dents jaunes et pointues. L'ayant acculée, ils firent jaillir leurs griffes. Leurs petites langues de serpent frétillaient tandis qu'ils approchaient, pleins d'allégresse.

Marcia se dit qu'il était temps de vérifier si sa **Magyk** était revenue.

– **Congélation, dessiccation... Solidification !** marmonna-t-elle en tendant l'anneau vers les magogs.

Ces derniers s'écroulèrent et se recroquevillèrent telles des limaces sous l'action du sel. Une série de craquements sinistres s'éleva alors que leur salive se solidifiait, formant une épaisse croûte jaunâtre. Quelques secondes plus tard, il ne restait des deux **créatures** que deux petits tas racornis qui collaient au pont. Avec une moue dédaigneuse, Marcia les enjamba en ayant soin de ne pas salir ses bottines et poursuivit en direction du pont supérieur, décidée à récupérer son amulette coûte que coûte.

DomDaniel commençait à perdre patience. Il se traitait de tous les noms pour avoir cru que les magogs le débarrasseraient promptement de Marcia. Il aurait dû se rappeler qu'ils prenaient tout leur temps avant d'expédier leurs victimes, et le temps était un luxe qu'il ne pouvait s'offrir. Cette saleté de **projection** se dressait toujours devant lui telle une menace et elle affectait sa **Magyk**.

Marcia était sur le point de gagner le pont quand un rugissement retentit.

– Cent couronnes ! brailla DomDaniel. Non, mille couronnes à qui éliminera Marcia Overstrand !

Soudain, des pas résonnèrent au-dessus de Marcia. Les matelots couraient pieds nus sur le pont en direction de l'écoutille. Elle sauta à terre et se cacha du mieux qu'elle put. Les matelots se battaient et se bousculaient jusque sur l'échelle, chacun voulant être le premier à atteindre la prisonnière et à réclamer la prime. Dissimulée dans l'ombre, elle les vit s'éloigner en se poussant et en se faisant des croche-pieds. Quand la mêlée eut disparu sur le pont inférieur, elle ramassa sa robe trempée et grimpa à l'échelle.

La bise lui coupa le souffle, mais après le remugle de la cale, c'était un vrai bonheur de respirer l'air froid et la tempête. Elle se glissa derrière un tonneau et réfléchit à une tactique.

En observant DomDaniel de près, elle constata pour son plus grand plaisir qu'il avait une mine épouvantable. Son teint ordinairement gris tirait à présent sur le vert et ses yeux noirs globuleux fixaient un point derrière sa tête. Elle se retourna, curieuse de voir ce qui avait pu le faire changer ainsi de couleur.

C'était le bateau dragon d'Hotep-Râ.

Le dragon fondait sur la *Vengeance* au milieu de la bise et de la pluie torrentielle. Ses yeux verts éclairaient en plein le visage de DomDaniel. Ses ailes puissantes brassaient lentement l'air, propulsant le bateau doré et ses trois passagers pétrifiés à travers la nuit, en direction d'une Marcia Overstrand médusée.

L'équipage du bateau dragon partageait sa stupeur. Quand le dragon avait commencé à battre des ailes et s'était arraché à la surface de l'océan, Nicko avait été horrifié. S'il y avait une chose dont il était certain, c'est que les bateaux ne volaient pas. En aucun cas.

– Arrête ! avait-il hurlé dans les oreilles de 412.

Les grandes ailes les frôlaient presque, soufflant sur leur visage une odeur de vieux cuir. 412 s'était cramponné de plus belle à la barre, confiant dans le jugement du bateau dragon.

– Arrêter quoi ? cria-t-il en retour.

Il leva vers les ailes un regard plein de feu et un large sourire se peignit sur ses traits.

– C'est toi ! lui lança Nicko. C'est toi qui le fais voler, je le sais. Arrête tout de suite ! Tu ne le contrôles plus !

412 secoua la tête. Il n'y était pour rien. C'était le bateau qui avait décidé de s'envoler.

Jenna serrait les oreilles du dragon si fort que ses doigts étaient blancs. Les vagues s'écrasaient très loin sous elle. Quand le dragon fondit sur la *Vengeance*, Jenna distingua le visage blafard de DomDaniel. Elle détourna vivement les yeux. Le regard hostile du **nécromancien** la glaçait jusqu'à la moelle, instillant en elle un terrible désespoir. Elle secoua la tête pour se défaire de ce sentiment **ténébreux**, mais un doute subsista dans son esprit. Comment allaient-ils retrouver Marcia ? Elle vit que 412 avait lâché la barre et se penchait au-dessus du bastingage. Cependant, le dragon poursuivait sa descente et bientôt, son ombre s'abattit sur le **nécromancien**. Jenna comprit alors quelles étaient les intentions de 412 : il s'armait de courage afin de sauter à bord de la *Vengeance* pour récupérer Marcia.

– Non ! hurla-t-elle. Ne saute pas ! J'aperçois Marcia !

Cette dernière s'était relevée et considérait le bateau dragon avec incrédulité. Enfin, ce n'était qu'une légende ! Mais quand le dragon se précipita vers elle avec ses yeux qui émettaient des rayons verts et ses narines qui soufflaient des jets de flammes orangées, elle perçut la chaleur et sut que c'était la réalité.

Les flammes léchaient le bas de la robe trempée de DomDaniel, diffusant une odeur âcre de laine brûlée. Le **nécromancien** recula devant le feu et durant une seconde, il entrevit une lueur d'espoir : peut-être n'était-ce qu'un horrible cauchemar ? En effet, un tableau impossible s'offrait à ses regards : la princesse – la Pouline –, perchée sur la tête du dragon !

Jenna se risqua à lâcher une des oreilles du dragon et glissa la main dans la poche de sa veste. Les yeux de DomDaniel étaient toujours fixés sur elle, et elle voulait que cela cesse. Pour cela, elle avait un moyen infaillible. Elle tremblait un peu en sortant la sentinelle de sa poche. Soudain, DomDaniel vit jaillir de sa main quelque chose qu'il prit d'abord pour une grosse guêpe. Or, il avait horreur des guêpes. Il chancela quand l'insecte fonça sur lui avec un cri strident, atterrit sur son épaule et le piqua férocement au cou.

DomDaniel hurla. La sentinelle le piqua à nouveau. DomDaniel lui donna une claque. L'insecte désorienté se mit en boule et se laissa tomber sur le pont où il roula dans un coin sombre. DomDaniel s'effondra.

Marcia saisit sa chance au vol. À la lumière des flammes qui jaillissaient des narines du dragon, elle trouva le courage de toucher le **nécromancien** prostré. De ses doigts tremblants, elle explora les replis de son cou flasque et trouva enfin ce qu'elle cherchait : le lacet d'Alther. La nausée qu'elle ressentait à cet instant n'entamait en rien sa résolution. Elle tira l'extrémité du lacet, espérant défaire le nœud. Mais celui-ci tint bon. DomDaniel eut une sorte de hoquet et porta les mains à son cou.

– Vous m'étranglez, protesta-t-il en attrapant également le lacet.

Le lacet d'Alther avait beaucoup servi ; il ne résista pas longtemps à leurs efforts contradictoires. L'amulette tomba sur le pont et Marcia s'en empara d'un geste vif. DomDaniel fit une tentative désespérée pour la lui arracher, mais elle avait déjà noué le lacet autour de son cou. Aussitôt, la ceinture en or et platine **apparut** par **Magyk** autour de sa taille et sa robe se mit à scintiller sous la pluie. Marcia se redressa et considéra la scène avec un sourire triomphant. Elle avait reconquis le titre qui lui revenait de droit. Elle était de nouveau magicienne extraordinaire.

DomDaniel se releva péniblement et hurla, fou de rage :

– Gardes ! Gardes !

Il n'obtint aucune réponse. L'équipage au complet continuait à fouiller vainement les entrailles du navire.

Marcia s'apprêtait à **foudroyer** son ennemi de plus en plus hystérique quand une voix familière s'adressa à elle :

– Vite, Marcia. Dépêchez-vous de monter.

Le dragon inclina la tête jusqu'à ce qu'elle touche le pont. Pour une fois, Marcia fit ce qu'on lui demandait.

✠ 45 ✠
LE REFLUX

Le bateau dragon survola lentement les marais inondés, laissant la *Vengeance* désarmée loin derrière. Comme la tempête perdait de la vigueur, il replia ses ailes et se posa sur l'eau en soulevant une immense gerbe. (Il manquait un peu d'entraînement.)

Jenna et Marcia, qui se cramponnaient à son cou, furent trempées.

Déséquilibrés par cet atterrissage brutal, 412 et Nicko s'étalèrent pêle-mêle sur le pont. Ils se relevèrent pendant que Maxie s'ébrouait. Nicko poussa un soupir de soulagement. Sans aucun doute, les bateaux n'étaient pas faits pour voler.

Bientôt, les nuages s'éloignèrent vers le large et la lune reparut à point nommé pour les éclairer. Auréolé de reflets verts et or, le dragon présenta ses ailes au vent et prit la direction du cottage. Très loin au-delà de l'eau, tante Zelda observait la scène depuis une petite fenêtre éclairée, un peu échevelée d'avoir dansé comme une folle autour de la cuisine et d'être entrée en collision avec une pile de casseroles.

Le bateau dragon répugnait à retourner dans le temple. Depuis qu'il avait goûté à la liberté, il appréhendait de se retrouver captif sous terre. Il brûlait de faire demi-tour, de gagner la haute mer tant que ça lui était possible et de visiter le monde avec la jeune reine, son nouveau maître et la magicienne extraordinaire. Mais son nouveau maître avait d'autres projets. Il comptait le ramener dans sa prison sèche et obscure. Le dragon soupira et baissa la tête, si bien que Jenna et Marcia faillirent tomber.

– Qu'est-ce qui se passe, là-haut ? interrogea 412.

– Du vague à l'âme, expliqua Jenna.

– Pourquoi, Marcia ? Vous êtes libre, maintenant.

– Ce n'est pas elle qui est triste, rectifia Jenna, mais le dragon.

– Comment le sais-tu ?

– Je le sais, c'est tout. Il me parle. Dans ma tête.

– Ah oui ? ironisa Nicko.

– Parfaitement, monsieur. Il est triste parce qu'il aimerait naviguer sur la mer. Il ne veut pas retourner dans le temple – sa prison, comme il l'appelle.

Marcia savait trop bien ce que ressentait le dragon.

– Dites-lui qu'il retrouvera bientôt la mer, conseilla-t-elle à Jenna. Mais pas tout de suite. Ce soir, nous avons tous envie de rentrer à la maison.

Le dragon releva la tête et cette fois, Marcia tomba. Elle glissa le long de son cou et atterrit lourdement sur le pont.

Toutefois, elle ne se plaignit même pas. Elle resta assise par terre à contempler les étoiles dans le ciel tandis que le bateau dragon glissait sereinement à travers les marais de Marram.

Nicko, qui faisait le guet, eut la surprise d'apercevoir au loin un petit bateau de pêcheur à l'allure étrangement familière. C'était le poulailler de tante Zelda qui voguait au gré du courant.

– Regarde, dit-il en le désignant du doigt à 412. J'ai déjà vu ce bateau quelque part. Ce doit être quelqu'un du Château qui pêche dans les parages.

412 sourit.

– Eh bien, remarqua-t-il, on peut dire qu'il a mal choisi son jour.

Le temps qu'ils atteignent l'île, l'eau avait commencé à refluer et ne recouvrait plus que superficiellement les marais. Nicko prit la barre et guida le bateau dragon jusqu'au lit du fossé toujours inondé. Ce faisant, ils dépassèrent le temple romain qui offrait un spectacle saisissant. Son intérieur resplendissait sous le clair de lune, pour la première fois depuis qu'Hotep-Râ y avait enfoui le bateau dragon. L'eau avait emporté les levées de terre et le toit en bois, exposant les piliers élancés aux rayons de l'astre de la nuit.

Marcia fut abasourdie.

– J'ignorais complètement son existence, dit-elle. Complètement. Pourtant, un des livres de la bibliothèque de la pyramide aurait dû le mentionner. Quant au bateau dragon... Eh bien, j'ai toujours pensé qu'il s'agissait d'une légende.

– Tante Zelda le savait, glissa Jenna.

– Zelda ? Pourquoi n'en a-t-elle pas parlé ?

– C'était son rôle de ne rien dire. Elle est la gardienne de l'île. Les reines... Hum ! ma mère, ma grand-mère, mon arrière-grand-mère et toutes celles qui les ont précédées devaient rendre visite au dragon.

– Vraiment ? Et pourquoi ?

– Comment le saurais-je ? Elles ne me l'ont pas dit.

– À moi non plus. Ni à Alther, pour autant que je sache.

– Ni à DomDaniel.

– En effet, acquiesça Marcia, pensive. Peut-être y a-t-il des choses qu'il vaut mieux qu'un magicien ignore.

Une fois amarré au ponton, le bateau dragon abaissa lentement ses ailes immenses et les rangea le long de sa coque, tel un cygne géant se posant sur son nid. Il pencha la tête pour permettre à Jenna de se laisser glisser sur le pont et regarda autour de lui. Cela ne valait pas l'océan, mais la vue des marais qui s'étendaient jusqu'à l'horizon lui était presque aussi agréable. Il ferma les yeux. La reine était revenue et l'air sentait le sel. Il était satisfait.

Jenna se hissa sur le bastingage du bateau endormi et laissa pendre ses jambes dans le vide. Le cottage semblait toujours aussi paisible, quoique un peu plus délabré que lorsqu'ils l'avaient quitté. Cette impression était principalement due au fait que la chèvre avait déjà dévoré une bonne partie du toit et que son appétit ne faiblissait pas. À présent que l'eau s'était presque entièrement retirée, l'île apparaissait couverte d'un mélange de boue et d'algues. Jenna se fit la réflexion que tante Zelda serait furieuse en voyant son jardin.

Les passagers du bateau dragon attendirent que le ponton soit dégagé pour descendre à terre et se diriger vers la maison.

Un silence inhabituel régnait autour de celle-ci et la porte bâillait légèrement. Pleins d'appréhension, ils jetèrent un coup d'œil à l'intérieur.

Privée de protection magique, la chatière était grande ouverte et la pièce grouillait de bobelins. Il y en avait partout, sur les murs, sur le sol, collés au plafond, tassés à l'intérieur du placard à potions. Ils se répandaient dans la maison telle une nuée de sauterelles, mâchant, déchirant, souillant tout sur leur passage. Quand ils aperçurent les nouveaux arrivants, les dix mille bobelins se mirent à pousser des cris aigus.

Tante Zelda sortit de la cuisine en coup de vent.

– QUOI ? fit-elle d'une voix étranglée.

Elle tenta d'apprécier la situation, mais elle ne voyait qu'une chose : Marcia Overstrand, dans un débraillé inhabituel, debout au milieu d'une marée de bobelins. Pourquoi cette femme était-elle si compliquée ? Quel besoin avait-elle de ramener chez elle une horde de bobelins ?

– Sortez d'ici, saletés ! rugit-elle en agitant les bras d'une manière totalement inefficace. Allez, ouste !

– Laissez-moi vous aider, Zelda, lui cria Marcia. Je n'ai qu'à prononcer un **sort d'enlèvement**...

– Non ! la coupa tante Zelda. Si je ne m'en occupe pas moi-même, ils perdront tout respect pour moi.

– Vous appelez ça du respect ? grommela Marcia.

Elle arracha ses bottines dégoûtantes à la vase gluante et inspecta ses semelles. Apparemment, l'une d'elles était trouée. Elle sentait la boue s'insinuer entre ses orteils.

Soudain, les piaillements cessèrent et une myriade de petits yeux rouges agrandis par la terreur contemplèrent le pire cauchemar des bobelins : un boggart... Ou plutôt, *LE* boggart.

Sa fourrure était propre et brossée, et le large pansement blanc enroulé autour de sa taille le faisait paraître plus petit et plus maigre que le boggart qu'ils connaissaient. Toutefois, il possédait toujours son haleine redoutable. Sentant ses forces revenir, il se mit à circuler au milieu des bobelins en les arrosant de son souffle.

Espérant lui échapper, les bobelins s'entassèrent stupidement dans l'angle le plus éloigné de la pièce, près du placard à potions. Bientôt, tous sauf un (un jeune qui prenait part à son premier raid) eurent rejoint la pile branlante. Tout à coup, le jeune bobelin jaillit de dessous le tapis. Ses yeux brillaient, pleins d'angoisse, au milieu de sa figure pointue. Sous les regards de toute l'assemblée, il traversa la salle en faisant claquer ses doigts et ses orteils sur les dalles et se jeta sur la pile visqueuse, se fondant dans la multitude de petits yeux rouges toujours fixés sur le boggart.

– J' me demande pourquoi ils restent plantés là, lança le boggart à la cantonade. Fichus bobelins ! C'est vrai qu'avec cette tempête, y fait meilleur au chaud dans une jolie maison. Vous avez vu ce grand bateau échoué dans la bourbe ? Y z'ont d' la chance que les bobelins soyent ici et pas chez eux, en train d' les tirer par le fond...

Ses auditeurs échangèrent des regards.

– Beaucoup de chance, en effet, acquiesça tante Zelda.

Elle savait très bien de quel bateau parlait le boggart. Captivée par le spectacle qui se déroulait derrière la fenêtre de la cuisine, elle n'avait même pas remarqué l'invasion des bobelins.

– Bon, j' vous laisse, reprit le boggart. Je supporte plus d'être aussi propre. J' vais me dégoter une belle flaque.

– Ce n'est pas ça qui manque, Boggart, lui assura tante Zelda.

– Pour sûr ! Au fait, Zelda... J' voulais vous remercier du soin que vous avez pris d' moi. Les bobelins vont décamper quand je s'rai plus là. S'ils vous donnent encore du souci, criez fort.

Sur ces paroles, le boggart sortit de sa démarche dandinante, résolu à consacrer les prochaines heures à la recherche de la flaque de boue dans laquelle il passerait le reste de la nuit. Il n'avait que l'embarras du choix.

Sitôt après son départ, les bobelins commencèrent à s'agiter et à couler des regards vers la porte ouverte. Quand ils eurent la certitude qu'il était parti, une cacophonie de cris perçants éclata et la pile s'écroula, éclaboussant le sol de vase gluante. N'ayant plus à redouter l'haleine du boggart, la horde se rua vers la porte, franchit le pont dare-dare et se répandit à travers les marais, en direction de la *Vengeance* enlisée.

– Vous savez quoi ? fit tante Zelda quand ils eurent disparu, avalés par les ombres des marais. J'ai presque de la peine pour eux.

– Pour qui ? demanda Jenna. Les bobelins ou l'équipage de la *Vengeance* ?

– Les deux.

– Pas moi, rétorqua Nicko. Les uns et les autres n'ont que ce qu'ils méritent.

Quoi qu'il en soit, aucun d'eux ne tenait à voir ce qu'il allait advenir de la *Vengeance*. Et nul ne souhaitait non plus s'étendre sur le sujet.

Plus tard, quand ils eurent nettoyé le mieux possible l'intérieur du cottage, tante Zelda fit l'inventaire des dégâts avec un optimisme un peu forcé :

– Ce n'est pas si dramatique. Les livres sont en bon état – enfin, ils le seront une fois secs – et je peux toujours refaire les potions. D'ailleurs, la plupart approchaient de la date de péremption et les plus importantes se trouvent dans un coffre. Contrairement à la dernière fois, les bobelins n'ont pas dévoré toutes les chaises et ils n'ont même pas fait leurs besoins sur la table. L'un dans l'autre, ça pourrait être pire. Bien pire.

Marcia s'assit et ôta ses bottines en python terriblement abîmées. Elle les mit à sécher près du feu, hésitant à prononcer un **sort réparateur**. À proprement parler, elle n'avait pas le droit d'utiliser la **Magyk** pour son confort. Il lui était permis de réparer sa cape, car celle-ci faisait partie de ses outils de travail. Mais elle pouvait difficilement prétendre que ses bottines pointues étaient nécessaires à l'exercice de son art. Posées sur le bord de la cheminée, elles fumaient en dégageant une odeur ténue mais désagréable de serpent moisi.

– Vous pouvez prendre mes caoutchoucs de rechange, proposa tante Zelda. Ce sera plus commode pour circuler autour de la maison.

– Merci, murmura Marcia d'un air maussade – elle avait horreur des caoutchoucs.

– Ne faites pas cette tête, reprit Zelda, agacée. Il se passe des choses bien pires en ce moment même dans les marais.

✤ 46 ✤
UNE VISITE

Le lendemain matin, seul le haut du mât principal de la *Vengeance*, auquel flottaient des lambeaux de la grand-voile, dépassait encore de la boue. Jenna n'avait aucun désir de contempler les restes du vaisseau **ténébreux**, mais elle tenait à constater sa destruction de ses propres yeux, comme le feraient tous les autres occupants du cottage une fois levés. Elle referma ensuite le volet et se détourna de la fenêtre. Un autre bateau attendait sa visite.

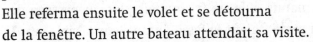

En dépit de l'heure matinale, elle fut accueillie dehors par un beau soleil printanier. Le bateau dragon flottait majestueusement à la surface du fossé, le cou tendu, savourant la caresse du soleil sur sa tête dorée pour la première fois depuis de nombreux siècles. Jenna cligna les paupières, éblouie par le miroitement des écailles vertes de son cou et de sa queue et par les reflets des dorures de sa coque. Le dragon aussi fermait à demi les yeux. Après avoir cru qu'il dormait, elle comprit qu'il se protégeait également de l'éclat du soleil. Depuis qu'Hotep-Râ l'avait enseveli sous terre, il n'avait connu que la clarté voilée des lanternes.

Jenna descendit le sentier menant au débarcadère. Le bateau était beaucoup plus imposant que dans son souvenir. Il occupait tout l'espace entre les deux berges du fossé maintenant que la décrue était achevée. Craignant qu'il se sente à l'étroit, elle se haussa sur la pointe des pieds et posa la main sur son cou.

Bonjour, Votre Altesse, fit la voix du dragon dans sa tête.

– Bonjour, dragon. J'espère que tu te trouves bien dans ce fossé.

Je suis entouré d'eau, de soleil, et l'air sent le sel. Que pourrais-je souhaiter de plus ?

– Rien du tout, acquiesça Jenna.

Elle s'assit sur le débarcadère et regarda les volutes de la brume matinale se désagréger sous les rayons du soleil. Satisfaite, elle s'adossa au bateau et écouta plonger et barboter les différents hôtes du fossé. Elle était à présent habituée à la faune du marais. Elle ne frissonnait plus au passage des anguilles qui remontaient le fossé durant leur périple vers la mer des Sargasses. Elle ne prêtait plus trop attention aux nixes, même si elle avait cessé de patauger pieds nus dans la vase depuis que l'une d'elles avait agrippé son gros orteil. Tante Zelda avait dû menacer la nixe avec une fourchette à rôti pour l'obliger à lâcher prise. Jenna en était presque arrivée à aimer le python géant, mais sans doute était-ce parce qu'il n'avait pas reparu depuis le dégel. Elle reconnaissait chaque créature aux bruits qu'elle faisait. Mais alors qu'elle lézardait au soleil, prêtant une oreille distraite au flic flac d'un rat d'eau et au glouglou d'une carpe, elle perçut une présence inhabituelle.

L'intrus poussait des geignements pathétiques. Soufflant tel un phoque, il tomba dans l'eau avec un gros plouf et geignit de plus belle. Jenna n'avait jamais rien entendu de tel. Qui plus est, la créature paraissait énorme. Faisant en sorte de ne pas être vue, Jenna se glissa derrière la queue du bateau dragon, enroulée sur le débarcadère, et tenta d'apercevoir le responsable de ce vacarme.

C'était l'apprenti.

Couché à plat ventre sur une planche goudronnée qui avait tout l'air de provenir de la *Vengeance*, il se déplaçait le long du fossé en pagayant avec les mains. Il semblait épuisé. Sa robe vert sale collait à son corps et dégageait de la vapeur sous les rayons du soleil. Ses cheveux noirs et raides pendaient devant ses yeux. Il avait à peine la force de relever la tête pour voir où il allait.

– Va-t'en ! hurla Jenna. Ouste !

Elle ramassa un caillou dans l'intention de le lui jeter, mais il la supplia :

– Par pitié, non...

Nicko apparut au même moment.

– Qu'est-ce qui se passe, Jen ?

Puis il suivit la direction du regard de Jenna et cria à son tour :

– Toi, dégage !

L'apprenti poussa néanmoins sa planche contre le débarcadère et resta étendu dessus.

– Qu'est-ce que tu veux ? demanda Jenna.

– Je... La *Vengeance*... Coulée. Je me suis échappé.

– Les rats quittent le navire avant le naufrage, cita Nicko.

– Des... choses sont montées à bord, raconta le garçon en frissonnant. Marron, boueuses. Elles ont tiré le bateau au fond du marais. Je ne pouvais plus respirer. Tous les autres sont partis. S'il vous plaît, aidez-moi.

Jenna sentit sa résolution chanceler. Si elle s'était levée aussi tôt, c'est parce qu'elle n'avait pas arrêté de rêver que des bobelins hurlants l'attiraient au fond de la vase. Elle eut un haut-le-corps. Si elle était incapable d'y penser sans trembler, que devait éprouver ce malheureux qui avait réellement vécu ce cauchemar ?

La voyant hésiter, l'apprenti tenta à nouveau sa chance :

– Je... je regrette d'avoir blessé votre animal.

– Boggart n'est pas un animal ! Et il n'appartient à personne. C'est un habitant du marais.

– Oh !

Comprenant qu'il avait commis une erreur, il revint à sa précédente tactique :

– Pardon. J'avais si peur...

Jenna se radoucit.

– On ne peut pas le laisser là, dit-elle à Nicko.

– Et pourquoi pas ? À moins qu'il ne pollue l'eau du fossé...

– On ferait mieux de le ramener à la maison. Viens, dit-elle à l'apprenti, donne-moi ta main.

Ils l'aidèrent à se hisser sur le débarcadère et remontèrent le sentier en le portant plus ou moins.

– Eh bien, voyez un peu ce que le chat nous a rapporté, s'exclama tante Zelda à leur arrivée.

Nicko et Jenna laissèrent tomber le garçon devant la cheminée, réveillant 412.

Ce dernier les regarda avec des yeux troubles, se leva et s'éloigna. Il avait perçu une étincelle de **Magyk noire** quand l'apprenti était entré.

Le garçon s'assit, pâle et tremblant, devant le feu. Il n'avait pas l'air dans son assiette.

– Ne le quitte pas des yeux, Nicko, recommanda tante Zelda. Je vais lui préparer une boisson chaude.

Elle revint avec une tasse d'infusion de chou et de camomille. L'apprenti grimaça mais but jusqu'à la dernière goutte. Au moins, c'était chaud.

– Tu ferais bien de nous dire ce que tu es venu faire ici, reprit Zelda quand il eut fini. Ou plutôt, tu ferais bien de le dire à dame Marcia. Marcia, nous avons de la visite.

Marcia venait d'apparaître sur le seuil. Elle était sortie tôt et avait fait le tour de l'île à pied, en partie pour voir ce qu'était devenue la *Vengeance*, mais surtout pour respirer l'air doux et printanier et le parfum encore plus suave de la liberté. Ses cinq semaines de captivité l'avaient amaigrie et des cernes soulignaient encore ses yeux. Toutefois, elle avait bien meilleure allure que la veille. Sa robe et sa tunique de soie pourpre étaient propres et repassées, grâce à un **sort de détachage en profondeur** qui les avait débarrassées de toute trace de **Magyk noire**. Du moins l'espérait-elle : la **Magyk noire** avait tendance à s'incruster et elle avait dû insister pour l'éliminer. Sa ceinture brillait après un **polissage extralustrant** et l'amulette d'Akhentaten était suspendue à son cou. Elle avait récupéré ses pouvoirs et son titre de magicienne extraordinaire. Tout aurait été pour le mieux dans le meilleur des mondes... sans les caoutchoucs.

Elle bazarda les horreurs qui déshonoraient ses pieds près de la porte et risqua un œil à l'intérieur du cottage, qui lui parut bien sombre en comparaison avec l'extérieur. L'obscurité était particulièrement dense devant la cheminée. Quand elle eut identifié le visiteur, son visage se rembrunit.

– Ah ! la vermine, grinça-t-elle.

L'apprenti garda le silence. Il coula un regard en biais vers Marcia, et ses yeux de jais s'attardèrent un instant sur l'amulette.

– Que personne ne le touche, avertit Marcia.

Un peu surprise par le ton de sa voix, Jenna s'écarta de l'apprenti, tout comme Nicko. 412 se rapprocha de Marcia.

Resté seul près du feu, l'apprenti se retrouva au centre d'un cercle hostile. Il n'avait pas prévu ce revirement. Ces gens auraient dû avoir pitié de lui. Il avait déjà mis la Pouline dans sa poche, ainsi que la sorcière blanche. C'était bien sa veine que l'ex-magicienne extraordinaire ait surgi au mauvais moment ! Il grimaça de dépit.

Jenna ne le quittait pas des yeux. Il lui semblait différent, mais elle n'aurait su dire en quoi. Elle imputa ce changement à la nuit de cauchemar qu'il venait de vivre. N'importe qui aurait eu le même regard sombre et hagard après avoir été traîné dans la boue par des centaines de bobelins piailleurs.

Marcia, elle, savait en quoi le garçon était différent. L'explication lui était apparue durant sa promenade matinale, et cela avait bien failli lui faire rendre son petit déjeuner.

434

(À vrai dire, il ne fallait pas grand-chose pour faire remonter les petits déjeuners que leur servait Zelda.)

Quand l'apprenti se releva d'un bond et se rua sur elle, les mains tendues vers sa gorge, elle l'attendait de pied ferme. Elle décrocha ses doigts de l'amulette et le projeta dehors d'un **éclair** accompagné d'un coup de tonnerre retentissant.

Le garçon atterrit dans le chemin, inconscient. Tous se pressèrent autour de lui.

– Vous y êtes allée un peu fort, remarqua tante Zelda, choquée. Ça a beau être l'enfant le plus odieux que j'aie eu la malchance de rencontrer, ça n'en est pas moins un enfant.

– Ça reste à prouver, répliqua Marcia d'un air sinistre. Je n'en ai pas fini avec lui. Reculez tous, je vous prie.

– Mais c'est notre frère, murmura Jenna.

– Je ne crois pas.

Tante Zelda posa une main sur le bras de Marcia :

– Je comprends parfaitement votre colère après une aussi longue captivité, mais vous n'avez pas le droit de vous venger sur un enfant.

– Je croyais que vous me connaissiez mieux que ça, Zelda. Ce n'est pas un enfant, mais DomDaniel.

– QUOI ?

– En tout état de cause, je ne suis pas une **nécromancienne**. Je n'ôterai jamais la vie à quelqu'un. Je me contenterai de le renvoyer là où il était quand il a commis cet épouvantable forfait, pour m'assurer qu'il n'en retirera aucun bénéfice.

– Non ! hurla le pseudo-apprenti.

DomDaniel détestait la voix fluette et nasillarde avec laquelle il était forcé de s'exprimer. Elle l'exaspérait déjà quand elle appartenait à ce damné gamin, mais depuis qu'elle sortait de sa bouche, il la trouvait carrément insupportable.

Il se releva avec effort. Il n'en revenait pas que son plan ait échoué. Il les avait tous roulés dans la farine. Aveuglés par la pitié, ils l'avaient introduit dans la maison où il aurait fini par déjouer leur surveillance et récupérer l'amulette. Et alors, les choses auraient tourné différemment. Désespéré, il tenta le tout pour le tout.

– De grâce, implora-t-il en se laissant tomber à genoux. Vous faites erreur. Ce n'est que moi. Je ne...

– **Retire-toi** ! ordonna Marcia.

– NON !

Mais elle poursuivit

> **Retourne où tu étais**
> **Lorsque tu étais**
> **Ce que tu étais !**

DomDaniel disparut. Il était retourné à bord de la *Vengeance*, dans les noires profondeurs de la vase et de la tourbe.

Tante Zelda semblait bouleversée. Elle ne pouvait toujours pas croire que l'apprenti était réellement DomDaniel.

– Comment avez-vous pu faire une chose aussi affreuse, Marcia ? Pauvre garçon...

– Mon œil, oui ! la coupa Marcia. Venez, j'ai quelque chose à vous montrer.

✛ 47 ✛
L'APPRENTI

Ils se mirent en route d'un pas énergique. Marcia marchait devant, aussi vite que le lui permettaient ses caoutchoucs. Tante Zelda était obligée de trotter pour ne pas se laisser distancer. Elle promenait un regard consterné sur les ravages causés par la crue. Partout, ce n'était que boue, algues et limon. La situation ne lui avait pas paru si grave la veille, sous le clair de lune. D'autre part, elle était tellement soulagée de tous les revoir vivants qu'elle n'avait pas vraiment pris garde aux dégâts. Mais à la lumière du jour, c'était un spectacle de désolation qui s'offrait à ses yeux. Soudain, elle poussa un cri :

– Le bateau-poulailler a disparu ! Mes gentilles poulettes !

– Il y a des choses plus importantes que les poules dans la vie, déclara Marcia en avançant d'un air résolu.

– Les lapins ! gémit tante Zelda, s'avisant tout à coup que l'eau avait dû envahir les terriers. Pauvres lapinous, tous noyés !

- Silence ! gronda Marcia

Tante Zelda songea pour la énième fois que plus vite Marcia regagnerait sa tour, mieux elle se porterait. Tel le joueur de flûte de la légende, Marcia parcourait à grandes enjambées le sentier boueux, conduisant Jenna, Nicko, 412 et une tante Zelda très énervée vers un point situé au-delà du fossé, un peu plus bas que la cabane des canards.

Comme ils approchaient, Marcia virevolta et leur dit :

– J'aime autant vous avertir que ce n'est pas joli, joli. Peut-être vaudrait-il mieux que Zelda soit la seule à regarder. Je ne voudrais pas vous causer à tous des cauchemars.

– On en fait déjà, lui rétorqua Jenna. Je ne vois pas ce qui pourrait être pire que mes rêves de la nuit dernière.

412 et Nicko opinèrent de la tête. Tous deux avaient très mal dormi.

– Dans ce cas...

Marcia s'avança avec précaution dans la boue et s'arrêta au bord du fossé, derrière la cabane.

– Voici ce que j'ai découvert ce matin.

– Argh ! fit Jenna en cachant son visage derrière ses mains.

– Oh ! oh ! oh ! souffla tante Zelda, suffoquée.

412 et Nicko restèrent silencieux, le cœur au bord des lèvres. N'y tenant plus, Nicko se précipita vers le fossé et vomit.

Quelque chose traînait sur l'herbe boueuse, près de la berge. Au premier regard, on eût dit un sac vert. Au deuxième, un épouvantail ayant perdu sa bourre. Mais un examen plus attentif, comme celui que Jenna entreprit entre ses doigts, rendait par trop évidente la nature de l'objet en question.

C'était le corps de l'apprenti, vide.

Semblable à une baudruche dégonflée, l'apprenti gisait sur le sol, privé de vie et de substance. Son enveloppe toujours revêtue de sa robe humide et tachée de sel avait été abandonnée dans la boue telle une peau de banane.

– Le véritable apprenti, annonça Marcia. Je l'ai trouvé ce matin en me promenant. C'est pourquoi j'étais certaine que celui que vous aviez fait asseoir près de la cheminée était un imposteur.

– Que lui est-il arrivé ? murmura Jenna.

– Il a été **asséché**. Un sort très ancien et particulièrement néfaste, qui figure dans les archives **occultes**. Les **nécromanciens** d'antan y avaient recours à tout bout de champ.

– Ne peut-on rien faire pour ce malheureux ? interrogea tante Zelda.

– Je crains qu'il soit trop tard. Il n'est déjà plus qu'une ombre. D'ici quelques heures, il se sera évanoui.

– Pauvre petit, dit tante Zelda en reniflant. La vie n'a pas été tendre avec lui. Il a été arraché à sa famille pour entrer au service d'un monstre. Je me demande comment vont réagir Sarah et Silas. Quel drame ! Pauvre Septimus.

– Je sais, acquiesça Marcia. Mais nous ne pouvons plus rien pour lui.

– Je vais demeurer près de lui – enfin, ce qu'il en reste – jusqu'à ce qu'il disparaisse, décida tante Zelda.

Leur petit groupe moins tante Zelda reprit sans entrain le chemin du cottage. Chacun était absorbé par ses pensées. Tante Zelda réapparut brièvement et s'enferma dans le placard à Potions Instables et Poisons Partikuliers avant de redescendre à la cabane. Les autres passèrent le reste de la matinée à nettoyer la boue et remettre la maison en état, sans échanger le moindre mot. 412 fut soulagé de constater que les bobelins n'avaient pas touché à la pierre verte que Jenna lui avait offerte. Elle était toujours là où il l'avait rangée, soigneusement pliée dans son édredon, au chaud près de la cheminée.

Dans l'après-midi, après avoir persuadé la chèvre de descendre du toit (elle n'en avait pas laissé grand-chose), ils décidèrent d'emmener Maxie faire une promenade à travers les marais. Mais comme ils s'éloignaient, Marcia passa la tête dehors et rappela 412 :

– Pourrais-tu venir m'aider, s'il te plaît ?

412 ne demandait pas mieux. S'il s'était habitué à Maxie, il ne se sentait pas complètement à l'aise en sa compagnie. Il ne comprenait pas ce qui lui passait par la tête quand il se dressait sur ses pattes de derrière pour lui lécher la figure, et la vue de sa truffe noire luisante et de sa gueule baveuse suscitait chez lui un frisson de dégoût. Malgré ses efforts, il ne voyait toujours pas l'utilité des chiens. Aussi agita-t-il joyeusement la main pour dire au revoir à ses amis avant de rentrer.

Il trouva Marcia assise devant le bureau de tante Zelda. Forte de la victoire acquise avant son départ, elle était bien décidée à reprendre le contrôle de ce bastion à présent qu'elle était rentrée. 412 remarqua que les carnets et les crayons de tante Zelda gisaient en vrac sur le sol, à l'exception de ceux que Marcia avait entrepris de **transformer** et d'améliorer pour son propre usage. Elle avait la conscience en paix : si tout se déroulait selon ses plans, ces objets serviraient un dessein magique précis – du moins l'espérait-elle.

– Ah ! te voici, dit-elle de ce ton autoritaire qui donnait toujours à 412 l'impression d'avoir commis une bêtise.

Elle jeta un vieux livre avachi sur la table devant elle et demanda :

– Quelle est ta couleur préférée ? Le bleu ? Ou le rouge ? Je pencherais pour le rouge, puisque tu n'as pas ôté cet affreux bonnet depuis ton arrivée.

412 resta tout interdit. Personne n'avait jamais pris la peine de lui demander quelle était sa couleur préférée. D'ailleurs, il n'était pas certain d'en avoir une. Puis il se rappela le magnifique bleu à l'intérieur du bateau dragon.

– Euh, le bleu. Bleu foncé.

– Ah ! je vois. Moi aussi, j'aime beaucoup. Bleu et or, que dis-tu de ça ?

– Hum, oui. Ça serait bien.

Marcia passa les mains au-dessus du livre et marmonna une formule. Les pages tournèrent à toute allure, effaçant les notes et les griffonnages de tante Zelda, faisant disparaître sa recette favorite de chou bouilli, se transformant peu à peu en un papier ivoire tout neuf, idéal pour l'écriture. Puis elles s'insérèrent dans une reliure en cuir bleu outremer frappée d'étoiles dorées, avec une tranche violine qui indiquait que le livre appartenait à l'apprenti de la magicienne extraordinaire. En guise de touche finale, Marcia ajouta un cadenas d'or pur et une petite clé d'argent.

Elle ouvrit ensuite le livre pour s'assurer que le sort avait fonctionné. Elle constata avec plaisir que la première et la dernière page étaient du même rouge vif que le bonnet de 412. Sur la page de garde, on pouvait lire : JOURNAL D'APPRENTISSAGE.

Satisfaite, elle referma le livre et tourna la clé d'argent dans la serrure.

– Bien ! Tout me paraît en ordre. Qu'en penses-tu ?

– En effet, acquiesça 412, abasourdi – qu'avait-elle besoin de son avis ?

– À présent, reprit-elle en le regardant bien en face, j'ai quelque chose à te rendre. Ton anneau. Merci. Je n'oublierai jamais ce que tu as fait pour moi.

Marcia prit la bague dans une poche de sa ceinture et la posa délicatement devant elle. À la vue du dragon d'or lové sur le bureau, avec sa queue coincée dans sa gueule et ses yeux d'émeraude brillants, le cœur de 412 fit un bond de joie. Mais pour une raison mystérieuse, il hésitait à le prendre. Il lui semblait que Marcia n'en avait pas terminé avec lui, et la suite lui donna raison.

– Où as-tu eu cette bague ?

412 se sentit immédiatement coupable. Il avait donc bien fait une bêtise. Ses craintes étaient fondées.

– Je... je l'ai trouvée.

– Où ?

– Je suis tombé dans le tunnel. Vous savez, celui qui menait au bateau dragon. Mais je ne le savais pas encore. Il faisait sombre. Je n'y voyais rien. Et puis j'ai trouvé la bague.

– Tu l'as passée à ton doigt ?

– Oui.

– Et qu'est-il arrivé ?

– Elle s'est éclairée. Alors, j'ai vu où je me trouvais.

– Était-elle à ta taille ?

– Pas au début. Après, elle a rétréci.

– Ah ! Ne me dis pas qu'elle a chanté pour toi ?

Jusque-là, 412 regardait fixement le sol. Puis il releva la tête et surprit une lueur amusée dans le regard de Marcia. Se moquait-elle de lui ?

– Justement, si.

Marcia réfléchissait. Comme le silence se prolongeait, 412 se sentit obligé de le rompre :

– Vous êtes fâchée contre moi ?

– Pourquoi le serais-je ?

– Parce que j'ai pris l'anneau. Il appartient au dragon, n'est-ce pas ?

Marcia sourit.

– Non. Au maître du dragon.

412 se demanda avec inquiétude qui était le maître du dragon. Serait-il en colère contre lui ? Était-il très fort ? Que lui ferait-il quand il s'apercevrait qu'il détenait l'anneau ?

– Pourriez-vous..., commença-t-il d'une voix hésitante. Pourriez-vous rendre la bague au maître du dragon ? Et lui dire que je regrette de l'avoir prise ?

Il poussa l'anneau vers Marcia qui le ramassa.

– Fort bien, dit-elle d'un air solennel. Je vais la lui rendre.

412 soupira. Il aimait beaucoup la bague et sa seule présence l'emplissait de bonheur. Mais il n'était pas surpris d'apprendre qu'elle appartenait déjà à quelqu'un. Elle était trop belle pour lui.

Marcia la contempla un instant, puis elle la lui tendit.

– Tiens, dit-elle. Elle est à toi.

412 la regarda d'un air incrédule.

– C'est toi le maître du dragon. L'anneau t'appartient. Il ne chante pas pour n'importe qui, tu sais. Et il a choisi de s'ajuster à ton doigt, pas au mien.

– Pourquoi ? souffla 412. Pourquoi moi ?

– Tu possèdes des pouvoirs étonnants. Je te l'ai déjà dit. Peut-être me croiras-tu à présent.

– Je... je pensais que le pouvoir provenait de la bague.

– Non. Il provient de toi. Rappelle-toi, le bateau dragon t'a identifié alors que la bague n'était plus en ta possession. Il *savait*. Le dernier à l'avoir portée était Hotep-Râ, le premier magicien extraordinaire. Elle a attendu longtemps avant de trouver quelqu'un de sa valeur.

– C'est parce qu'elle est restée coincée dans un tunnel pendant des siècles.

– Pas si sûr, répliqua Marcia avec un sourire énigmatique. Tu sais, les choses finissent toujours par s'arranger. À condition d'être patient.

412 commençait à se dire qu'elle avait raison.

– Tu n'as pas changé d'avis ?

– Sur quoi ? balbutia 412.

– Au sujet de la proposition que je t'ai faite. Maintenant que je t'ai dit tout ça, acceptes-tu de devenir mon apprenti ? S'il te plaît.

412 farfouilla dans sa poche et en tira le **charme** que Marcia lui avait offert. Il considéra les minuscules ailes d'argent. Elles brillaient toujours du même éclat. Le message non plus n'avait pas changé : ENVOLE-TOI AVEC MOI.

– Oui, répondit-il avec un grand sourire. Je serais très heureux de devenir votre apprenti

✣ 48 ✣
LE SOUPER DE L'APPRENTI

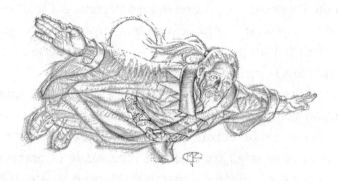

Ça n'avait pas été une mince affaire de ramener l'apprenti à la vie, pourtant tante Zelda avait réussi. Son **Excellent Élixir** et son **Topique Tonique** avaient produit leur effet, mais pas longtemps. Très vite, l'apprenti avait recommencé à glisser vers le néant. Elle avait alors tenté un suprême recours : les **Étincelles Essentielles**.

L'entreprise était hasardeuse : tante Zelda avait modifié une recette de potion **ténébreuse** qu'elle avait trouvée au grenier quand elle avait emménagé. Si elle ignorait tout de l'action de son côté **sombre**, quelque chose lui disait que c'était justement de lui dont elle avait besoin. Une touche de **ténèbre**... Le cœur battant à tout rompre, elle avait dévissé le couvercle. Un trait de lumière bleutée avait jailli du petit pot en verre brun, l'aveuglant presque. Tante Zelda avait attendu que les mouches brillantes qui dansaient devant ses yeux aient disparu pour déposer une quantité infime de gel bleu électrique sur la langue de l'apprenti. Puis elle avait croisé les doigts — chose qu'une sorcière blanche ne faisait jamais à la légère — et retenu son souffle durant toute une minute. Soudain, l'apprenti s'était dressé sur son séant et l'avait regardée avec des yeux si écarquillés qu'on ne voyait presque que du blanc. Puis il avait poussé un long soupir avant de se coucher en rond dans la paille et de tomber endormi.

Les **Étincelles Essentielles** avaient été efficaces, mais il restait un point à régler pour que le garçon puisse se rétablir. Tante Zelda devait encore le **délivrer** de l'emprise de son maître. Sitôt le soleil couché, une lune ronde et orangée se leva sur le vaste horizon des marais de Marram. Assise au bord de l'eau, tante Zelda interrogea la surface de la mare aux canards. Il y avait une chose ou deux qu'elle désirait savoir.

La nuit était tombée depuis longtemps et la lune déjà haute quand tante Zelda regagna la maison d'un pas lent, laissant l'apprenti plongé dans un profond sommeil. Il devrait dormir plusieurs jours avant qu'on puisse le bouger de la cabane aux canards. Tante Zelda savait aussi qu'il resterait un bon moment avec elle. Il était temps qu'elle prenne en charge un nouvel enfant égaré, puisque 412 était tiré d'affaire.

Ses yeux bleus étincelant dans le noir, elle avançait avec précaution sur le sentier, hantée par les images qu'elle avait vue à la surface de la mare et tâchant de comprendre leur signification. Elle était tellement absorbée qu'elle ne releva la tête qu'à l'approche du débarcadère. Ce qu'elle vit alors l'irrita au plus haut point.

Le fossé était devenu un vrai dépotoir, encombré par une pléthore de bateaux. Comme si le canoë ranci du Chasseur et la quasi-épave de la *Muriel* 2 n'avaient pas suffi, une barque de pêcheur décrépite contenant un vieux fantôme tout aussi décrépit était à présent amarrée au-delà du pont.

Tante Zelda s'approcha du fantôme et lui parla très lentement et d'une voix forte, comme chaque fois qu'elle s'adressait à l'un de ses semblables, surtout s'il était âgé. Le vieillard se montra remarquablement poli, si l'on considère qu'elle venait de le réveiller avec une question rien moins qu'aimable.

– Non, madame, répondit-il de bonne grâce. Navré de vous décevoir, mais je ne fais pas partie de l'équipage de ce maudit navire. Je suis, ou à proprement parler, j'étais Alther Mella, ex-magicien extraordinaire. Pour vous servir, madame.

– Vraiment ? Je ne vous imaginais pas du tout comme ça.

– Je le prends comme un compliment. Veuillez m'excuser si je ne descends pas afin de vous présenter mes hommages, mais je dois demeurer à bord de ma chère vieille *Molly*, sous peine d'être **renvoyé**. Je suis néanmoins enchanté de faire votre connaissance. Je suppose que vous êtes Zelda Heap ?

– Zelda ! appela Silas depuis le cottage.

Tante Zelda tourna la tête, interloquée. Toutes les lanternes et les chandelles brûlaient et la maison était pleine de monde.

– Silas ? cria-t-elle en retour. Qu'est-ce que tu fais là ?

– N'entre pas ! Nous sortons dans une minute !

Silas disparut à l'intérieur et tante Zelda l'entendit déclarer :

– Non, Marcia. Je lui ai dit de rester dehors. De toute façon, Zelda n'est pas du genre à se mêler de ce qui ne la regarde pas

447

Non, j'ignore s'il reste des choux. Pourquoi as-tu besoin de dix choux, d'ailleurs ?

– Pourquoi n'ai-je pas le droit d'entrer ? demanda Zelda à Alther qui s'appuyait paresseusement contre la proue de son bateau. Que se passe-t-il là-haut ? Et comment Silas est-il arrivé ici ?

– C'est une longue histoire, Zelda.

– Je vous engage à tout me dire, car j'imagine que personne ne prendra la peine de le faire. Ils sont bien trop occupés à rafler ma provision de choux.

– Eh bien, je me trouvais dans les appartements de DomDaniel, en train de... vaquer à mes affaires, quand le Chasseur a fait irruption, annonçant qu'il avait découvert votre cachette. Je vous savais tous en sécurité tant que durerait le Grand Gel, mais je craignais que vous n'ayez des ennuis par la suite. Je n'avais pas tort. Sitôt que le Dégel est arrivé, DomDaniel a filé à la crique Funeste et récupéré son horrible rafiot dans l'intention de mener le Chasseur jusqu'à vous. J'ai convenu avec ma chère Alice qu'elle apprêterait un bateau qui attendrait au Port de pouvoir vous conduire en sécurité. Silas ayant insisté pour que tous les Heap partent ensemble, je lui ai proposé de rejoindre le Port avec la *Molly*. Jannit Maarten l'avait mise sur le chantier. Elle n'était pas du tout satisfaite de l'état de la coque, mais nous ne pouvions attendre que les réparations soient terminées. Nous avons fait halte dans la Forêt pour aller chercher Sarah. Elle était très contrariée qu'aucun des garçons ne veuille nous accompagner. Après les avoir laissés, nous allions bon train quand est survenue une petite avarie – enfin, une grosse avarie : le pied de Silas a traversé le fond du bateau. Pendant que nous le réparions, la *Vengeance* nous a rattrapés. Nous avons eu de la chance de ne pas nous faire repérer. Sarah était dans tous ses états ; elle nous a vraiment crus perdus. Pour couronner le tout, nous avons été pris dans la **tempête** et repoussés vers les marais. J'ai connu des voyages plus reposants à bord de la *Molly*. Enfin, nous voici. Pendant que nous jouions les marins d'eau douce, il semble que vous ayez résolu vos propres problèmes d'une manière magistrale.

– À part la boue...

– Certes. Mais d'après mon expérience, la **Magyk noire** laisse toujours quelque souillure derrière elle. Cela pourrait être pire.

Tante Zelda ne répondit pas. Elle était quelque peu distraite par le vacarme provenant du cottage. Soudain, il y eut un grand fracas suivi par des éclats de voix.

– Alther, expliquez-moi ce qui se passe, dit-elle. Je ne me suis absentée que quelques heures et à mon retour, je découvre qu'une réception a lieu sous mon toit et que je n'y suis même pas invitée ! Si vous voulez mon avis, cette fois, Marcia a dépassé les bornes.

– On donne un souper en l'honneur du jeune soldat. Il a accepté de devenir l'apprenti de Marcia.

Le visage de Zelda s'éclaira.

– Ah oui ? C'est une excellente nouvelle ! Vous savez, j'ai toujours espéré qu'il le ferait.

– Ah oui ? (Alther commençait à trouver Zelda très sympathique.) Moi aussi.

– Mais je me serais bien passée de tout ce branle-bas. J'avais prévu de servir un cassoulet d'anguilles au dîner. Un plat simple et convivial...

– Le souper de l'apprenti ne peut attendre, Zelda. Il doit impérativement avoir lieu le jour où l'apprenti accepte l'offre de son maître. Sinon, le contrat liant les deux parties est frappé de nullité. Pas de souper, pas de contrat, pas d'apprenti. Il n'y a pas de session de rattrapage.

– Oh ! je sais tout cela, répliqua Zelda.

– Je me rappelle le jour où Marcia est devenue mon apprentie, reprit Alther d'une voix pleine de nostalgie. Quelle soirée nous avions passée ! Nous avions convié tous les magiciens, et ils étaient beaucoup plus nombreux alors. On parlait encore de ce souper bien des années après. Nous avions reçu nos invités dans le grand hall de la tour. Êtes-vous déjà allée là-bas, Zelda ?

Tante Zelda secoua la tête. Elle aurait beaucoup aimé visiter la tour du Magicien, mais durant le bref apprentissage de Silas, elle était trop occupée à remettre de l'ordre au cottage, la précédente gardienne du bateau dragon, Betty Crackle, ayant accumulé les négligences.

– Eh bien, je souhaite que vous en ayez un jour l'occasion. C'est un endroit magnifique.

Alther songea à l'atmosphère de luxe et de **Magyk** qui avait marqué cette soirée. C'était autre chose qu'une fête improvisée devant une barque de pêcheur !

– J'ai bon espoir que Marcia y retourne bientôt, maintenant que nous sommes débarrassés de cet affreux DomDaniel...

– Savez-vous qu'il fut mon maître ? Pour mon souper d'apprenti, je n'ai eu droit qu'à un sandwich au fromage. Et je puis vous assurer que je me suis amèrement repenti de l'avoir mangé, car il m'a lié à cet homme pour de longues années.

– Jusqu'à ce que vous le poussiez du haut de la pyramide, pouffa Zelda.

– Je ne l'ai pas poussé ; il a sauté, protesta Alther – une fois de plus. (Et il soupçonnait que ce ne serait pas la dernière.)

– Quoi qu'il en soit, ça a été un bienfait pour vous.

Tante Zelda ne pouvait s'empêcher de prêter l'oreille au brouhaha qui s'échappait du cottage par les portes et les fenêtres ouvertes. La voix de Marcia était reconnaissable à ses accents autoritaires :

– Non, Silas. Laisse Sarah porter celui-ci. Tu le ferais tomber.

– Eh bien, pose-le donc, s'il est si chaud que ça !

– Fais attention à mes bottines. Et pour l'amour du ciel, fais sortir ce chien !

– Cette saleté de canard, toujours à traîner dans mes jambes. Berk ! Je viens de glisser sur une fiente !

Et enfin :

– À présent, j'aimerais que mon apprenti ouvre la marche.

412 sortit sur le seuil, une lanterne à la main. Venaient ensuite Silas et Simon, portant la table et les chaises, Sarah et Jenna avec un assortiment d'assiettes, de verres et de bouteilles, puis Nicko aux prises avec un panier dans lequel on avait empilé neuf choux. Il n'avait pas la moindre idée de l'usage de ce panier et se gardait bien de poser la question Depuis qu'il avait piétiné les bottines en python pourpre toutes neuves de Marcia (il était exclu qu'elle reste chaussée de caoutchoucs durant le souper de son apprenti), il faisait son possible pour l'éviter.

Marcia fermait le cortège, marchant sur la pointe des pieds à cause de la boue et tenant d'une main le journal qu'elle avait **fabriqué** pour 412.

Au même moment, les derniers nuages se dissipèrent et la lune répandit une clarté argentée sur la procession qui avait pris la direction du débarcadère. Silas et Simon installèrent la table près du bateau d'Alther, la *Molly*, et la recouvrirent d'une grande nappe blanche. Marcia prit alors la direction des opérations. Nicko déposa le panier au centre de la table, à l'endroit qu'elle lui désignait.

Marcia frappa dans ses mains, réclamant le silence.

– C'est un jour important pour nous tous, déclara-t-elle. Je vous demande à présent d'accueillir mon apprenti.

Tous applaudirent poliment.

– Je n'ai pas l'habitude des longs discours, reprit Marcia.

– Ce n'est pas le souvenir que j'en garde, murmura Alther à tante Zelda qui l'avait rejoint dans le bateau, pour éviter qu'il se sente exclu de la fête.

Elle lui donna une bourrade complice, oubliant qu'il était un fantôme. Son bras le traversa et son coude heurta le mât de la *Molly*.

– Ouille ! Pardon, Marcia. Poursuivez.

– Merci, Zelda. J'en avais bien l'intention. Je voulais juste vous dire que j'ai passé dix ans à chercher un apprenti. Bien qu'ayant rencontré nombre d'aspirants, je n'en avais trouvé aucun à ma convenance, jusqu'à aujourd'hui. (Elle se tourna vers 412 et lui sourit.) Aussi, je te remercie d'avoir accepté d'être mon apprenti pour les sept ans et un jour qui viennent.

Merci de tout cœur. Nous allons vivre des moments merveilleux ensemble.

Assis à côté de Marcia, 412 devint écarlate quand elle lui tendit son journal d'apprenti. Il le serra si fort entre ses mains moites que celles-ci laissèrent des empreintes sur le cuir bleu. Ces traces indélébiles lui rappelleraient éternellement la soirée qui allait changer le cours de sa vie.

– Nicko, reprit Marcia, tu veux bien servir les choux ?

Nicko la regarda avec l'expression qu'il réservait ordinairement à Maxie quand celui-ci avait commis quelque ânerie. Toutefois, il ne dit rien. Ramassant le panier de choux, il entreprit de faire le tour de la table en les distribuant aux convives.

– Euh, merci, dit Silas en prenant le chou que lui tendait son fils.

Il le tenait gauchement dans ses mains, ne sachant quoi en faire.

– Non ! glapit Marcia. Tu ne dois pas les leur donner, mais les déposer sur leur assiette.

Nicko lui décocha un regard noir (celui qu'on pouvait traduire par « Vilain chien qui a fait ses besoins dans la maison ») et balança un chou sur chaque assiette.

Quand ils furent tous servis, Marcia leva la main pour les faire taire.

– Nous allons souper « au gré de chacun ». Tous ces choux ont été **apprêtés** afin de se **transformer** en ce qu'il vous plairait le plus de manger. Vous n'avez qu'à poser la main sur votre chou et faire votre choix.

Un bourdonnement de voix excitées s'éleva autour de la table, le temps que chacun choisisse ce qu'il souhaitait manger et **transforme** son chou.

– C'est un crime de gaspiller tous ces bons choux, bougonna tante Zelda. Si j'avais su, j'en aurais fait une potée.

– Maintenant que tout le monde a pris sa décision, dit Marcia assez fort pour couvrir le vacarme, j'ai encore une chose à ajouter.

– Grouille-toi, Marcia ! lui lança Silas. Ma quiche au poisson va refroidir.

Marcia le fusilla du regard avant de poursuivre :

– La tradition veut qu'en échange des sept ans et un jour dont il fait don à son maître, l'apprenti demande une faveur à celui-ci.

Elle se tourna vers 412 qui disparaissait presque derrière une platée de fricassée d'anguilles accompagnée de croquettes parfaitement identique à celle que cuisinait tante Zelda.

– Que désires-tu ? l'interrogea-t-elle. Demande-moi tout ce que tu voudras. Je ferai mon possible pour te satisfaire.

412 baissa le nez vers son assiette. Puis il regarda les gens qui l'entouraient et songea combien sa vie avait changé depuis qu'il les avait rencontrés. Dans son bonheur, il ne désirait rien de plus. Hormis une chose. Une chose si énorme et impossible qu'il redoutait de la formuler.

– Tout ce que tu voudras, répéta doucement Marcia. Sans restriction.

412 déglutit et déclara, très calme :

– Je voudrais savoir qui je suis.

⊹⊢ 49 ⊣⊹
SEPTIMUS HEAP

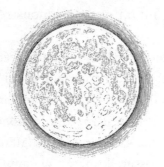

Ignoré de tous, un pétrel s'était perché sur la cheminée du cottage de la gardienne. La tempête l'avait poussé vers l'intérieur des terres la nuit précédente et il avait assisté de bout en bout au souper de l'apprenti. À présent, observa-t-il avec tendresse, Zelda s'apprêtait à faire usage d'un don qu'il avait toujours trouvé remarquable.

– C'est la nuit idéale, assura-t-elle. Il y a une magnifique pleine lune et le fossé ne m'a jamais paru aussi tranquille. Voyons si nous tenons tous sur le pont. Poussez-vous un peu, Marcia, et faites une place à Simon.

Simon n'avait pas l'air de souhaiter qu'on lui fasse une place.

– Oh ! ne vous inquiétez pas pour moi, marmonna-t-il. J'ai l'habitude d'être la cinquième roue de la charrette.

– Qu'est-ce que tu dis, Simon ? réagit Silas.

– Rien, rien...

– Fiche-lui la paix, Silas, intervint Sarah. Il a traversé des moments difficiles.

– Nous avons tous traversé des moments difficiles, Sarah. Ce n'est pas pour autant que nous nous répandons en jérémiades...

Tante Zelda tapota sur le garde-fou, excédée.

– Vous avez fini de vous chamailler, oui ? Je vous rappelle que nous allons tâcher d'apporter une réponse à une question extrêmement importante. Bien, tout le monde est prêt ?

Le silence s'installa. 412, Sarah, Silas, Marcia, Jenna et Nicko se pressaient sur la passerelle auprès de tante Zelda. Le long cou du bateau dragon s'incurvait au-dessus de leurs têtes et ses yeux vert sombre contemplaient les eaux paisibles du fossé.

La *Molly* était amarrée au pied du pont, un peu à l'écart pour leur permettre d'apercevoir le reflet de la lune. Assis à la proue, Alther ne perdait rien du spectacle.

Simon était resté en arrière, tout au bout du pont. Il ne voyait pas l'utilité de cette mise en scène. Que lui importaient les origines de ce morveux ? D'autant que le morveux en question venait de ruiner les espoirs qu'il nourrissait depuis l'enfance. Il se souciait de sa naissance comme de sa première brassière et voyait mal comment ses sentiments pourraient jamais évoluer. Aussi, quand tante Zelda commença à invoquer la lune, il lui tourna ostensiblement le dos.

– Sœur Lune, sœur Lune, montre-nous, je t'en conjure, la famille de 412 de la Jeune Garde.

Comme la fois précédente, sur la mare aux canards, l'image de la lune se mit à grandir et bientôt, un immense cercle blanc occupa toute la largeur du fossé. D'abord, les assistants ne virent que de vagues ombres qui se précisèrent peu à peu, pour finir par leur révéler... leurs propres reflets !

Un murmure de déception parcourut le groupe. Les seuls à ne rien dire furent Marcia (elle avait remarqué un détail qui avait échappé aux autres) et 412 qui se trouvait dans l'incapacité d'émettre le moindre son. Les battements de son cœur résonnaient jusque dans sa gorge et il lui semblait que du jus de carotte circulait dans ses veines. Il regrettait d'avoir demandé à voir qui il était. Il n'était pas certain de vouloir l'apprendre. Peut-être ses parents étaient-ils des monstres... À moins que la Jeune Garde ne fût sa seule famille, comme on le lui avait toujours dit. Ou que son père fût DomDaniel. Il allait dire à tante Zelda qu'il avait changé d'avis, qu'il ne souhaitait plus savoir qui il était, quand elle prit la parole.

– Les apparences sont parfois trompeuses, leur rappela-t-elle. La lune nous montre la vérité, mais ce que nous voyons ne dépend que de nous.

Elle se tourna vers 412 et lui demanda :

– Dis-moi, que désires-tu *vraiment* voir ?

La réponse de 412 ne fut pas celle qu'il s'attendait à formuler.

– Je veux voir ma mère, murmura-t-il.

– Sœur Lune, sœur Lune, montre-nous, je t'en conjure, la mère de 412 de la Jeune Garde.

Le disque blanc de la lune emplit le fossé. Une fois de plus, des ombres se formèrent à sa surface, puis ils distinguèrent... leurs propres reflets. Encore ! Des protestations s'élevèrent, rapidement étouffées : ce n'était pas fini. Un à un, les personnages du tableau s'effaçaient.

412 fut le premier à disparaître, puis Simon, Jenna, Nicko et Silas. Le reflet de tante Zelda s'évanouit à son tour.

Sarah Heap s'attendait à ce que son reflet disparaisse aussi, mais il n'en fut rien. Au contraire, il gagna en netteté et en précision. Quand Sarah Heap se retrouva seule au milieu du cercle blanc, ils comprirent tous que ce n'était plus seulement une image, mais la réponse à la question de 412.

Ce dernier regardait fixement le reflet de Sarah Heap, comme pétrifié. Comment pouvait-elle être sa mère ? Comment ?

Les yeux de Sarah se détachèrent de son image et se posèrent sur lui.

– Septimus ? souffla-t-elle.

Cependant, tante Zelda n'en avait pas terminé :

– Sœur Lune, sœur Lune, montre-nous, je t'en conjure, le septième fils de Sarah et Silas Heap. Montre-nous Septimus Heap !

L'image de Sarah Heap s'effaça lentement, cédant la place à celle de... 412 !

Tous poussèrent un cri de surprise, même Marcia qui avait pourtant deviné la vérité quelques minutes plus tôt. Elle seule avait remarqué l'absence de son propre reflet dans le portrait de famille de 412.

– Septimus ?

Sarah s'agenouilla près de 412 et plongea son regard dans le sien.

458

– Tu sais, dit-elle, tes yeux seront bientôt aussi verts que ceux de ton père. Ou que les miens, et ceux de tes frères.

– C'est vrai ? s'exclama 412. Sans mentir ?

– Tu permets que je t'enlève ceci ? demanda Sarah en posant sa main sur le bonnet rouge de l'enfant.

(Voilà bien les mères ! Toujours en train de vous recoiffer et de tripoter votre bonnet.) 412 sourit.

Avec des gestes tendres, Sarah retira son bonnet à 412, pour la première fois depuis que Marcia le lui avait collé sur la tête dans le dortoir de Sally Mullin. Le garçon secoua ses boucles blondes comme un chien qui s'ébroue, chassant ses vieilles peurs, son ancienne vie et son ancien nom.

Il était enfin lui-même.

Septimus Heap.

CE QUE TANTE ZELDA AVAIT VU DANS LA MARE AUX CANARDS

N*ous retrouvons la nursery de la Jeune Garde.*

Dans la pénombre de la salle, la matrone se laisse tomber sur une chaise d'un air las. Elle n'arrête pas de lancer des regards inquiets vers la porte, comme si elle attendait la venue de quelqu'un. Mais personne ne paraît.

Au bout d'une ou deux minutes, elle se relève et s'approche du berceau de son fils qui s'est mis à pleurer. Elle vient de le prendre dans ses bras quand la porte s'ouvre brusquement. La matrone fait volte-face, livide de peur.

Une grande femme vêtue de sombre se dresse sur le seuil. Elle porte un tablier blanc amidonné de nurse sur une robe noire bien repassée, mais sa ceinture rouge sang est ornée des trois étoiles noires de DomDaniel.

Elle est venue chercher Septimus Heap.

La nurse est en retard. Elle s'est perdue en chemin, d'où sa frayeur et son énervement. DomDaniel ne tolère aucun manquement. Elle voit la matrone avec un bébé dans les bras, comme il avait été convenu. Elle ignore qu'elle tient son propre enfant et que Septimus Heap dort dans un berceau, presque invisible dans l'ombre. Elle se précipite vers elle et lui arrache le bébé. La matrone proteste. Elle tente de reprendre son fils de force, mais son désespoir ne pèse pas lourd face à la détermination de la nurse. (Il faut qu'elle soit de retour au bateau avant l'heure de la marée.)

Plus grande, plus jeune, la nurse n'a aucun mal à vaincre sa résistance. Elle enveloppe l'enfant dans une étoffe rouge brodée de trois étoiles noires et ressort en courant, pourchassée par la matrone qui pousse des cris déchirants. À présent, elle sait exactement ce qu'a pu ressentir Sarah Heap quelques heures plus tôt. La poursuite s'achève à la porte de la caserne. Brandissant ses trois étoiles noires, la nurse ordonne à la sentinelle d'arrêter la matrone et s'évanouit dans la nuit, emportant triomphalement le trophée qu'elle compte remettre à DomDaniel.

Cependant, à la nursery, la vieille femme censée veiller sur les enfants vient de se réveiller. Elle tousse, se lève en respirant bruyamment et prépare quatre biberons pour ses protégés. Un pour chacun des triplés – 409, 410 et 411 – et un pour la toute dernière recrue, un garçon âgé d'à peine douze heures qui portera le matricule 412 durant les dix prochaines années.

Tante Zelda soupire. C'est bien ce qu'elle avait deviné. Elle demande ensuite à la lune de suivre le fils de la matrone, car elle a besoin de savoir autre chose.

La nurse parvient au bateau juste à temps. La créature debout à la poupe lui fait traverser la rivière à la godille, comme les vieux pêcheurs. Un cavalier noir monté sur un immense cheval noir l'accueille sur l'autre berge. Il la prend en croupe avec l'enfant et part au galop dans la nuit. Une longue et pénible chevauchée les attend.

Quand ils atteignent enfin le repaire de DomDaniel, au cœur des anciennes carrières d'ardoise des Maleterres, le fils de la matrone pleure et la nurse souffre d'une terrible migraine. DomDaniel est *impatient de voir celui qu'il prend pour Septimus Heap, le septième fils d'un septième fils, l'apprenti dont rêve tout magicien et tout nécromancien. L'apprenti dont le pouvoir le ramènera au Château et lui permettra de récupérer ce qui lui appartient de plein droit.*

Il considère le bébé en larmes avec dégoût. Ses cris lui font mal à la tête et lui vrillent les tympans. Il est bien grand pour un nouveau-né, pense-t-il. Avec ça, il est affreux. Il ne lui plaît pas du tout. Avec une moue dépitée, il ordonne à la nurse de l'emmener.

La femme dépose le bébé dans le berceau préparé à son intention avant de se coucher. Le lendemain, elle sera trop malade pour quitter son lit et personne ne se souciera de nourrir le fils de la matrone avant le soir. Point de souper en l'honneur de cet apprenti-là.

Tante Zelda s'assoit au bord de la mare et sourit. Elle a délivré l'apprenti de l'emprise de son maître. Septimus est vivant et a retrouvé sa famille. Aucun danger ne menace plus la princesse. En définitive, Marcia n'avait pas tort : les choses finissent toujours par s'arranger. À condition d'être patient.

QUE SONT-ILS DEVENUS
ENSUITE ?

GRINGE, GARDIEN DE LA PORTE NORD :

Gringe était resté fidèle au poste malgré tous les boulever-
sements survenus au Château. Même s'il aurait préféré plonger dans une cuve d'huile bouillante que de l'admettre, il
aimait son travail. Grâce à celui-ci, sa famille bénéficiait d'un
logement décent après avoir longtemps vécu à la dure sous les
murs du Château. La demi-couronne que lui avait donnée
Marcia allait jouer un rôle important dans son existence. Ce
jour-là, pour la première et la dernière fois, Gringe conserva
une partie du péage – précisément la demi-couronne de
Marcia. Plus il soupesait et réchauffait le disque d'argent massif dans sa paume et moins il avait envie de s'en séparer. Il le
glissa dans sa poche, en se promettant de l'ajouter plus tard à
la recette. Mais il ne put s'y résoudre. Ainsi, la demi-couronne
passa plusieurs mois au fond de sa poche, tant et si bien qu'il
finit par la considérer comme sa propriété.

Les choses en seraient restées là si Gringe n'avait trouvé
une pancarte clouée sur la porte Nord par une fraîche matinée
d'hiver, presque un an plus tard :

AVIS DE CONSCRIPTION

TOUS LES GARÇONS ENTRE ONZE ET SEIZE ANS

AUTRES QUE LES APPRENTIS DES CORPORATIONS AGRÉÉES

SONT TENUS DE SE PRÉSENTER À LA CASERNE DE LA JEUNE GARDE

DEMAIN À SIX HEURES

Gringe eut un coup au cœur. Son fils Rupert avait fêté son onzième anniversaire pas plus tard que la veille. Mme Gringe piqua une crise de nerfs en apprenant la nouvelle. Gringe était aussi bouleversé qu'elle, mais il retrouva son calme en voyant Rupert déchiffrer la pancarte, livide d'angoisse. Il fourra ses mains dans ses poches et réfléchit. Par habitude, il serra la demi-couronne de Marcia entre ses doigts et la solution lui apparut aussitôt.

Le lendemain matin, à l'ouverture des portes, un nouvel apprenti se présentait sur le chantier naval. Il s'appelait Rupert Gringe et son père avait passé en son nom un contrat de sept ans avec Jannit Maarten, constructrice de bateaux de pêche, moyennant un acompte substantiel d'une demi-couronne.

LA MATRONE

Après son interpellation, la matrone fut conduite à l'Asile pour Déments et Délirants du Château dans un état d'extrême confusion mentale. Elle tenait des propos incohérents à propos d'enlèvements d'enfants, une obsession qui ne sied guère à une matrone. Au bout de quelques années, elle fut remise en liberté en raison d'un début de surpopulation. On assistait à une recrudescence des cas de démence et de délire depuis que le custode suprême avait pris le pouvoir, et la matrone n'était ni assez démente ni assez délirante pour rester à l'Asile. Agnès Mérédith, ex-matrone et clocharde novice, ramassa donc ses nombreux sacs et reprit la route, bien décidée à retrouver son fils perdu.

LE VALET DE NUIT

Le valet de nuit du custode suprême fut jeté au cachot pour avoir un peu plus cabossé la couronne en la laissant tomber. Libéré par erreur une semaine plus tard, il se fit embaucher au palais comme commis de cuisine chargé de l'épluchage des pommes de terre. Il excella bientôt dans son travail, au point de devenir éplucheur en chef. Il appréciait beaucoup sa nouvelle vie. Au moins, personne ne lui faisait de reproche s'il laissait tomber une pomme de terre.

LA JUGE ALICE NETTLES

Alice Nettles fit la connaissance d'Alther Mella alors qu'elle était avocate stagiaire au Palais de Justice du Château. Alther n'était pas encore l'apprenti de DomDaniel, mais Alice devina tout de suite en lui un homme exceptionnel. Elle continua à le fréquenter même après qu'il fut devenu magicien extraordinaire et « l'apprenti renégat qui avait poussé son maître du haut de la tour » aux yeux de l'opinion publique.

Elle le savait incapable de tuer quiconque, même une fourmi. Peu après, elle réalisa son rêve le plus cher en devenant juge. Accaparés par leurs carrières respectives, Alice et Alther ne se virent bientôt plus aussi souvent qu'ils l'auraient souhaité, au grand regret de la jeune femme.

Puis Alice subit un double coup du sort. En l'espace de quelques jours, les custodes tuèrent l'ami le plus cher qu'elle avait jamais eu et anéantirent ses efforts en bannissant les femmes du Palais de Justice. Elle quitta alors le Château pour aller vivre chez son frère, au Port. Une fois remise de la mort d'Alther, elle trouva un emploi de conseillère juridique au service des douanes.

Un jour où elle avait dû débrouiller un cas difficile impliquant un cirque itinérant et un chameau embarqué sans autorisation, Alice fit un détour par la taverne de l'Ancre-Bleue avant de rentrer chez son frère. C'est là qu'elle eut l'immense joie de rencontrer le fantôme d'Alther Mella.

L'Exécutrice

L'**éclair** de Marcia avait provoqué chez l'Exécutrice une amnésie complète, en plus de brûlures sévères. Ayant récupéré le pistolet, le Chasseur l'avait laissée inconsciente sur le tapis de Marcia. DomDaniel la fit jeter dehors dans la neige, où elle fut trouvée par l'équipe de nuit des balayeurs et conduite à l'hospice des nonnes. Une fois rétablie, elle demeura à l'hospice en tant que fille de salle. Par bonheur, elle ne retrouva jamais la mémoire.

LINDA LANE

Linda Lane reçut une nouvelle identité et un appartement luxueux avec vue sur la rivière en récompense du rôle qu'elle avait joué dans l'identification de la princesse. Mais quelques mois plus tard, elle fut reconnue par la famille d'une de ses précédentes victimes. Un soir où elle s'était attardée sur son balcon pour siroter un verre de son vin favori (cadeau du custode suprême), quelqu'un la poussa dans le vide. Le courant eut vite fait de l'emporter et on ne retrouva jamais son corps.

LA FILLE DE CUISINE

Quand la jeune fille de cuisine commença à rêver de loups, son sommeil en pâtit au point qu'elle prit l'habitude de somnoler durant ses heures de travail. Un jour où elle s'était endormie alors qu'elle devait tourner la broche, un mouton entier finit carbonisé. Seule l'intervention rapide de l'éplucheur de pommes de terre en chef lui évita de subir le même sort. Par mesure disciplinaire, elle fut alors affectée à l'épluchage des légumes. Mais trois semaines plus tard, elle s'enfuyait avec son supérieur afin de commencer une vie nouvelle au Port.

LES CINQ MARCHANDS DU NORD

Après leur départ précipité de la taverne-salon de thé de Sally Mullin, les cinq marchands du Nord rejoignirent leur bateau et passèrent la nuit à arrimer leur cargaison, résolus à lever l'ancre le lendemain à la première heure. Ayant déjà été mêlés à des changements de régime, ils n'avaient aucune envie de s'attarder pour voir comment les choses allaient tourner. D'après leur expérience, elles tournaient toujours au vinaigre. Quand ils passèrent devant les ruines fumantes de la taverne-salon de thé, le lendemain matin, ils y virent la preuve qu'ils avaient raison. C'est à peine s'ils songèrent à Sally Mullin pendant qu'ils descendaient la rivière. Leur intention était de gagner au plus vite le Sud pour échapper au Grand Gel. Ils avaient hâte de retrouver le climat plus tempéré des Lointaines Contrées. Cette situation leur était familière, et ils ne doutaient pas de la vivre à nouveau.

LE PETIT PLONGEUR

Le plongeur employé par Sally Mullin était convaincu d'avoir provoqué l'incendie de la taverne-salon de thé. Il croyait avoir mis les serviettes à sécher trop près du feu, comme il l'avait déjà fait une fois. Mais il en fallait plus que ça pour l'abattre. À ses yeux, tout revers de fortune était un coup de chance qui ne voulait pas dire son nom. Fort de ce principe, il construisit une petite roulotte toute bringuebalante avec laquelle il se rendait tous les matins devant la caserne afin de vendre des saucisses et des pâtés en croûte aux hommes de la Garde. La composition de ses produits variait en fonction des denrées disponibles. Il travaillait dur, passant ses nuits à fabriquer les pâtés et les saucisses qu'il écoulait durant le jour. Les gens du Château constatèrent bientôt une augmentation alarmante des disparitions de chiens et de chats, mais nul ne relia ce phénomène à l'arrivée soudaine de la roulotte du jeune homme. Et quand une épidémie d'intoxications alimentaires ravagea les rangs de la Garde, on incrimina la cantine de la caserne. Le jeune vendeur de pâtés et de saucisses continua à prospérer et jamais, au grand jamais, il ne goûta une de ses spécialités.

RUPERT GRINGE

Rupert Gringe était le meilleur apprenti que Jannit Maarten avait jamais eu. Jannit construisait des bateaux à faible tirant d'eau, destinés à pêcher près des côtes et à piéger les bancs de harengs en les poussant contre les hauts-fonds à l'entrée du Port. Quiconque possédait un bateau signé par Jannit Maarten était assuré de bien gagner sa vie, et il se dit bientôt qu'on était d'autant plus chanceux si son apprenti avait mis la main à l'ouvrage. Le nom de Rupert Gringe était la promesse d'une embarcation stable et qui tenait le vent. Jannit encourageait les jeunes talents. Très vite, elle eut assez confiance en Rupert pour lui laisser le champ libre. La *Muriel* fut le premier bateau entièrement construit par Rupert. Il peignit sa coque du même vert profond que les eaux de la rivière et lui donna des voiles aussi rouges qu'un coucher de soleil sur la mer, un soir d'été.

LUCY GRINGE

Lucy Gringe avait connu Simon Heap à un cours de danse pour jeunes gens et demoiselles, alors qu'ils avaient tous les deux quatorze ans. Mme Gringe avait envoyé sa fille à ce cours pour éviter de l'avoir tout le temps dans les jambes pendant l'été. (Simon était là par erreur. Silas, qui avait tendance à confondre les lettres, avait cru à un cours de **transe**. Un soir, il avait eu l'imprudence d'en parler à Sarah devant Simon. Ce dernier lui avait tellement cassé les pieds qu'il avait fini par l'inscrire.)

Lucy avait été conquise par l'acharnement de Simon à devenir le meilleur danseur du cours. (Simon mettait toujours un point d'honneur à être le meilleur dans quelque domaine que ce soit.) Elle aimait également beaucoup ses yeux verts de magicien et ses boucles blondes. Simon ne comprit pas immédiatement pourquoi il s'intéressait tout à coup à une fille, ni pourquoi il pensait sans arrêt à Lucy. Les deux jeunes gens continuèrent à se voir aussi souvent que possible, mais leurs rencontres avaient toujours lieu en secret. Ils se doutaient que leurs deux familles désapprouveraient leur amour.

Le jour où Lucy s'enfuit de chez elle afin d'épouser Simon Heap fut à la fois le plus heureux et le plus triste de sa vie. Tout était parfait jusqu'au moment où les gardes firent irruption dans la chapelle et emmenèrent son fiancé. Après ce coup de théâtre, son propre sort lui importait peu. Gringe vint la chercher et la ramena à la maison. Il l'enferma au sommet de la tour de garde pour l'empêcher de fuir à nouveau et l'implora d'oublier Simon Heap. Lucy refusa tout net et n'adressa plus

472

jamais la parole à son père. Celui-ci en eut le cœur brisé. Après tout, il était convaincu d'avoir agi dans l'intérêt de sa fille.

LA SENTINELLE DE JENNA

Après être tombé de l'épaule de DomDaniel, l'ex-mille-pattes avait rebondi sur le pont et atterri sur un tonneau. Le tonneau en question passa par-dessus bord quand la *Vengeance* fut engloutie dans la boue. Le courant l'entraîna vers le Port et le déposa sur la plage. L'insecte attendit que ses ailes soient sèches pour s'envoler jusqu'à un pré voisin où venait de s'installer un cirque itinérant. Sans qu'on sache pourquoi, il se prit d'antipathie pour un clown inoffensif qu'il pourchassa dès lors soir après soir autour de la piste, pour la plus grande joie du public.

LES NAGEURS ET LE BATEAU-POULAILLER

Les deux nageurs jetés à la mer par leurs camarades de bord eurent la vie sauve. Jake et Barry Parfitt (c'était leur mère qui avait insisté pour qu'ils apprennent les rudiments de la brasse avant d'embarquer sur la *Vengeance*) manquaient un peu de pratique et ils eurent le plus grand mal à garder la tête hors de l'eau tandis que la tempête faisait rage autour d'eux. Ils commençaient à désespérer quand Barry aperçut un bateau de pêcheur qui venait dans leur direction. Selon toute apparence, il n'y avait personne à bord. Détail curieux, une passerelle était accrochée au bastingage. Dans un suprême effort, Jake et Barry se hissèrent le long de la passerelle et s'écroulèrent sur le pont où ils se trouvèrent environnés de poules. Mais ils se moquaient de ce qu'il y avait autour d'eux, du moment que ce n'était pas de l'eau.

Avec le reflux, Jake, Barry et les poules s'échouèrent sur une des îles des marais. Ils décidèrent de rester là, loin de DomDaniel. Bientôt, on compta un élevage de volailles florissant à quelques milles de l'île de Draggen.

Le rat coursier

Stanley finit par être délivré de sa prison sous le plancher des vestiaires des dames par un des vieux rats du Bureau qui avait eu vent de sa mésaventure. Il passa sa convalescence au sommet de la tour de la porte Nord, en compagnie de Lucy Gringe qui le nourrissait de biscuits en lui confiant ses malheurs. De son point de vue, la jeune fille l'avait échappé belle. Si on l'avait interrogé à ce sujet, il aurait répondu que les magiciens, et particulièrement les membres de la famille Heap, étaient une source de tracas sans fin. Mais nul ne lui demanda jamais son avis.